Лучшее лекарство от скуки – авантюрные детективы Татьяны Поляковой:

■

Закон семи

Сжигая за собой мосты

Последняя любовь Самурая

Невеста Калиостро

Испанская легенда

4 любовника и подруга

Welcome в прошлое

С чистого листа

Мое второе я

Уходи красиво

Неутолимая жажда

Огонь, мерцающий в сосуде

Она в моем сердце

Миссия свыше

Сериал «Фенька - Femme Fatale»

И буду век ему верна?

Единственная женщина на свете

Трижды до восхода солнца

Вся правда, вся ложь

Я смотрю на тебя издали

Сериал «Анфиса и Женька – сыщицы поневоле»

Капкан на спонсора

На дело со своим ментом

Охотницы за привидениями

Неопознанный ходячий объект

«Коламбия пикчерз» представляет

Предчувствия ее не обманули

Сериал «Ольга Рязанцева – дама для особых поручений»

Все в шоколаде

Вкус ледяного поцелуя

Эксклюзивный мачо

Большой секс в маленьком городе

Караоке для дамы с собачкой

Аста Ла Виста, беби!

Леди Феникс

Держи меня крепче

Новая жизнь не дается даром

Сериал «Одна против всех»

Ночь последнего дня

Та, что правит балом

Все точки над i

Один неверный шаг

Найти, влюбиться и отомстить

Татьяна
Полякова

Миссия свыше

УДК 821.161.1-312.4
ББК 84(2Рос=Рус)6-44
    П 54

Оформление серии *С. Груздева*

Полякова, Татьяна Викторовна.

П 54   Миссия свыше : роман / Татьяна Полякова. — Москва : Эксмо, 2014. — 320 с. — (Авантюрный детектив Т. Поляковой).

ISBN 978-5-699-77083-0

«Четверо людей в прежней жизни дали клятву встретиться в другой жизни. Страшную клятву, кровавую. Трое уже встретились. Ждут вас». Эти слова сказал мне как-то заезжий гуру в буддийском центре, куда я забрела от нечего делать. Надо признать, слова гуру произвели впечатление, как ни старалась я отнестись к ним с юмором. Теперь я то и дело ловила себя на мысли, что чего-то жду. Благих перемен в своей судьбе? Некоего события?.. Но время шло, странная история вызывала теперь досаду и разочарование: в глубине души я рассчитывала на приключение, даже когда в сердцах называла гуру шарлатаном. И вот однажды я получила игральную карту, даму червей, с указаниями на обороте времени и места встречи...

УДК 821.161.1-312.4
ББК 84(2Рос=Рус)6-44

ISBN 978-5-699-77083-0

В каждом городе есть такие места, о существовании которых горожане не подозревают, даже если живут здесь довольно долго. Хотя, может, я из тех, кого особенно внимательной не назовешь. Ходишь несколько лет по одной и той же улице, смотришь на одни и те же дома, а задай вопрос, сколько там этих самых домов, сколько этажей в каждом: три, четыре, пять? Или количество подъездов? И не всегда ответишь.

Подобным рассуждениям я была обязана тому, что, свернув в подворотню, вдруг увидела на стене надпись: «Буддийский центр» и стрелку, указывающую куда-то в глубь двора. Туда мне было точно не надо, но я прошла метров сто и обнаружила небольшое двухэтажное здание, не так давно отреставрированное, с резной дверью. Рядом цветочки в вазонах и скамеечка с предупредительной табличкой «У нас не курят». И здание, и табличку я видела впервые, раньше мне и в голову не приходило сюда заглянуть. Что мне здесь делать? Подворотня интересовала меня по одной причине: служебный вход в фирму, где работала Варька, находился именно в подворотне, а сама фирма, соответственно, занимала часть здания девятнадцатого века (скажем прямо, не лучшую его часть), фасадом выходящего на одну из центральных улиц города. Дома тут стояли вплотную друг к другу, а в хитросплетении старых дворов немудрено и заплутать.

В общем, буддийский центр мог появиться здесь всего лишь на днях, а мог существовать и год, и два, и даже больше: просто на надпись и стрелку я не обращала никакого внимания. Промежуточный вариант: центр был, а стрелку намалевали совсем недавно.

Вот, скажите, зачем я трачу на размышление об этом центре кучу времени?

— Потому что я любознательная, — тут же ответила я самой себе, а внутренний голос некорректно вмешался: «Потому что делать тебе совершенно нечего». Это было особенно обидно, потому что куда больше соответствовало истине.

Неделю назад я уволилась с работы и со дня на день собиралась заняться поисками новой, по опыту уже зная, что продолжу бездельничать до тех пор, пока деньги не кончатся. А когда их и без того небольшое количество начнет таять на глазах, я ухвачусь за первую попавшуюся работу, которая будет нравиться мне еще меньше предыдущей. Я даже подумывала покинуть этот город в надежде, что на новом месте что-то да изменится... Три года назад я тоже надеялась, обустраиваясь здесь... Дураку ясно: не города надо менять, а с собой что-то делать, но это, как известно, сложнее всего. Несет меня по жизни, точно щепку, подхваченную потоком воды после продолжительного ливня. Крутит, вертит, и добро бы с пользой... «Что есть польза?» — глумливо осведомился внутренний голос, а я по привычке ответила: «Иди ты...», причем вслух, что со стороны, должно быть, выглядело странно. Но по соседству не было ни одного живого существа, так что я могла бубнить в свое удовольствие сколько угодно, но вместо этого поспешила вернуться в подворотню, и через минуту уже стояла перед металлической дверью с табличкой «Служебный вход» и давила на кнопку звонка.

Замок щелкнул, я толкнула дверь и вошла в узкий коридор, который заканчивался как раз перед кабинетом Варьки. По профессии подруга маркетолог, но последние полгода все ее рабочее время, а также душевные и физические силы уходили на интриги, которые сама Варька именовала «беспощадной борьбой». Итог ее, скорее всего, окажется плачевным, об этом я не раз говорила подруге, но, похоже, победа в борьбе уже была не так важна, как чрезвычайно активное участие. Боролась Варька с новыми хозяевами фирмы, которые отжали бизнес у прежних. Кстати, вчера вечером подружка битый час объясняла мне разницу между «отжать» и «подрезать», причем значения этих двух глаголов в Варькиной интерпретации весьма далеки от тех, что вы встретите в словаре русского языка. Лично для меня загадка, почему подружку новые хозяева до сих пор не выгнали? Может, надеялись, что одумается. А если начнет работать с тем же усердием, которое тратит на борьбу, годовой оборот фирмы подскочит в заоблачные выси. Второй загадкой был тот факт, что Варьку все называли исключительно по имени-отчеству и почему-то Варварой Пантелеевной, хотя ее папа обладатель имени Юрий, а вот фамилия у него и у Варьки — Пантелеевы. На вопрос, как из Варвары Юрьевны она стала Варварой Пантелеевной, подруга вразумительно ответить не смогла, а на повторный вопрос просто рукой махнула. Я единственная звала ее Варькой, надо полагать, из чувства протеста, и это почему-то неизменно удивляло всех общих знакомых.

Из-за двери доносился ровный гул голосов, я вздохнула и громко постучала. Голоса мгновенно стихли, а Варька крикнула:

— Кто?

Не отвечая, я заглянула в комнату и, застав за широким Варькиным столом товарищей по борьбе, двух девушек и молодого мужчину, радостно пискнула, расплывшись в улыбке:

— С революционным приветом...

— Жуть, — перебила Варька, глядя на меня в великой печали.

— Плохо выгляжу? — спросила я со вздохом, устраиваясь на свободном месте.

— При чем здесь ты? Эти мерзавцы затеяли очередную пакость...

— Вот именно, — тут же встряла девица с наполовину обритой головой. В носу кольцо, в ушах замысловатые сережки, причем мочкой пренебрегли и отверстие проделали в верхней части подозрительно заостренных ушей. Раньше встречаться с девицей мне не приходилось, и, глядя на нее, я попыталась представить новых хозяев фирмы, которые держат здесь подобных сотрудников.

— Они гомики? — спросила я немного невпопад.

— Что? — насторожилась Варька.

— Хозяева. Их же, кажется, двое?

— Почему гомики? Вроде не похожи.

— Но все равно очень продвинутые, — заявила я, продолжая разглядывать девицу. На ней была юбка из фиолетового бархата длиной чуть ниже пупка, и армейская рубашка с почему-то отрезанным воротом. «Неужто она так по улице ходит?» — подумала я, а Варька поспешила обрушить на меня очередной рассказ о происках хозяев. Бритая поджимала губы и в нужных местах кивала. Вторая девушка выглядела менее колоритно, юбка средней длины, белая блузка, а под ней просвечивал кружевной ярко-красный бюстгальтер. Девушку звали Света, она была любовницей предыдущего хозяина, отца аж четверых детей (на это Светка особо напирала, рассказывая о кознях новых хозяев). Возмущение на этот раз и ее переполняло.

— Такие козлы, — яростно повторяла она в продолжение Варькиного рассказа. — Убила бы гадов...

— За это сажают, — на всякий случай предупредила я.

— Она в переносном смысле, — поспешил вмешаться парень, по виду и по сути — типичный ботаник. Как его занесло к этим чокнутым, для меня очередная загадка.

— Обеденный перерыв закончен, — взглянув на часы, напомнила я.

— Да фиг с ним, — рыкнула Варька.

— А конспирация?

Мои слова подействовали, девицы потянулись к выходу, вслед за ними поплелся «ботаник».

— Он в тебя влюблен, — предположила я.

— Борька? — подружка взглянула на портрет Петра Кропоткина, папы русского анархизма, украшавший ее стол, и добавила со вздохом: — Не мой калибр.

— Ты сейчас кого имеешь в виду?

Она махнула рукой, решив, что данная тема совсем не интересна, и спросила:

— Что с работой? Может, к нам пойдешь?

Я закатила глаза.

— Пополнять ряды отважных подпольщиков?

— Мы, между прочим, за правое дело...

— Отвали, — ласково попросила я.

— Ага, — кивнула Варька. — Значит, с работой туго. И настроение как у висельника, угадала? Это потому что нет в твоей жизни смысла...

— А в твоей?

— В моей есть.

— Слава богу. Держи ключи. — Я выложила на стол ключи от своей машины, Варька собиралась отвезти мать в санаторий, а своей машины у нее не было, хотя правами она обзавелась еще лет пять назад. Ездила не то чтобы скверно... задумывалась иногда, по ее собственному определению, и теперь я гадала, в каком виде доведется получить машину назад. «Форд» лихо бегал по дорогам страны уже семь лет, но это единственно ценная вещь, принадлежавшая мне, и я им дорожила.

— Спасибо, — сказала Варька, забирая ключи. — Может, со мной поедешь, чтоб не нервничать?

— С тобой я буду нервничать еще больше.

— Сама за руль сядешь.

— Я уважаю твою маму, но за час общения с ней, чего доброго, превращусь в маньячку.

— Это запросто, — согласно кивнула Варька. — Мамуля не подарок, а сейчас еще и новые зубы вставляет.

— А куда она дела старые?

— Выпали. Давно. Мамуля долго без зубов терпела, но к врачу в конце концов все-таки пошла. А он ей такие бабки озвучил, что мамка моя сразу от него к кардиологу, хорошо, что тот сидит в кабинете напротив, не пришлось шляться по коридорам.

— Впечатляет, — кивнула я.

— Еще бы. Мамуле и двух часов не хватит, чтоб все в деталях расписать. Слушай, может, ее к буддистам отправить? Начнет медитировать и о зубах забудет.

— Ты имеешь в виду буддистов, что обживают вашу подворотню?

— Ага. Надька, ты ее сейчас видела...

— С бритой головой?

— Ну... она у них днюет и ночует... Кстати, там у них сегодня какой-то хмырь нарисовался... гуру... — продолжила Варька. — Лекцию будет читать. Я б на твоем месте сходила. Кто-то должен тебе мозги вправить. А давай вместе пойдем?

— А давай. Только без твоей мамы.

— Само собой. Какой гуру ее выдержит.

— Гуру кто-то из местных? — поинтересовалась я.

— Надька сказала, из Тибета.

— И на каком языке он мне мозги вправлять будет?

Варька уставилась в потолок и нос потерла.

— Кто знает. Может, это... переводчика надыбают...

— Или гуру телепатически донесет мысль до каждого, — добавила я.

— Хорош язвить. Идем или нет?

— Идем. Делать все равно нечего.

— Надька сказала в шесть. Маму я завтра отвезу, так что ключи можешь вечером отдать, — милостиво предложила она.

— Обойдусь, — махнула я рукой и вскоре покинула ее кабинет, хотя Варька просила остаться и предлагала кофе. Кофе у нее скверный, а чая нет.

И я отправилась бродить по городу, бросив прощальный взгляд на свою машину, припаркованную неподалеку от офиса.

Варвара объявилась в половине шестого, позвонила по телефону, хотя мы договаривались, что в это время она заедет за мной, чтобы вместе отправиться на встречу с гуру. Тут же выяснилось: в планах подруги произошли изменения, добираться до заветной подворотни мне придется в одиночку, а встретимся мы уже на лекции. Положив трубку, я взглянула на часы, прикидывая, стоит покидать свое жилище или нет? К слову сказать, жилище моим вовсе не было, жила я в квартире своей подруги, бывшей одногруппницы. К ней три года назад я и приехала в надежде, что поиск смысла жизни пойдет здесь веселее. Со смыслом все по-прежнему, а вот моя Танька уже два с половиной года как в Германии, вышла замуж за приблудившегося немца, но сама не знает, надолго ли, оттого в ее квартире живу я, оплачиваю коммуналку и слежу за порядком. И Таньке хорошо (квартира в надежных руках — это ее мнение, а вовсе не мое), а мне так просто здорово, если бы не этот подарок судьбы, работу пришлось бы искать уже вчера, съемная квартира в нашем городе удовольствие не из дешевых.

За эти годы мы с квартирой породнились, и сейчас я не видела особой нужды ее покидать. Но мысль о Варьке заставила меня подняться с дивана, где я лежала, перещелкивая каналы телевизора. Варвара Пантелеевна наверняка потащится к буддистам из желания спасти мою плутающую впотьмах душу, ей-то гуру из Тибета совершенно без надобности. В ее мире все кристально ясно и укладывается в два слова «надо бороться». С кем или с чем, всегда найдется. В общем, я торопливо поднялась, сменила джинсы на длинную юбку и вскоре покинула квартиру.

Стоило мне оказаться возле остановки, как тут же подошла маршрутка. Я увидела в этом добрый знак: «верной дорогой идете, товарищи», как говаривал еще один любитель изменить мир в лучшую сторону. Я устроилась у окна и в который раз попыталась нащупать причину своей меланхолии. Надо сказать, жила я вполне счастливо, но временами находило... Временами находит на всех, что мне известно доподлинно, но в моем случае длилось подобное состояние слишком долго, растягиваясь на месяцы, а то и на полгода. Если коротко, то чувство было такое, точно я не там, где должна быть, а там, где должна быть, меня очень ждут и нужно бы торопиться. Все проблемы начинали казаться глупыми, люди вокруг неинтересными, а жизнь в целом не особо радостной. Перемена мест, как я уже сказала, борьбе с хандрой не способствовала. Оставалось лишь надеяться, что все пройдет само собой. Правда, у мамы был свой взгляд на мою хандру: на личном фронте у меня глубокое затишье, работа меня не радует, потому что я не послушала маму и выбрала не ту профессию, к тому же я живу в городе, где у меня никого нет: ни родных, ни друзей (о существовании Варьки мама не подозревала, и это было скорее хорошо). По большому счету с мамой я была согласна. Особенно удручала ситуация на личном фронте. Мужчины держались со мной настороженно, смотреть смотрели, но не приближались. Я потихоньку наживала комплексы и завидовала Варьке, у которой отбоя от парней не было. Ее друзья считали меня красивой девушкой, но никто ни разу не пригласил на свидание.

Я вздохнула в очередной раз над своей девичьей долей и, взглянув в окно, сообразила, что едва не проехала нужную остановку. Выпорхнула из маршрутки и зашагала по улице, оглядываясь в поисках своей машины, в надежде, что Варька уже приехала. Ни машины, ни Варьки.

Свернув в подворотню и преодолев положенную сотню метров, я смогла убедиться, что столпотворение сегодня не грозит. Взглянула на часы: пять минут седьмого. Либо все те, кто хотел, уже слушают гуру, либо Варька все бездарно перепутала. Второе куда вероятней. Я достала мобильный из сумки, собираясь звонить, но тут услышала шаги и обернулась. Ко мне стремительно приближалась бритая Надька, в платье оранжевого цвета с длинной юбкой, из-под которой выглядывали тонкие щиколотки, украшенные браслетами, они мелодично позвякивали при каждом ее шаге. Платье было красивым, босоножки тоже, и против браслетов я не возражала, но в целом Надька выглядела еще нелепей, чем в нашу недавнюю встречу.

— Идем скорее, — сказала она, хватая меня за руку. — Просили не опаздывать. Варвара Пантелеевна мамашу к зубному повезла. Обещала подтянуться позднее.

— Ага, — только и смогла ответить я.

Внутри здания не было ни одного человека, и тишина царила подозрительная. Но Надька уверенно направилась в глубь помещения, и я припустилась следом. Она осторожно открыла дверь и так же осторожно, заглянув внутрь, кивнула мне.

В небольшом зале прямо на полу сидели человек тридцать, в основном девушки. Кто-то пришел со своим ковриком или подушкой, а кто-то довольствовался половичком, которые стопочкой лежали в уголке. Надька, схватив половичок, протиснулась ближе к окну, возле которого в позе лотоса сидел мужчина в белой просторной одежде. Длинные волосы, совершенно седые, стянуты в хвост. Глаза гуру были закрыты, руки лежали на коленях, ладони в старческих пятнах, что удивило, старым мужчина не выглядел. Встреть я его при других обстоятельствах, иначе одетым да еще подстриженным покороче, дала бы лет сорок, не больше. Я так и стояла в дверях, разглядывая его, пока Надька не шикнула на меня, оглянувшись и махнув рукой. Я опустилась на пол, не забыв про половичок.

Минут десять все сидели в тишине, к тому моменту разглядывать гуру уже стало не интересно, я вспомнила о Варьке и решила, что ее отсутствие мне скорее на руку. Молчать она не в состоянии, а если окружающие начинали гневаться, то подружка тут же переходила на смс. В кино с ней можно идти, только если фильм скучнейший. А здесь гуру... Мужчина открыл глаза и неожиданно заговорил. Я-то думала, что он еще долго будет сидеть в молчании, и даже вздрогнула, услышав его голос. Тихий, мелодичный. В нем было что-то птичье. Глаза у него оказались очень светлыми, национальность его определению не поддавалась, вроде бы европеец, хотя и это сомнительно. А вот заговорил он на английском.

Через полчаса, пытаясь устроиться на половичке поудобнее, я уже жалела, что пришла сюда. Моего английского не хватало, чтобы в полной мере осознать, о чем он говорит, а переводчик оказался совсем скверным. Девушка лет двадцати пяти, сидевшая рядом с гуру, должно быть, очень волновалась. То и дело сбивалась, краснела, торопливо извинялась и вновь делала ошибки. Лицо ее покрылось испариной, и я испугалась, что она, чего доброго, в обморок грохнется. Гуру наконец-то обратил внимание на ее состояние и предложил помедитировать вместе. Отличный момент, чтобы незаметно уйти, но, как на грех, рядом оказалась девица, перекрывшая мне доступ к двери, медитировала она так самозабвенно, что не хотелось ее беспокоить. Стащив все оставшиеся половички, я привалилась к стене, устроившись с максимальными удобствами, и закрыла глаза. Главное, не уснуть. Свалюсь под ноги кому-нибудь, вот будет потеха...

Вскоре я уже пребывала в расслабленном состоянии, и была в мире и с собой, и с целым светом. Выходит, не зря меня Варька сюда отправила... Полудрема длилась довольно долго. Тут гуру вновь заговорил, а девушка с легким заиканием начала переводить, но теперь я их не слушала, зависнув где-то между мирами, и счастливо улыбалась. Не знаю, сколько бы я смогла находиться в таком состоянии, но люди вокруг вдруг завозились, задвигались, и я поняла, что встреча закончена.

— Ну как? — спросила Надька, оказавшись рядом со мной.

— Впечатляет, — ответила я.

— Это еще что. В прошлом году к нам приезжал... — Но о том, что было в прошлом году, мне так и не довелось узнать. Гуру в комнате уже не было, народ покидал ее, на ходу обмениваясь впечатлениями, а ко мне чуть ли не вприпрыжку направилась переводчица.

— Подождите, пожалуйста, — попросила она. Я замерла, теряясь в догадках, что ей понадобилось. Тем же была занята и Надька, хмурилась, переводя взгляд с меня на переводчицу и обратно. — Учитель хочет с вами поговорить, — понизив голос, произнесла девушка, а я бестолково переспросила:

— Со мной?

— Да.

Даже после утвердительного ответа я продолжала сомневаться, а не произошла ли ошибка? Вдруг девушка меня с кем-то перепутала? Гуру, как известно, не ошибаются, но я была уверена, на меня он не обращал внимания, и, скорее всего, даже не видел, ведь я сидела возле двери за спинами десятка людей. Или все-таки заметил меня, когда я вошла, опоздав на несколько минут? Пожалуй, так. Но не об этом же он хочет поговорить? А о чем? Надька продолжала в недоумении таращиться. Я ее очень даже понимала, но отправилась вслед за девушкой.

Гуру был в соседней комнате, сидел в кресле, положив руки на подлокотники, перед ним стояла чашка с напитком, от которого поднималась струйка пара и пахло почему-то аптекой. Гуру пристально посмотрел на меня и улыбнулся. Как ни странно, улыбка вышла немного виноватой, точно он испытывал неловкость оттого, что меня побеспокоил. «Святые люди, как правило, очень деликатны», — подумала я, так и не найдя объяснения, чему обязана вниманием этого человека.

Сейчас, сидя в кресле, он казался как-то обыкновеннее, но одновременно и симпатичнее. Не зная, что должна сделать, я молча поклонилась. Он поклонился в ответ и указал рукой на соседнее кресло. Я поспешно села на самый краешек, по-прежнему толком не зная, как себя вести. Судя по всему, он тоже не знал, хотя поверить в такое практически невозможно. Улыбка все еще блуждала на его губах, он продолжал смотреть на меня, но как-то сквозь, и я начала сомневаться, видит ли он меня, а еще: помнит ли, что я рядом? «Ушел в нирвану», — подумала с беспокойством и без всякого намека на иронию.

Мы сидели так уже довольно долго, ни я, изнывая от любопытства, ни девушка-переводчик, которую происходящее тоже смущало, нарушить тишину не рискнули.

В конце концов я робко кашлянула, а гуру тут же заговорил, точно все это время ждал сигнала.

— Я должен сказать вам кое-что, — девушка торопливо перевела, а он продолжил: — Я хочу, чтобы вы были уверены: мои слова вас ни к чему не обязывают... — Он вновь улыбнулся и кивнул: — Но вы должны знать.

— Что? — нетерпеливо спросила я по-английски и смутилась, решив, что прозвучало это не очень-то вежливо. Если так, гуру не стал принимать это близко к сердцу и улыбнулся шире. Зубы у него были белые и ровные. «Голливудская улыбка», — подумала я. Девушка стояла между нами, нерешительно переминаясь с ноги на ногу.

— Четверо людей в прежней жизни дали клятву встретиться в другой жизни. Страшную клятву, кровавую, — продолжил он вроде бы с сожалением. — Трое уже встретились. Ждут вас.

Стоило ему произнести первую фразу, как сердце ухнуло вниз, а потом побежало куда-то со страшной скоростью. По спине прошел холодок, точно ее коснулись холодной лапой. И словно в подтверждение того, что так оно и есть, я увидела, что мои руки покрылись мурашками, как будто меня раздетой выставили на мороз. «Господи», — успела подумать я, сама не зная, по какому случаю его беспокою. Гуру замолчал, убрал улыбку с лица и закрыл глаза. Я вопросительно взглянула на девушку в надежде, что ее перевод окажется куда толковее. Но она повторила слово в слово то, что я уже слышала.

— Спроси, что это за люди, — попросила я, и она послушно перевела. Однако гуру на ее слова попросту не обратил внимания, продолжая сидеть истуканом, вызывая у меня легкое раздражение.

Прошло минут пять, не меньше, прежде чем мы решились обменяться взглядами, девушка пожала плечами, а я вздохнула. Гуру, судя по всему, пребывал где-то далеко от этого места, но любопытство, пришедшее на смену недавнему испугу, прями-таки разбирало. И я, собравшись с духом, повторила настойчиво:

— Скажи ему, я ничего не поняла.

— Простите... — заговорила девушка, но он тут же перебил:

— Я сказал все, что должен был сказать. — И кивнул, обращаясь ко мне: — Ступай.

И я на негнущихся ногах направилась к двери, открыла ее и увидела двух молодых людей, должно быть, устроителей, которые паслись с той стороны, не решаясь прервать нашу беседу, а рядом с ними Надьку, изнывающую от любопытства.

— Чего сказал-то? — взволнованно зашептала она, я направилась к выходу и отвечать не спешила. Требовалось время, чтобы хоть немного прийти в себя.

Надо признать, слова гуру произвели сильное впечатление, как ни старалась я отнестись к ним с юмором. Впечатляли и даже пугали не столько сами слова, сколько моя реакция на них. Точно не я, а мое тело вдруг что-то вспомнило и замерло в страхе. «Чушь собачья», — мысленно решила я и криво усмехнулась.

— Не тяни, — взмолилась Надька, мы успели покинуть буддийский центр и теперь стояли во дворе, глядя друг на друга. Я махнула рукой:

— Наплел какую-то чушь, про клятву и скорую встречу... — стоило мне произнести это, как последовал толчок в сердце, да такой, что я едва устояла на ногах от боли. На мгновение стало трудно дышать, я невольно пригнулась, обхватив себя за плечи.

— Чего? — ошалело произнесла Надька, мой ответ на ее предыдущий вопрос и впрямь особо толковым не назовешь. Я шумно вздохнула и выпрямилась.

— Идем, — и мы побрели к арке. Надька косилась на меня и ждала объяснений. Пришлось повторить слова гуру практически дословно.

— Ни фига себе! — ахнула бритая, раза три переспросив, что он сказал и что при этом делал. — Круто... Так чего ж ты ничего толком не узнала? — вдруг накинулась она на меня. — Где ждут? Кто? Как ты их узнаешь? Давай вернемся и...

— Плохая идея, — вздохнула я, очень сожалея, что и впрямь нельзя вернуться. — Меня отправили восвояси, не пожелав ничего объяснять.

— Да? Жесть... но все равно круто.

— Круче некуда, — согласилась я. — Ладно. Пока.

Домой я решила добираться пешком, а обществом Надьки начала тяготиться, оттого, помахав ей рукой на прощание, заспешила к пешеходному переходу. Уже оказавшись на противоположной стороне улицы, обернулась и смогла убедиться: Надька продолжает стоять и смотрит мне вслед.

— Чудеса, — пробормотала я, вовсе не Надьку имея в виду. — Может, это какой-то фокус? Эффектное заключение лекции? Сказать-то можно что угодно... а моя реакция, к примеру, следствие гипноза. Гуру на многое способны. Все эти проповедники... Он не проповедник. Ну и что? Я о нем ничегошеньки не знаю. Почему он выбрал меня? Потому что я опоздала, он обратил на меня внимание... Когда я вошла, он сидел с закрытыми глазами. А что, собственно, произошло? Ничего. В прежней жизни я дала страшную клятву встретиться с неясной целью с тремя неизвестными мне личностями, то есть в той-то жизни мы, вероятно, были хорошо знакомы. В той жизни, в этой... все подобные утверждения абсолютно бездоказательны. Отнесемся к происшедшему как к забавному приключению. Еще лучше забыть о предсказании прямо сейчас.

Последнее оказалось невыполнимым, хотя бы потому, что очень скоро позвонила Пантелеевна и с места в карьер принялась рассуждать о реинкарнации и прочих радостях, из чего я заключила: Надька успела в красках описать происшедшее со мной в буддийском центре.

— Надька говорит, он великий учитель...

— Само собой...

— И читает в душах как в открытой книге.

— Куда ж без этого... — ответила я, решив, что Надькин словарный запас, судя по всему, за последний час заметно обогатился. — Интересно, где гуру был с визитом до нас? — подумала я вслух. — И какой номер там отколол?

— Ты что, ему не веришь? — ахнула Варька, и стало ясно: подобное, по ее мнению, святотатство.

— Как можно! — хмыкнула я. — Такие люди не врут. — Если честно, в тот момент я была совершенно уверена: гуру действительно был далек от желания морочить мне голову.

— Вот именно, — обрадовалась Варька. — И что теперь делать?

— Кому?

— Тебе, бестолочь.

— Телевизор смотреть.

— Гуру по телевизору показывают? — возбудилась она.

— Вряд ли.

— Тогда зачем?

— Может, и незачем. Лучше книжку почитаю.

— Ленка, ты дура, — простонала Пантелеевна. — Если б мне такое предсказали...

— Ты бы бегала по городу, приставая к прохожим с вопросом: «Не вы страшную клятву давали?»

— Ну... нет, конечно. Но твое отношение меня удивляет.

— По-моему, это круто, — подсказала я.

— Еще как круто. Ладно, посмотрим, что дальше будет.

— Ага. Гуру сказал, гуру сделал.

Отложив в сторону мобильный, я закинула руки за голову и уставилась в потолок.

— Трое уже встретились и ждут меня, — пробормотала едва слышно, и, удивительное дело, в моих словах не было и намека на иронию, скорее — надежда.

Сны донимали меня давно. Я их не помнила, точнее, забывала мгновенно, лишь только открывала глаза, но оставались беспокойство и боль, а еще тоска, словно я оставила далеко-далеко что-то очень важное для себя. Проснувшись утром, я в очередной раз попыталась вспомнить недавний сон.

— Чертов фокусник, — буркнула в досаде, так ничего и не вспомнив. Чертов фокусник — это, самой собой, гуру. Запудрил девушке мозги, вот и снится всякая чушь... Я посидела немного, дрыгая ногами и пытаясь восстановить в памяти впечатление, оставшееся ото сна... грусть... нет, страдание... Во сне я страдала от какой-то потери... мужчина? Никаких воспоминаний, а напридумывать можно что угодно. Глупо доверять своим чувствам — чувства обманчивы. Разум тоже не надежен. Вера слепа. Добавь еще, что мир — иллюзия, и можно начать всерьез подумывать о хорошо намыленной веревке.

— Знаешь, что нужно сделать? — громко спросила я, поднимаясь. — Отдохнуть у теплого моря. Красивые загорелые парни, звездные ночи, секс на песчаном пляже... и хандра улетучится.

За последние полгода я повторяла это дважды в день без особого толку. Хандра не проходила, а купить путевку я так и не удосужилась. Шлепая босыми ногами, отправилась в кухню, выпила кофе, сидя на подоконнике. Во дворе бегала малышня, старушки на скамейках наблюдали за ними.

— Мир распадается на фрагменты... — А это я к чему? Какая только чушь не придет в голову. Может, в кино сходить? Я вернулась за планшетом, решив узнать, что идет в кинотеатрах города.

В кино я не попала, потому что соседка попросила посидеть с ребенком, пока она сходит в налоговую. Времени это заняло куда больше, чем я предполагала. Потом я готовила обед и таращилась в окно. Около шести появилась Пантелеевна и потащила меня на концерт малоизвестной рок-звезды. После концерта мы посидели в баре, выпили немного и разбрелись по домам.

На следующее утро Варька вернула мою машину, и это явилось единственным событием, заслуживающим внимание. Еще три дня оказались ничем не примечательными. Я то и дело ловила себя на мысли, что чего-то жду. Благих перемен в своей судьбе? Увлекательного приключения? Ожидание раздражало, не ожидание даже, а моя подспудная вера, что должно что-то произойти. Некое событие. Бывали случаи, когда люди всю жизнь чего-то ждали. И совершенно напрасно. Надеюсь, я не из их числа. «Займись делом», — ворчала я каждый вечер и каждое утро и продолжала двигаться по накатанной колее, самой себе так и не ответив на вопрос: чего жду? Чего вообще хочу от этой жизни? Вопрос, как известно, философский, и на нем многие обламывали зубы, чего ж говорить о молодой девушке со средними мыслительными способностями.

История с гуру еще несколько дней занимала меня, изрядно подогреваемая болтовней Варвары о «предсказании», но потом даже Пантелеевне все это надоело. Странная история (а как ее еще назвать?) стремительно становилась прошлым, вызвав легкую досаду и разочарование: в глубине души я, конечно, рассчитывала на приключение, даже когда в сердцах назвала гуру шарлатаном.

Прошел примерно месяц после того памятного вечера. Деньги таяли, я начала подыскивать работу, но без особого рвения. Очередное собеседование закончилось довольно поздно, домой я возвращалась пешком, экономя на бензине, предстоящая офисная жизнь вызывала стойкое неприятие, и я надеялась еще пару недель продержаться на плаву.

Собеседование прошло успешно, молодой человек, потратив на меня больше часа, остался доволен, обещал позвонить в ближайшие дни, что меня вопреки всякой логике вовсе не порадовало. Я-то мечтала валять дурака до осени, хотя здравый смысл все-таки заставлял шевелиться и работу искать. «Последние свободные деньки», — со вздохом подумала я, поднимаясь на свой этаж, достала ключи из сумки и уже собралась открыть замок, когда заметила клочок картона, торчащий из двери на уровне моих глаз. Соседи, бывало, оповещали таким способом, что пришла моя очередь мыть полы на лестничной клетке, но обычно использовали бумагу. Я потянула за краешек картон, и тут выяснилось: это вовсе не послание от соседей. В руках у меня была игральная карта. Дама червей. Я не сильна в картах, но масти, конечно, знала. Помнится, в летнем лагере мы с азартом резались в дурака.

С полминуты я разглядывала карту, совершенно обычную, кстати. Никакой информации. Дама загадочно улыбалась, точно Мона Лиза на портрете, и не желала намекнуть, кой черт ей понадобилось торчать в моей двери. «Дети, — решила я. — Затеяли какую-нибудь игру». Лишь после этого я перевернула карту, уверенная, что и там ничего интересного не обнаружу. Черным фломастером через всю карту шла надпись: «Сегодня в полночь. Невская, 23—4».

— Дети, — на сей раз вслух повторила я и добавила с ухмылкой: — Развлекаются.

Открыла дверь, вошла в квартиру, бросила сумку в прихожей и потопала в кухню, с намерением отправить карту в мусорное ведро. Однако вместо этого поставила ее на холодильник, прислонив к вазочке с одинокой розой. Села на табурет. Дама червей насмешливо посматривала на меня, а я на нее. Мысль о детях теперь не казалась особенно удачной. «Только без фантазий», — попробовала я призвать себя к порядку. Заглянула в прихожую, достала из сумки планшет и набрала адрес. Через мгновение выяснилось: по адресу Невская, 23, находился цирк.

— Точно, дети, — со вздохом вернулась я к первоначальной версии. В любом случае, в полночь цирк уже закрыт.

С планшетом в руках я устроилась за столом в кухне и забила в поисковую строку «дама червей». Тут же получила кучу ссылок с объяснениями, по большей части совершенно бесполезными. Какое отношение цирк имеет к даме червей, а она ко мне? Внезапно разозлившись, я вновь решила выбросить карту в мусорное ведро, но вместо этого лишь положила изображением вниз, так и оставив на холодильнике. Выглянула в окно. Дети во дворе вели себя как обычно. А как им еще себя вести? Дети легко забывают недавнюю игру, затеяв новую. На то и дети. Вот тут следовало бы угомониться. Забыть о картах, поужинать, посмотреть телевизор или заняться еще чем-то таким же бесполезным и приятным...

Вместо этого я вышла на лестничную клетку и обследовала двери двух соседних квартир. Ни карт, ни записок. Двери как двери. Поднялась этажом выше, а вскоре прочесала все пять этажей. Если это детские забавы, то выбрали они лишь мою квартиру.

В самый разгар дурацких изысканий я столкнулась с соседкой, дамой пенсионного возраста, саму себя назначившей главной по подъезду. Обычно встретившись с ней, я торопилась проскользнуть мимо, потому что соседка обожала поболтать на темы, весьма далекие от моих интересов. На сей раз я никуда не спешила и, как следствие, потратила на беседу минут двадцать. Если верить Анне Ивановне, детской активности в подъезде не наблюдалось, и никаких игральных карт гражданами обнаружено не было.

Вернувшись к себе, я еще раз повертела карту в руках. Почерк не детский. Буквы ровные, угловатые. Ясное дело, что это дурацкая шутка, но кому вздумалось шутить? Я решила позвонить Варваре и уже взялась за телефонную трубку, но идея тут же была забракована. Подобные шутки точно не в духе Пантелеевны. Сказать по правде, фантазия у нее так себе... Первого апреля она попыталась разыграть меня, но хохотать начала раньше, чем закончила свой рассказ, надо признать, довольно бестолковый. Других претендентов не было. Большинство моих знакомых даже не знали, где я живу. Приглашать их в чужую квартиру я считала неприличным и встречалась обычно в кафе или просто на улице.

Устав ломать голову, я все-таки поужинала и завалилась на диван с пультом в руке. Но телевизор не включила. Почерк мужской. Хотя... уж очень аккуратный. Дался мне этот почерк. Шутка признана глупой, а я еще глупее, если трачу на нее столько времени. В тот момент я искренне считала, что тем дело и кончится. Однако ближе к одиннадцати начала то и дело поглядывать на часы, а потом и вовсе подумала: «До цирка на машине минут двадцать—двадцать пять», то есть вполне допускала, что могу туда отправиться. Кстати, а почему бы и нет? Прогулка мне не повредит, делать все равно нечего. Если шутник себя проявит, посмеюсь вместе с ним. А вот если останусь дома, так и не узнаю, кто он. Впрочем, всерьез я не надеялась, что возле цирка меня и вправду кто-то ждет. Прокачусь, осмотрюсь и вернусь домой.

Следуя этому плану, я спустилась во двор, где стояла моя машина, но прежде, чем завести мотор, внимательно огляделась. Двор тонул в темноте, ни одной души поблизости не обреталось. Детишки покинули двор еще час назад, вслед за ними удалились старушки, отдыхавшие на скамейках после дневной жары. Город понемногу отходил ко сну, завтра как-никак рабочий день.

Свернув на светофоре, я увидела здание цирка. Огни рекламы вспыхивали на фасаде. «Новая программа», — прочитала я и вновь свернула на небольшую парковку справа от здания. Площадка перед входом была ярко освещена, аллея по соседству тоже, одну из скамеек заняла молодежь, четверо парней и две девушки. Никого из них я раньше не видела.

Выйдя из машины, немного прошлась по аллее, на мое появление молодежь никак не отреагировала, скорее всего, меня попросту не заметили. Время позднее, но ничего скверного я не опасалась, район спокойный, пространство вокруг отлично просматривается. Мимо как раз проехала полицейская машина.

— Ну вот, я здесь, и что дальше? — проворчала я с легким разочарованием.

Возвращаться ни с чем очень не хотелось, но торжественной встречи, похоже, ожидать не приходится. И тут взгляд мой уперся в дверь, точнее, в табличку, что была над дверью: «Выход № 3». Если есть № 3, вполне возможно, есть и № 4.

Заметно ускорившись, я поравнялась с еще одной дверью, табличка над ней сообщала, что это как раз четвертый выход. Повертев головой и никого так и не обнаружив, я потянулась к дверной ручке, уверенная, что дверь заперта. Однако она легко открылась. Лампочка впереди освещала довольно узкий коридор.

— Эй, — позвала я. В ответ тишина. Я немного постояла, не зная, что делать. Громко кашлянула, еще раз сказала «эй» и вздрогнула от неожиданности, когда передо мной материализовался мужчина. Двигался он абсолютно бесшумно, а одет был во все темное, его лицо точно выплыло из темноты, а я испуганно отступила, и тут же напомнила себе, что я в цирке, здесь есть сторож и ему вряд ли понравится...

— Вы, должно быть, карта? — хорошо поставленным голосом, каким обычно говорят конферансье или дворецкие в фильмах, осведомился он.

— Что? — растерялась я и машинально нащупала в кармане ветровки даму червей, радуясь, что прихватила ее из дома.

— Карта при вас? — посуровел мужчина.

— Да, — кивнула я торопливо и достала ее, но мужчина на карту даже не взглянул.

— Вам сюда.

По гулкому вестибюлю мы направилась к распахнутой настежь двери, которая вела в зал. Вестибюль тонул во мраке, а вот арена впереди была хорошо видна. Сверху падал свет одинокого фонаря, освещая красное ковровое покрытие. Это все, на что я обратила внимание в первый момент. Мужчина кивнул в направлении арены и с достоинством удалился, а я услышала странный звук, то есть в то мгновение любой звук казался странным. На самом деле что-то методично постукивало. Я прошла по проходу, разделяющему зрительские кресла, и теперь могла видеть всю арену. Она вовсе не была пуста. На бархатном ограждении, вытянув длинные ноги, сидел молодой мужчина, держа на коленях раскрытый ноутбук, и что-то печатал с фантастической быстротой.

Услышав мои шаги, он повернулся, а я застыла в проходе, разглядывая его. На вид не больше двадцати шести лет, симпатичное лицо, глаза, должно быть, светлые.

Точно у серфера, выцветшие волосы падали на лоб. Он улыбнулся, и на правой щеке появилась ямочка, делая его улыбку очаровательно мальчишеской. Если карту прислал он, я совсем не против знакомства.

— Привет, — сказал блондин и помахал мне рукой.

Только я собралась ответить, как из темного прохода на арену выступил еще один мужчина. Высокий, широкоплечий, в джинсах и темной футболке с длинными рукавами. Волосы коротко стрижены, на шее я заметила наколку, кажется, иероглифы. В руках он держал теннисный мяч, которым с силой ударил о пол и тут же ловко поймал. Таким образом, он развлекался уже несколько минут, именно звук от удара мяча я и слышала.

— Вот это сюрприз, — засмеялся стриженый, обращаясь ко мне, в голосе чувствовалась насмешка. Он вновь поймал мяч, приблизился и спросил, на сей раз не скрывая ухмылки: — Кто ты, прекрасное дитя?

— А вы кто? — задала я встречный вопрос, приглядываясь к мужчине. Был он лет на пять старше блондина, суровое лицо с тяжелым подбородком. Характер, надо полагать, тоже нелегкий, хотя сейчас мужчина старательно улыбался, но улыбка на его физиономии выглядела скорее неуместной.

— Хороший вопрос, — засмеялся он и повернулся к блондину. — Девушка хочет знать, кто мы.

Блондин закрыл ноутбук и, положив его на ограждение, поднялся и спросил серьезно:

— Ты получила карту?

— Да. — Я достала из кармана даму червей и поспешно протянула ему, точно боялась, что он не поверит в мои слова. Блондин кивнул, мельком взглянул на карту, а стриженый вновь засмеялся. Правда, продолжалось это совсем недолго.

— И на кой черт нам дамочка? — покачав головой, спросил он. — Я тебя предупреждал, он спятил.

— Не болтай ерунды, — поморщился блондин.

— По-твоему, это ерунда? — развел стриженый руками. — Один этот цирк чего стоит. А теперь еще и девчонка. Говорю, он спятил.

— Давай дождемся объяснений, — миролюбиво предложил блондин.

— Когда это он обременял себя объяснениями?

— Эй, — не выдержала я, заподозрив, что про меня попросту забыли. — Кто вы такие?

Блондин достал из кармана клетчатой рубашки карту и показал мне. Бубновый валет. Хохотнув, стриженый сунул руку в задний карман джинсов и тоже достал карту. Король крестей.

— И что это объясняет? — спросила я, раздвинув рот до ушей.

— За объяснениями не к нам, — продолжил веселиться стриженый. — Вот сейчас появится... между прочим, уже пять минут первого. Обычно он не опаздывает.

— Он — это кто? — перебила я.

— Тот, кто разослал приглашения, — пожал плечами блондин.

— Кстати, а почему мы в цирке? Это что-нибудь значит? — проявила я интерес.

— Уверен — ничего, — ответил стриженый. — Он просто выпендрежник. Решил покрасоваться перед девушкой. — Мужчина повернулся к блондину. — А она красотка, ты заметил? — И продолжил, вновь обращаясь к нам обоим: — Директор цирка наверняка приятель нашего затейника, так что все просто... Хотя о чем это я? «Просто» — совсем не подходящее слово для нашего дорогого друга, лично я всегда восхищаюсь его безудержной фантазией.

— Это потому, что у тебя ее нет совсем, — засмеялся блондин, а я решила, что пора вставить слово, иначе про меня опять забудут.

— Валет, дама, король, а тот, о ком вы говорите, должно быть, туз?

— Джокер, — услышала я громкий голос. — Я предпочитаю эту карту.

Я резко повернулась и в нескольких шагах от себя увидела мужчину, он шел по проходу. Занятые разговором, мы не сразу заметили его. Мне в жизни не приходилось видеть подобных типов, разве что в кино. Из троицы он был самым старшим, хотя его возраст определить я затруднялась. Может, тридцать, а может, и больше. По сравнению со здоровяком в футболке он казался выше и стройнее, хотя когда они встали рядом, выяснилось, что они примерно одного роста. Длинные до плеч волосы, угольно-черные, блестящие, на концах завивались кольцами. Он зачесывал их назад и время от времени проводил по ним рукой, точно отбрасывал со лба, позднее я поняла: так он обычно поступал, размышляя о чем-то. Глаза его казались еще темнее волос, два бездонных омута, состоявших из одного лишь зрачка, на самом деле они были синими и цвет их менялся от насыщенной голубизны до темно-кобальтового с фиолетовым оттенком. Он носил очки прямоугольной формы без оправы, которые придавали ему вид менеджера какой-нибудь крупной компании, чем зачастую сбивал с толку людей, плохо его знавших.

В отличие от своих приятелей он был в темном костюме и белоснежной рубашке с запонками, украшенными черным камнем. На ногах лакированные туфли с острыми носами.

— Ну наконец-то, — буркнул стриженый, поворачиваясь на его голос.

— Извините за опоздание, — мужчина слегка поклонился. — Итак, все в сборе.

— Не хотите объяснить, что здесь происходит? — сердито спросила я, слегка обалдев от такой красоты.

— Пока ничего, — с некоторым удивлением ответил вновь прибывший и продолжил: — Господа, для нас есть работа.

— Хорошая новость, — хмыкнул стриженый. — Я уже вторую неделю на мели.

— Серьезно? — блондин смотрел на него с интересом. — Можно узнать, куда ты дел свою долю?

— Деньги нужны для того, чтобы их тратить...

— Об этом я и сам знаю. Но спустить за три месяца...

— Не увлекайтесь, господа, — хлопнул в ладоши Джокер. — Поговорим о деле. Надеюсь, вы обратили внимание на нашу гостью. Кузнецова Елена Яковлевна.

— Вот-вот, — тут же влез стриженый. — Я уже пять минут ломаю голову, зачем тебе понадобилась девчонка. На проститутку не похожа...

— Не обращайте внимания на его грубость, — вздохнул Джокер, обращаясь ко мне. — Он Воин, а не дипломат.

Блондин подошел, протянул руку и представился:

— Дмитрий Соколов.

— Очень приятно, — брякнула я, а он улыбнулся. Джокер руки не протянул, церемонно поклонился:

— Максимильян Бергман к вашим услугам, дорогая.

Такое затейливое имя ничуть не удивило, назовись он как-то иначе, Ильей Петровым, к примеру, я бы поразилась куда больше. Все в нем было необычно: внешность, имя и манеры придворного интригана. Дмитрий и Максимильян выжидающе уставились на стриженого.

— Я останусь крестовым королем, — с ухмылкой заявил тот. — До тех пор, пока ты не соизволишь объяснить, что такого может наша Елена Прекрасная...

— Она не только красива и умна... — начал Максимильян, обходя меня по кругу, при этом очень напоминая купца на невольничьем рынке, расхваливающего свой товар.

— Она комсомолка, спортсменка и так далее... Что еще, Джокер?

Максимильян сложил ладони домиком и теперь очень внимательно смотрел на меня. Как будто пытался найти ответ на заданный вопрос.

— У нее необыкновенные способности, — наконец произнес он и со смешком продолжил: — Кое-какие... например, иногда мертвые доверяют ей свои секреты. — Я вздрогнула от неожиданности, а он улыбнулся краешком губ: — Верно, дорогая?

Пока я лихорадочно пыталась решить, что ответить, стриженый вновь заговорил.

— Ба, девушка — экстрасенс? До чего мы докатились...

— Предстоящее дело не просто загадочно. По мнению человека, пожелавшего заплатить нам весьма серьезные деньги, там не обошлось без потусторонних сил.

— Ясно, — кивнул стриженый. — Клиент — конченый придурок, экстрасенс будет пудрить ему мозги, чтоб было веселее, а мы сможем спокойно работать. Слава богу, я-то всерьез начал беспокоиться о твоем здравомыслии, Джокер. Привет, деточка, — сделал он мне ручкой. — Меня зовут Вадим. Будь умницей, и мы сработаемся.

— Да пошел ты, — ответила я.

Трое мужчин переглянулись. Максимильян чуть приподнял брови, а Дмитрий, успевший опять уткнуться в компьютер, поднял голову и пожал плечами.

— Никаких дел я с вами иметь не собираюсь, — добавила я, чтобы у троицы не осталось сомнений, что мои слова относятся ко всем здесь присутствующим, а не только к стриженому.

— Почему? — вроде бы удивился Максимильян.

— Потому. Ни малейшего желания тратить время на объяснения. — Я достала из кармана карту, бросила ее на пол и направилась к проходу, буркнув досадливо: — Придурки.

— Детка, это мудрый поступок, — крикнул вдогонку Вадим, а Джокер произнес ласково:

— До скорой встречи, дорогая.

Я продемонстрировала средний палец и вскоре уже вступила в темное фойе. И испугалась, а вдруг не смогу выбраться отсюда? Но вопреки опасениям, выход нашла сразу, дверь по-прежнему была открыта, и я, оказавшись на улице, с облегчением вдохнула прохладный воздух. Молодежь со скамейки исчезла.

Вернувшись к своей машине, завела мотор, но уезжать почему-то не спешила. «Их трое», — с подозрительным трепетом подумала я, совсем некстати вспомнив предсказание гуру. А если все это подстроено? Предсказание — не более чем хитрый ход... Батюшки святы, да я спятила! Это совпадение, только так к происходящему и надо относиться, иначе черт знает до чего можно додуматься. О предсказании вообще давно следует забыть... Хорошо. Забыла. Но откуда Максимильян узнал... откуда он вообще обо мне узнал, не говоря обо всем прочем. В этом городе я ни одной живой душе не говорила... Если я правильно поняла, они занимаются расследованиями. Частное сыскное агентство? Допустим. Значит, вполне могли раскопать всю мою подноготную. Впрочем, особо раскапывать нечего. А зачем понадобился весь этот цирк? Карты, освещенная арена, полночь... Вадим назвал Джокера выпендрежником. Похоже, так и есть. Развлекается человек... И все же, кто они такие? Просто жулики с воображением?

Очень много вопросов, и на них хотелось ответить. Если быть совсем честной, троица произвела впечатление. Блондин сразу же расположил к себе, точно я встретила друга детства, извечного партнера по шалостям, которого успела забыть и вдруг столкнулась с ним через много лет. Вадим, как ни странно, тоже вызвал симпатию, несмотря на явное нахальство. Я помнила, как вдруг взволнованно затрепетало сердце, когда я увидела его на арене. С Максимильяном все куда сложнее. Он будоражил воображение и вместе с тем вызывал чувство, подозрительно напоминающее испуг. Страх, потихоньку переходящий в ужас. Пожалуй, тут я слегка преувеличиваю. С какой стати мне его бояться? Причин вроде бы нет, а беспокойство остается. Этот странный взгляд, насмешливый и ласковый одновременно, но где-то в самой глубине зрачка застарелая вражда, почти ненависть. «Ну, конечно, — хмыкнула я. — Мы встречались в прошлой жизни... Кажется, я увлеклась предсказанием...»

Не очень понимая, что делаю, я вышла из своего «Форда» и направилась вдоль здания к следующему подъезду. Рядом с ним стояли две машины: немытый, по меньшей мере, полгода «Ленд Крузер» черного цвета, и тоже черный, но в идеальном состоянии «Ягуар». До меня донеслись голоса, мужчины с кем-то прощались, собираясь покинуть здание цирка, дверь начала открываться, а я едва успела юркнуть за ближайшие кусты, свет фонаря сюда не доходил, и я надеялась остаться незамеченной. Первым показался Вадим.

— А девчонка в самом деле ничего, — произнес он, видимо продолжая начатый разговор. — Фигурка что надо, и мордашка выше всяких похвал. Признайся, Джокер, ты позвал ее в команду, чтобы нам не было скучно?

— У девочки талант, — ответил Джокер, вслед за Вадимом появляясь на улице. — Я так долго ее искал...

— По-моему, она не в восторге от нашего приглашения, — сказал Дмитрий, выходя последним.

Теперь все трое стояли в нескольких метрах от меня, и расставаться вроде бы не спешили.

— Девочка успокоится и непременно вернется, — разглядывая свои ботинки, ответил Максимильян, затем поднял голову и посмотрел в небо, точно прикидывая, не начнется ли дождь.

— Уверен? — хмыкнул Вадим.

— Абсолютно.

— И она тот самый четвертый член команды, о котором ты прожужжал нам уши?

— Именно так, — кивнул Максимильян.

— Лично я представлял себе все немного иначе. Имей в виду, если от девчонки не будет толку, тебе придется платить ей из своей доли.

— Конечно. Кажется, ей понравился наш Поэт, — добавил он, кивнув на блондина.

— Еще бы, девушки его любят... — Тут Вадим легонько толкнул плечом Дмитрия. — Чего молчишь? Как тебе девчонка?

— У нее проблемы. Не знаю, какие, но точно есть, — серьезно ответил он.

— А у кого их нет? — засмеялся Вадим. — Ладно, адиос, камрады, меня ждет брюнетка с офигительным бюстом и милой привычкой запасаться травкой.

— Не увлекайся, — насмешливо произнес Джокер.

— Оторвусь за нас обоих. Последнее время ты просто поражаешь меня своим целомудрием. Собираешься постричься в монахи?

— Может быть...

Они побрели к машинам.

— Тебя подвезти? — спросил Вадим блондина.

— Спасибо, пройдусь. — Он направился в сторону проспекта, Джокер сел в «Ягуар», а Вадим в «Ленд Крузер», оба одновременно тронулись с места и вскоре скрылись из поля моего зрения. Сидеть и дальше в кустах не имело смысла.

Бегом я припустилась к своей машине, а, выехав на проспект, увидела идущего впереди Дмитрия с сумкой через плечо, в которой он таскал ноутбук. Я приблизилась, сбросила скорость и посигналила, а когда он обернулся, приоткрыла окно и крикнула:

— Давай сюда.

Предлагать дважды не пришлось, он пересек разделяющий нас газон и вскоре уже сидел в машине рядом со мной.

— Куда отвезти? — спросила я.

— А ты где живешь? — вопросом на вопрос ответил он.

— На Тимирязева.

— Отлично, нам по пути. Высадишь меня возле своего дома.

— Не хочешь, чтобы я узнала твой адрес? — усмехнулась я.

— Не хочу тебя утруждать. Но если есть сомнения, могу пригласить к себе на чашку кофе.

— Перебьюсь. — Я направила «Форд» в сторону своего дома, покосилась на Дмитрия и буркнула: — Расскажешь, что у вас за лавочка?

— Стало интересно? — добродушно хмыкнул он.

— Еще бы. Это что-то вроде сыскного агентства?

Он пожал плечами.

— Официально — нет. У каждого из нас своя жизнь и своя работа, но иногда мы собираемся, чтобы покопаться в какой-нибудь поганой истории.

— Поганой? — нахмурилась я.

— Копаться в приятных историях нам еще не предлагали.

— А чем ты занимаешься в обычное время?

Он засмеялся, похлопал рукой по своей сумке и сказал:

— В обычное время я пишу программы и стараюсь поменьше привлекать к себе внимание.

— Максимильян назвал тебя поэтом. Пишешь стихи?

— А ты, оказывается, любишь подслушивать чужие разговоры? — с притворным удивлением спросил он.

— Только когда взрослые мужики ведут себя как дети, начитавшиеся приключенческой литературы. Так ты пишешь стихи?

— Никогда не пробовал. В команде в мои обязанности входит сбор всякого рода информации.

— Ты — хакер, это я уже поняла, но почему он назвал тебя Поэтом?

— Если верить Максимильяну, все мужчины делятся на три категории, — принялся он растолковывать. — Поэты, Воины и Купцы. Поэт — вовсе не означает, что это человек, который что-то там пишет, а Купец не только тот, кто что-то продает. Купцы — созидатели, Поэты — мечтатели и романтики, Воины — те, кто верит в незыблемость правил.

— Значит, ты — романтик, — кивнула я.

— Если верить Максимильяну, — засмеялся Дмитрий.

— Вадим, само собой, Воин?

— Точно. Он в самом деле воевал. Лет десять только этим и занимался. Потом решил, что с него хватит... — Тут он взглянул серьезно и продолжил: — Если ты будешь с нами, должна знать. Иногда он... — Дмитрий вздохнул и отвернулся к окну. — Война накладывает отпечаток на человека.

— У него поехала крыша и его спровадили на гражданку?

— Такого я не говорил... Полгода назад мы занимались расследованием. Похищение ребенка. Девочка погибла. Похитителя мы в конце концов нашли. По дороге в полицию Волошин, это, кстати, фамилия Вадима, вел себя абсолютно спокойно, даже шутил. А потом так же спокойно взял пистолет и рукояткой разнес похитителю челюсть, сломав сразу в трех местах. И, вместо того чтобы отправиться на допрос, тому для начала пришлось поваляться в больнице.

— Сколько лет было девочке? — нахмурилась я.

— Шесть.

— Не знаю, как бы я повела себя на месте Вадима, — заметила я ворчливо.

— Я понимаю, о чем ты. Но он профессионал. И обязан в любой ситуации сохранять спокойствие.

— Наверное, — пожала я плечами, не желая спорить, и задала очередной вопрос: — Максимильян, следуя его собственной классификации, надо полагать, Купец?

— Максимильян? — переспросил Дмитрий и вновь отвернулся к окну. — Максимильян — Джокер, и может оказаться кем угодно.

— Не очень понятно.

— Он — необычный человек, — неохотно добавил Дмитрий.

— Еще бы... одни запонки чего стоят. А чем в реальной жизни занят этот необычный человек? Выступает в цирке?

— Шутишь?

— Нет. Из него получился бы отличный клоун, и кличка подходящая.

Дмитрий не меньше минуты смотрел на меня так, точно я призналась в страшном злодействе, а потом вдруг засмеялся. Он хохотал так, что на его глазах выступили слезы, он вытер их ладонью, после чего произнес, окончательно успокоившись:

— Извини, но это действительно очень смешно. В обычной жизни у Максимильяна букинистический магазин на площади Победы. Ты его наверняка видела.

Тут самое время было и мне захохотать, настолько это показалось неожиданным. Букинистический магазин? Такое вообразить невозможно. На торговца подержанными книгами Максимильян точно не похож. А на кого он похож?

— Ты шутишь? — только и могла спросить я. Дмитрий взглянул так, точно это я его разыгрывала.

— Нет. Почему?

— Такой тип и книжный магазин...

— Букинистический, — поправил тот. — Там есть очень редкие экземпляры. Древние. По-моему, Джокеру очень подходит такое место. Пещера Али-Бабы, только вместо золота — иные сокровища. Хотя... не удивлюсь, если кроме книг там настоящий старинный клад: дублоны или золото инков. — Дмитрий засмеялся, и я тоже весело фыркнула, но вдруг подумала, что меня золотые дублоны, пожалуй, не удивили бы. С ними Джокер ассоциировался куда больше, чем с кассовым аппаратом и рекламной акцией «Купи одну книгу, вторая — в подарок». Эк меня занесло, может, и нет никакой акции... только кассовый аппарат, без него-то уж никак.

Между тем мой спутник, очень серьезно взглянув на меня, вдруг заявил:

— Он тебя искал.

— Кто? — нахмурилась я.

— Джокер, — пожал Дима плечами. — Мы вместе уже три года, и все это время он говорил, что нас будет четверо.

Стоило ему произнести это, и по спине пробежал холодок, а сердце забилось испуганной птицей. Пытаясь не выдать своего волнения, я пожала плечами и сказала как можно равнодушнее:

— Считал, что вам нужен экстрасенс? Но со мной он дал маху, мне далеко до тех, кого показывают по телевизору.

— Джокеру виднее, — лениво ответил Дмитрий, точно вдруг охладел к разговору. — Он сказал, что ты будешь работать с нами, значит, так тому и быть. Даже если сейчас ты думаешь иначе.

— Да кто он такой, черт возьми?

Дмитрий вновь засмеялся:

— Однажды Джокер заявил, что он падший ангел. Надеюсь, ты слышала эту историю. Если нет — посмотри в Интернете. Довольно интересно.

— Слушай, — не выдержала я, — а у вас крышу не снесло, у всех троих?

— Кто знает, — миролюбиво отозвался он. — Я чокнутым себя не считаю, но самые упертые психи обычно уверены в своей абсолютной нормальности. Останови здесь, — попросил он.

Я притормозила у тротуара.

— Не можешь ты всерьез верить в такую чушь, как падшие ангелы, — с обидой произнесла я, когда он, подхватив свою сумку, выходил из машины.

— Почему? — удивился Дмитрий. — Очень даже могу. Я ведь Поэт-фантазер и романтик.

Он захлопнул дверь, помахал мне рукой и, дождавшись, когда я отъеду, зашагал в сторону супермаркета, чья реклама, освещенная разноцветными огнями, бросалась в глаза.

Я свернула на светофоре и вскоре въезжала во двор своего дома. Но еще некоторое время не покидала машину. «Он меня искал, — думала я. — И на поиски у него ушло три года, если верить Дмитрию. Допустим, ему был нужен экстрасенс... Достаточно заглянуть в Интернет, их там пруд пруди, ясновидящие, медиумы, колдуны, маги и прочее. Но он выбрал меня... Только, ради бога, не связывай это с дурацким предсказанием. Ничего себе дурацкое... Либо Джокер сговорился с гуру, либо... «Я попала в шайку мошенников, — с внезапной злостью решила я. — Еще неизвестно, чем они там занимаются на самом деле, — и совсем неожиданно для себя закончила: — Вот и узнаем».

Утром я вскочила ни свет ни заря. Так и подмывало сразу же бежать на площадь Победы, однако я призвала себя к порядку. Во-первых, магазин вряд ли открывается раньше десяти, во-вторых, к встрече не худо бы подготовиться. Моя задача выяснить, что это за троица и нет ли за ними каких грехов. В наше время при известном старании можно обзавестись массой сведений. Через некоторое время я разочарованно вздохнула, никого похожего в соцсетях не обнаружив. Ладно, Джокер или Вадим. Допустим, к Интернету они равнодушны, но Дмитрий просто обязан быть там, раз уж везде таскает с собой компьютер. Впрочем, если он хакер, а это, скорее всего, именно так, позаботился о том, чтобы выйти на него было не просто.

— Ничего, — пробормотала я, подводя итог своим поискам, и тут же забила в поисковую строку «падший ангел». Прошлась по некоторым ссылкам и задумалась. Если опустить мистическую чепуху и перевести все на рациональный язык, получается следующее: это человек на перепутье, раздираемый двумя взаимоисключающими стихиями добра и зла, и куда качнутся весы, неизвестно. Поэтому Дмитрий на мой вопрос и ответил, что Максимильян не Купец, не Воин, не Поэт, а Джокер, то есть может быть кем угодно. Иными словами: жди любой пакости. Придется держать ухо востро.

Тут я невольно поморщилась: неужто я собираюсь продолжить знакомство? Не просто заглянуть в магазин и удовлетворить свое любопытство, а... выходит, Дмитрий прав и по большому счету от меня уже ничего не зависит.

— Чушь, — буркнула я и головой покачала. — Вполне извинительное любопытство, только и всего.

Я отключила компьютер и взглянула на часы. Оказалось, что уже половина второго. На что ушло все утро... Я уже была в прихожей, когда, бросив на себя взгляд в зеркало, внезапно пошла переодеваться. Джинсы и футболка были отброшены в сторону, а с ними и кроссовки.

Через десять минут я вновь смотрела на себя в зеркало. Теперь на мне было льняное платье с зеленым ремнем и босоножки с золотистой пряжкой. Неброско и вместе с тем стильно. «Я хочу произвести впечатление? — подумала чуть не ли испуганно и ответила: — Я хочу быть уверена, что выгляжу на все сто». Всматриваясь в свое отражение, собрала распущенные по плечам волосы в хвост. Вот так лучше. Менее романтично, зато выгляжу серьезнее. Я взяла сумку, лежавшую на банкетке, мысленно произнесла «удачи» и покинула квартиру.

О букинистическом магазине на площади Победы я, конечно, знала. Во-первых, из-за его расположения рядом с троллейбусной остановкой, во-вторых, он находился в здании, которое само по себе заслуживало внимания. Трехэтажный особняк, построенный в самом конце девятнадцатого века, о чем сообщали цифры на фасаде: 1897 год, прямо над гербом с изображением раскрытой книги, розы и кинжала. Интересное сочетание. Особняк принадлежал купеческому сыну Епифану Дроздову, которому, само собой, никаких гербов положено не было. Однако, многократно умножив отцовское наследство и став одним из крупных промышленников в здешний краях, Дроздов таки гербом обзавелся, правда, явив его миру лишь на фасаде особняка, что тогдашние горожане списали на его чудачества и любовь к приключенческим романам.

Дом с двумя круглыми башенками в самом деле напоминал рыцарский замок. Центральное крыльцо с железными цепями по бокам имитировало подъемный мост, арочные окна в обрамлении белого мрамора, горгульи на башнях. В народе здание прозвали дом с чертями, приняв один фантастический персонаж за другой. В общем, домик заметный и хорошо известный, возле него тури-

стические группы непременно останавливались. Крае-
веды, само собой, герб не обошли своим вниманием и
купчину скоренько записали в масоны. После революции особняк у купца, как водится, отобрали. Великую
Октябрьскую Дроздов встретил в Финляндии и сюда
уже не вернулся, по слухам, успев до начала событий
вывезти большую часть своих капиталов, и скончался
в весьма преклонном возрасте в Канаде (бог знает, как
его туда занесло) в окружении внуков и правнуков. Все
это я нашла в Интернете, впервые обратив внимание на
дом, примерно через неделю после приезда в этот город.
Могу добавить, что некоторое время здесь находилась
городская больница, затем какие-то конторы, пока в начале девяностых не случился пожар. Особо серьезного
урона он не нанес. Однако здание забросили. Оно потихоньку ветшало, поговаривали о сносе, потому как
исторической ценности оно якобы не имело, но очу-
хались и решили восстановить. К тому моменту там не
было ни полов, ни рам, ни дверей, только зеленая сетка
на фасаде и надпись «Охраняется государством». Фотографию я тоже видела в Интернете. Наверное, от дома
остался бы один фундамент, но его вовремя продали с
обременением: восстановить в том виде, в каком он был
до революции. Так здание вновь стало украшением города. Впрочем, вопрос, на мой взгляд, весьма спорный.
Вряд ли архитектора стоило причислять к гениям, но в
городе не так много домов того периода, это во-первых,
а во-вторых, своего хозяин добился — мимо такого дома
вряд ли пройдешь.

Вывеска над двустворчатой дверью выглядела скромно, я бы даже сказала аскетично. На желтоватом фоне
темные буквы, имитирующие готический шрифт. Я потянула дверь на себя, но не тут-то было, она оказалась
заперта. Разочарованно вздохнула и только тогда обратила внимание на переговорное устройство с при-

крепленной к нему карточкой «Звоните». Тут же был небольшой кармашек с торчащими из него визитками. «Букинистический магазин» — значилось на них, далее часы работы.

Нажав кнопку, я откашлялась в некотором волнении. Щелчок, и дверь открыли, не проявив интереса, что мне понадобилось. Я вошла, сделала несколько шагов и замерла с открытым ртом. И было от чего. Вдоль стен стеллажи с книгами, от пола и до самого потолка. Посередине огромный стол завален книгами, альбомами и старинными картами. Здесь же стулья, передвижные лестницы, чтобы можно было дотянуться до верхних полок стеллажей, шкафы с разными безделицами, от забавных фигурок из металла до лорнетов. Два огромных глобуса по углам, астролябии на одной из полок, подзорная труба и макет парусника. От всего этого великолепия голова шла кругом, немудрено, что я так и стояла, разинув рот. Однако мало-помалу я начала приходить в себя.

В первые минуты мне казалось, что из человеческих существ здесь лишь я, но теперь удалось разглядеть двух старичков, притулившихся в креслах возле полки с макетом парусника, оба держали в руках по толстенной книге, один внимательно читал, вооружившись лупой, другой благоговейно перелистывал том. Еще один посетитель помоложе сидел на передвижной лестнице и что-то торопливо печатал, держа на коленях планшет. Тишина царила библиотечная, было слышно, как переворачиваются страницы. Скрипнул стул, и опять все стихло.

Оправившись от первого потрясения, я принялась высматривать хозяина, но, похоже, к посетителям он не торопился. Только я об этом подумала, как из-за ближайшего стеллажа с какой-то антикварной рухлядью неопределенного назначения появился сухонький дядечка лет семидесяти, в черных брючках с подтяжками, голубой рубашке с галстуком и бабочкой красного цвета. Подтяжки, кстати, тоже были красными. Он на ходу надевал пиджак, приветливо улыбаясь. Седые волосы обрамляли внушительную лысину, очки на цепочке он водрузил на нос, как только справился с пиджаком.

— Добрый день, — сказала я, когда он подошел ближе.

— День действительно добрый, — ответил старикан. — Не так часто нас посещают молодые и очень красивые девушки. Могу я чем-то помочь?

— Вы здесь работаете? — в свою очередь спросила я.

— Именно так, — кивнул он и представился: — Василий Кузьмич. Вас интересуют книги? Может быть, какая-то конкретная книга?

— Книги? Да, интересуют, — сказала я неуверенно. — Но... если честно, я просто хотела взглянуть на ваш магазин.

— Прошу, — сделал он широкий жест рукой. — Осматривайтесь. У нас немало вещей, заслуживающих внимания.

А я, наконец, решилась.

— Простите, а Максимильян здесь?

Старичок вроде бы удивился, брови поползли вверх, но где-то на полдороге он вдруг решил эмоции не демонстрировать, кивнул и ответил:

— Одну минуту. — Достал из кармана брюк мобильный и одним касанием набрал номер. — Максимильян Эдмундович, вас спрашивает юная особа.

Юной меня мог назвать разве что старичок вроде Василия Кузьмича, но все равно было приятно, особенно когда он добавил, должно быть, отвечая на вопрос Максимильяна:

— Да, красивая. Я бы даже сказал, очень красивая... — Выслушал хозяина магазина и кивнул: — Идемте, я вас провожу.

Мы направились к стеллажам, откуда он не так давно появился. Здесь стоял стол с вольтеровским креслом и настольная лампа с зеленым абажуром, на столе были свалены журналы. «Советский экран», — успела прочитать я название одного из них. По соседству находилась дверь, ведущая в коридор, в конце его лестница, по ней мы поднялись на второй этаж и уперлись в железную дверь, которая больше подошла бы какому-нибудь банку. Толстенная, с тремя замками. Она открылась автоматически, после того как Василий Кузьмич набрал код, предусмотрительно встав ко мне спиной. «Должно быть, здесь действительно хранятся редкие книги», — подумала я. Старик с улыбкой сказал:

— Прошу, — пропуская меня вперед.

Я вошла, и дверь стала медленно закрываться, Василий Кузьмич за мной не последовал. Я оказалась в небольшой комнате, без окон, здесь стояли два кресла и круглый стол между ними на низких ножках. Рядом сервировочный столик, на котором уместились кофемашина, электрический чайник и кое-какая посуда. Сюда вела лишь одна дверь, та самая, через которую я вошла. Опустившись в кресло, я стала ждать появления Максимильяна. Через минуту оказалось, что с дверями я просчиталась. Была еще одна, но замаскированная, да так удачно, что я до последнего не догадывалась о ее существовании.

— Рад тебя видеть, — услышала я за своей спиной, вздрогнула от неожиданности, повернулась и обнаружила Максимильяна. Стены кабинета были обшиты деревянными панелями, что и позволило замаскировать дверь.

Бергман замер в дверном проеме, разглядывая меня, потом шагнул в комнату и занял соседнее кресло. Дверь с тихим щелчком захлопнулась.

— Чувствую себя героиней приключенческого романа, — сказала я, не утруждая себя приветствием, впрочем, и он себя не сильно утруждал. Мне хотелось, чтобы звучало это насмешливо, но вряд ли получилось особенно хорошо, окружающее и впрямь впечатляло.

— То ли еще будет, — отозвался он добродушно. Сегодня он был в джинсах, темной футболке и льняном пиджаке светло-салатового цвета. Вполне демократично и стильно. Выглядел он все так же интригующе, что я восприняла как личную обиду. Глупо, но что есть, то есть.

— Аренда влетает в копеечку? — задрала я голову, разглядывая потолок, не спеша переводить взгляд на Максимильяна, вдруг почувствовав непрошеное волнение.

— Дом принадлежит мне, — пожал он плечами. — На первом этаже магазин, на втором — мое рабочее место и что-то вроде склада. Здесь я храню особенно ценные экземпляры и встречаюсь с серьезными покупателями. А на третьем этаже живу. Ты обдумала наше предложение? — без перехода спросил он, а я усмехнулась:

— Ваше? У меня сложилось впечатление, ты один все решаешь.

— Впечатление часто бывает обманчиво, — пожал он плечами. — На самом деле мы равноправные партнеры, одним из которых, надеюсь, будешь ты.

— Как ты меня нашел? То есть я хотела спросить, как ты вообще узнал о моем существовании?

Максимильян закинул ногу на ногу, провел рукой по подлокотнику кресла, потом, словно опомнившись, предложил:

— Кофе?

— Нет, спасибо. Я могу рассчитывать на ответ? В этом городе я никому не рассказывала о своих... способностях, — не без труда нашла я подходящее слово.

— Ты помогла в расследовании своему брату, — сказал он. — И весьма успешно.

Мне оставалось лишь согласно кивнуть. Мой двоюродный брат служил в полиции. Когда пропала четырехлетняя девочка и ее недельные поиски успехом не увенчались, он обратился ко мне. Я нашла ребенка. К сожалению, девочка к тому моменту уже несколько дней была мертва. Ответ Максимильяна вроде бы все объяснял, хотя, по сути, не объяснял ничего. Десятки экстрасенсов принимают участие в расследованиях. Это случилось в другом городе, в средствах массовой информации о нем не сообщалось. Конечно, многие были в курсе, особенно из числа сотрудников полиции, но Максимильян-то как обо всем узнал? Однако я предпочла согласиться с тем, что его ответ все объясняет, и сама не очень-то понимая причину своей покладистости.

— Может быть, все-таки кофе? — вновь предложил он, а я вновь отказалась. Вздохнула и, подбирая слова, заговорила:

— Я не умею управлять этим... Все происходит само собой... иногда я что-то вижу или чувствую, чаще нет. Так было с той девочкой... мы дважды ездили к дому, где он ее держал, но в первый раз я ничего не почувствовала. Тогда она была еще жива. А потом... потом я увидела ее. Она сказала «идем со мной» и показала мне место. Там и обнаружили тело...

— Ты поэтому решила переехать? Начала новую жизнь?

— Что это за способности, которые никого не спасают? — усмехнулась я и досадливо отвернулась, уж очень беспомощно это прозвучало.

— Любые способности можно развивать, довести до совершенства, — заметил он, глядя на меня с улыбкой, показавшейся мне скорее насмешливой, точно он ставил под сомнения собственные слова.

— Далеко не всем это удается, — ответила я.

— Тебе удастся. — Он улыбнулся шире и вдруг добавил: — Я помогу. Вселяя в тебя уверенность и напоминая о необходимости тренироваться.

— И только-то? Я думала, ты маг и волшебник, возьмешь меня в ученики...

— Довольно заезженный сюжет, ты не находишь? Думаю, кофе нам все-таки не повредит.

Он поднялся, включил кофемашину и теперь стоял ко мне спиной.

— Скажи честно, зачем я тебе понадобилась? — брякнула я, хотя подозревала, что это не лучший способ узнать правду.

— Честно? — Он повернулся, передал мне чашку кофе и пожал плечами. — Иногда правдивый ответ звучит как самая наглая ложь. Давай сойдемся на том, что нашу сугубо мужскую компанию не худо бы дополнить девушкой. В некоторых случаях люди куда охотнее беседуют с представительницами прекрасного пола.

— Я мало что смыслю в расследовании. Вряд ли от меня будет польза.

— Уверен, ты себя недооцениваешь, — засмеялся Максимильян. — В любом случае стоит попробовать. Отказаться ты можешь всегда.

Я кивнула, вроде бы соглашаясь. Впрочем, я уже до этого знала, что приму его предложение, знала, еще только отправляясь сюда. «Если какая-то дверь вдруг открывается, просто войди в нее», — сказал какой-то восточный мудрец. Что ж, последуем совету. Хотя никто не обещал, что двери открываются к большой удаче. Иногда совсем наоборот.

Я пила кофе, стараясь не смотреть в сторону Максимильяна и чувствуя на себе его взгляд. Нет, не насмешливый, как я решила вначале, скорее заботливый, и все-таки что-то упорно мешало относиться к Бергману с доверием. Что-то во мне самой отчаянно этому сопротивлялось. Своим ощущениям я привыкла доверять и потому мысленно пожелала себе: «Будь с этим типом поосторожней».

А потом прикрыла глаза и постаралась настроиться на своего собеседника. Говорю «настроиться», потому что до сих пор не придумала более подходящего слова. Сначала я ощутила тепло... Так было всегда, а потом... потом по-разному. Чаще всего я испытывала эмоции: гнев, радость, беспокойство... иногда это был синюшный комок злости и страха, чаще сомнения, нерешительность, иногда как подарок, радость и веселье, и тогда я понимала: передо мной счастливый человек... Сейчас на меня вдруг пахнуло ледяным холодом, и я невольно поежилась. Повернула голову. Джокер наблюдал за мной с широкой улыбкой.

— Оставь это для других, — сказал он, поставил свою чашку на стол и добавил: — У тебя будет время попрактиковаться.

А мои мысли заметались по кругу в попытке понять, что произошло: он почувствовал? Догадался? Разумеется, догадался. Он знает, с кем имеет дело, потому и пригласил меня. Но мое недоверие это лишь увеличило. Я поднялась и сказала как можно равнодушнее:

— Не буду отнимать у тебя время...

— Думаю, тебе лучше остаться, — ответил он. — Сейчас приедут остальные, и я расскажу о нашем новом деле. — Не успел он закончить фразу, как в дверь позвонили. — Ну вот и они.

Джокер набрал код на замке, дверь открылась, и в комнату шагнул Вадим. В белой приталенной рубашке и черных джинсах он выглядел моложе, чем накануне, и показался куда симпатичнее.

— Привет, красавица, — засмеялся он. — Какой приятный сюрприз!

— Здравствуй, Лена, — сказал Дмитрий, появляясь из-за его спины. Бриджи цвета хаки, оранжевая футболка, кепка со звездочкой над козырьком и ноутбук в холщовой сумке. Типичный студент, вечно торчащий в Интернете. От него исходило спокойное ровное тепло, с нашей предыдущей встречи в этом смысле ничего не изменилось. «Человек живет в гармонии с миром, — не без зависти подумала я, и тут мысль сделала внезапный скачок: — Когда Джокер успел позвонить им, чтобы вызвать сюда? Когда узнал о моем приходе? Был стопроцентно уверен, что я соглашусь работать с ними? Или это простое совпадение и встреча была назначена заранее?»

Джокер между тем направился к потайной двери, и прибывшие мужчины тоже. Мне ничего не оставалось, как к ним присоединиться. Хозяин, открыв дверь, пропустил гостей вперед, и мы оказались в просторном кабинете с тремя окнами, защищенными светофильтрами из плотной ткани, сейчас опущенными ровно наполовину. В комнате было светло, но шторы спасали от жгучего солнца, впрочем, кондиционер тоже имелся. В остальном кабинет больше бы подошел средневековому астрологу. Толстенные тома на полках, подзорная труба возле окна, на столе какие-то таблицы, колбы, пробирки и прочее в том же духе.

— Не хватает скрипки, — съязвила я, оглядываясь.

— Она там, — довольно хихикнув, ткнул пальцем Вадим в соседний шкаф. — Слава богу, он на ней никогда не играет.

— Это что, декорации для клиентов? — уточнила я, продолжая оглядываться.

— Что-то вроде этого, — кивнул Максимильян, устраиваясь в кресле во главе стола, двое мужчин сели по бокам. Мне пришлось сесть напротив хозяина.

— Клиентов сюда не пускают, — произнес Дмитрий, едва заметно улыбнувшись. — Кстати, мне здесь нравится.

— Ага, — хохотнул Вадим. — Навевает мысли о святой инквизиции. Давно хотел спросить, а в подвале у тебя нет пыточной? Кандалы, дыба и крысы величиной с дворняжку...

— Терпеть не могу крыс, — сказал Максимильян. — Может, поговорим о деле?

— У нас богатый клиент? Впрочем, других мы не жалуем, — тут Вадим повернулся ко мне и подмигнул.

— Клиент просто мечта, — в тон ему ответил Максимильян. — На расходах можем не экономить. Итак, ко мне обратилась некая Тамара Львовна Спивак, 78 лет, вдова...

— О господи, — простонал Вадим. — У старушки пропала собачка? Йорик или чихуа-хуа?

— Ты неплохо разбираешься, — улыбнулся Дмитрий.

— Еще бы... моя подружка мечтает о собаке, все уши мне прожужжала.

Максимильян спокойно ждал, когда они наговорятся, внешне никак не демонстрируя нетерпения.

— У Тамары Львовны пропал племянник, — произнес он, когда Вадим замолчал. — То есть она считает, что он пропал. Женщина уверена: над их семьей тяготеет злой рок...

— Как раз по твоей части, — усмехнулся Вадим, поворачиваясь ко мне. — Надеюсь, ты сумеешь снять порчу? Венец безбрачия? Если нет, я помогу.

— Я не спешил бы сплавлять бабулю психиатру, — пожал плечами Максимильян. — Пожалуй, злой рок имеет место быть... В начале февраля погибла ее племянница, с пропавшим они родные брат и сестра. Бабка хоть и была замужем, но своих детей у нее нет. В племяннике она души не чает, это дети ее родного брата, Басова Геннадия Львовича.

— Знакомая фамилия, — отозвался Дмитрий. — Это тот самый...

— Тот самый.

— Можно пояснить, чем он знаменит? — вмешалась я.

— Бизнесмен, один из богатейших людей области, так вот, в феврале он лишился дочери, а сейчас, предположительно, пропал его сын. Говорю «предположительно», потому что бабка и сама не совсем в этом уверена.

— Может, пропал, а может, загулял, — хмыкнул Вадим.

— Вот именно. Собственно, это главное, что предстоит выяснить. Кстати, восемь лет назад бесследно исчезла старшая дочь Басова.

— Просто исчезла, и все? — нахмурилась я.

— Отец не прекращает поиски до сих пор. Судя по всему, безрезультатно. За год до этого погибла его жена, утонула в озере рядом с их загородным домом. Несчастный случай.

— Многовато для одной семейки, — проворчал Вадим.

— Согласен, — усмехнулся Дмитрий. — Убежденность старухи, что над ними тяготеет злой рок, небезосновательно. У Басова есть еще наследники?

— По словам бабки — нет. Нам следует найти парня, и как можно скорее. — Максимильян достал из ящика стола две пластиковые папки, в которых было от силы пара листков, и перебросил их своим коллегам. — Здесь его адрес, краткая биография и прочая ерунда.

Вадим открыл папку и фыркнул:

— Красавчик. Парню двадцать два года, денег куры не клюют, жизнь у него должна быть насыщенной, как считаешь, дорогая?

— У меня есть имя, — сказала я и улыбнулась пошире, то есть так широко, что мои слова можно было понять лишь в одном смысле — «пошел к черту», но на Вадима моя улыбка особого впечатления не произвела.

— Максимильян зовет тебя Девушкой, — сообщил он и усмехнулся.

— Девушкой? — переспросила я. — Удобно. Никогда с именем не напутаешь. Если без прозвищ вы никак не можете, хорошо, буду Девушкой. А словечки «милая, дорогая, киска» и прочее засуньте себе в задницы.

— Как скажешь, киска, — кивнул Вадим с серьезным видом.

— Кончай, — вмешался Дмитрий, прозвучало это скорее укоризненно.

— Надеюсь, максимум через сутки мы будем знать все об этом парне, — ворчливо заметил Максимильян, никак не реагируя на нашу перепалку.

— Ясно, — кивнул Вадим, вроде бы тоже забыв о ней. — Мы начнем собирать информацию, а чем займешься ты?

— Отправлюсь к клиенту и постараюсь получить максимальный аванс.

— Вот это мне нравится, — засмеялся Вадим. — Кстати, как теперь будем распределять вознаграждение, господа?

— Здесь все по-прежнему: тридцать процентов каждому плюс десять процентов мне дополнительно. Девушке я заплачу из своей доли, а там посмотрим.

— По-моему, справедливо, что скажешь, Димыч?

— Скажу, что понятия не имею, что делать с деньгами. У меня их слишком много.

— Господи, как я ненавижу такие разговоры, — сквозь зубы пробормотал Вадим. — Если деньги лишние — давай мне. У меня их вечно не хватает.

— Бедняжка.

— Это я-то?

— Ты, ты... корчишь из себя независимого, а на деле давно подсел на презренный металл, как наркоман на герыч. Только тот, у кого нет ничего, по-настоящему свободен.

— Правильно говоришь. Поэтому я и спешу потратить свои денежки.

Минуту назад я была уверена, что их перепалка добром не кончится. Но тут они весело загоготали, и стало ясно: ни тот, ни другой не придают своим словам значения, и подтрунивают друг над другом скорее по привычке. Их спор начался не сегодня и давно уже ничего не значил. Это было ясно хотя бы по тому, как к обмену «любезностями» отнесся Максимильян. Сидел со скучающим видом и вряд ли вообще что-то слышал из сказанного ими. А я, наблюдая за этой парочкой, сделала неожиданное открытие: Дмитрий на самом деле куда старше, чем я решила вначале. Он сидел напротив окна, и при солнечном свете становились заметны морщинки возле глаз и губ, линия подбородка казалась резче, а глаза... у него были глаза человека много повидавшего, и далеко не все из увиденного ему пришлось по душе. Передо мной был взрослый мужчина, а отнюдь не мальчик.

— Если вам больше нечего сказать — двигайте отсюда, — после короткой паузы произнес хозяин кабинета, воспользовавшись тем, что оба затихли.

— Удачи, братья, а теперь и сестры, то есть сестра, — поспешно поднявшись, сказал Вадим и тут же полез к Максимильяну: — Скажи, зачем на самом деле тебе нужна девчонка? Да так нужна, что ты готов платить ей из своего кармана?

— Потопали, мой любопытный друг. — Дмитрий подхватил его под руку, и они вместе покинули комнату.

— Не обращай внимания, — сказал Максимильян. — Он привыкнет.

— Любопытство и меня мучает, — ответила я.

— Кстати, что ты скажешь об этих двоих? Успела составить мнение?

— Вадим прямолинеен, как и положено Воину. Мир для него прост и ясен. Он немного сентиментален, хотя никогда в этом не признается. Я угадала или попала пальцем в небо?

— Угадала. А что Поэт?

— С ним сложнее. Но он мне нравится.

— А я? — усмехнулся Максимильян. — Я тебе нравлюсь?

— Нет, — ответила я неожиданно для самой себя. Я хотела ответить уклончиво, завуалировав ответ улыбкой, но вышло чересчур резко. Лицо Максимильяна оставалось спокойным, глаза он не отвел, и я почувствовала беспокойство, и вовсе не из-за своего ответа, а из-за его взгляда, обескураживающе откровенного и при этом начисто лишенного сексуальности, словно он поэтапно снимал с меня одежду, затем кожу, а потом и мясо до самых костей.

— Сам напросился, — засмеялся он, торопясь перевести все в шутку и отворачиваясь, но этот его взгляд я вряд ли забуду. — Если не возражаешь, отправимся к клиентке прямо сейчас. Она нас ждет.

— Чего ты хочешь от меня? — все-таки задала я вопрос, когда мы спускались по лестнице. — Я имею в виду, что я должна делать на встрече?

— Ничего особенного, — пожал он плечами. — Послушаешь старуху, появятся вопросы — задавай, но будет лучше, если ты просто понаблюдаешь, осмотришься. Мне важны твои впечатления.

В какой-то момент я даже решила, что Максимильян издевается, но он, судя по всему, говорил абсолютно серьезно. Люди платят за любовь, за верность, за молчание, за что только не платят. А вот этот тип готов платить за мои впечатления. Тут бы надо рассмеяться, но смешно почему-то не было.

— Ну вот, мы и на месте, — сказал Максимильян, и я увидела дом за невысоким кованым забором, вдоль которого росли туи.

Мы оставили машину возле ворот и направились к калитке. Мой спутник достал из кармана мобильный, но пока набирал номер, из дома показалась женщина лет пятидесяти, полная, слегка запыхавшаяся, она бросилась к калитке, открыла ее, несколько раз повторив:

— Проходите, хозяйка ждет.

Вслед за ней мы поднялись на крыльцо и прошли в просторную гостиную, где на диване сидела пожилая женщина в шали. Волосы, совершенно седые, она не красила, стриглась коротко, почти как мужчина. Черты лица крупные, грубоватые, смягчались возрастом. Она совсем не походила на обладательницу огромного состояния, все в ней было просто, от вязаной шали на плечах до тапочек с ушками. Обычная бабуля, правда, жила она в доме, который стоит не меньше тридцати миллионов, а может, и больше. Цены на недвижимость растут, а ее собственность находится в самом центре, в исторической части города. Хотя, если не считать камина с замысловатым барельефом, обстановка вполне обычная. Мягкая мебель, ковер на полу, горка с посудой и телевизор на тумбочке из черного стекла. Все достойно, но богатством здесь поразить не стремились. Белый потолок, светлый паркет и обои с цветочным рисунком. Дизайнеры назвали бы их в «английском стиле», а я попросту — деревенскими.

Женщина мне сразу понравилась, она была из тех, кто пережил и горе, и радость, а в богатстве и бедности вела себя с одинаковым достоинством.

— Максимильян Эдмундович, — сказала она, поднимаясь навстречу, было заметно, что хозяйка очень взволнована и нашего прихода ждала с нетерпением. — Спасибо, что пришли.

— Здравствуйте, Тамара Львовна, это мой ассистент, Леночка.

— Вы такая молоденькая, — улыбнулась мне женщина, тяжело опускаясь в кресло. — Расследование — неподходящее занятие для девушки. Простите, болтаю всякую чушь. Я очень расстроена. — И совершенно по-бабьи вытерла слезящиеся глаза концом шали.

— Что-то произошло? — устраиваясь на диване, спросил Максимильян, а я подумала, что в нем в отличие от старухи все фальшиво, и этот голос, и преувеличенная забота, с которой он смотрел на нее, и даже поза: нога на ногу, рука на подлокотнике. Безупречный джентльмен.

— Ничего не произошло, — покачала она головой. — Я звонила Егорушке, телефон по-прежнему отключен. Дома он не появлялся, а отец так и не сообщил в полицию.

— В отличие от вас он не считает, что с сыном произошло что-то скверное. В конце концов, молодой человек мог уехать с друзьями...

— Конечно, мог, — перебила старуха. — Но в такое время... И обычно я могла до него дозвониться. Он знает, что я беспокоюсь, хоть бы смс прислал...

— Молодые люди часто попросту не думают об этом...

— Только не Егор. Он знает, после того, что случилось с Настей, я себе места не нахожу. Домработница советует обратиться к экстрасенсу.

— Что ж, если вы считаете, что он скорее отыщет вашего племянника...

— Да я вовсе не об этом, — махнула рукой старуха. — Мне сказали, вы лучший в городе. А экстрасенс... может, я из ума выжила, но... поневоле поверишь, что все это неспроста. Сначала смерть Ольги, это жена моего брата. Я, признаться, ее недолюбливала, и, когда она утонула, не столько горевала, сколько досадовала. Как ее угораздило утонуть? Озеро-то величиной с бассейн. Ну, может, чуть больше. Там только дети и плавали, не озеро, а озерцо... И нате вам. Потом Женечка... Исчезла. И вдруг этот ужас с Настей...

— Расскажите подробнее, что с ней произошло?

— Ходили с подружкой в ночной клуб... Господи, даже вспоминать страшно. Где-то после двух Настя домой отправилась, одна. У нее была машина, ее так и не нашли. Саму Настю обнаружили утром, в десяти километрах от города на дороге. Совершенно голую. Она замерзла, в ту ночь мороз был под тридцать градусов. Никаких следов. Подружку, конечно, допрашивали, но она ничего не знает. Ее даже на детекторе лжи проверяли. Как Настя оказалась за городом, если собиралась домой? Что вообще произошло...

— Я правильно понял: она именно замерзла? То есть это не было убийством?

— По-вашему, бросить человека на морозе — это не убийство? — возмутилась Тамара Львовна. — Не сама же она разделась? — и проворчала: — На теле не было повреждений, если вы об этом.

— Сексуальная близость?

— Тоже нет. — Я уловила отвращение, как только разговор зашел о сексе. — Настя — скромная девушка, у нее был молодой человек, но они расстались... Его тоже допрашивали. В ту ночь он находился в другом городе.

— А не могла она с кем-то поссориться в клубе? — спросил Максимильян.

— Я ничего об этом не знаю. Моя девочка умерла, и до сих пор мне никто не объяснил, что случилось. А теперь вдруг исчез Егор.

— Сколько дней он не выходит на связь?

— Четыре. Последний раз мы виделись в воскресенье. Он приезжал сюда, мы вместе обедали.

— О своих планах он вам не рассказывал?

— Нет, — чуть помедлив, ответила женщина.

— Чем занимается ваш племянник? — Простой вопрос вызвал явные трудности.

— Ничем он не занимается, — после продолжительной паузы ответила Тамара Львовна. — Числится в фирме отца менеджером, но вряд ли часто там появляется. Горько говорить об этом, но он не в отца. Тот с шестнадцати лет вкалывал. И я, кстати, тоже, и муж мой покойный. Так были приучены. А дети... Да и то сказать, чего Егору особенно стараться, когда и так все есть. Но никаких глупостей, выпивки сверх меры или, спаси господи, наркотиков, этого никогда не было. А если кто иное вам наболтает, то это чистой воды ложь. Выпивает, да. Как все в молодости. Девушек много. Но Егор — хороший мальчик, может, ленивый, может, целеустремленности в нем нет, но хороший.

— С отцом у него какие отношения? — спросил Максимильян.

— Как вам сказать? — нахмурившись и немного поразмыслив, ответила она. — Вроде бы хорошие, но...

— Но? — поторопил Максимильян.

Тамара Львовна взглянула с сомнением.

— Мой брат очень много работает. После гибели жены и вовсе стал целыми днями пропадать в своем офисе. Я все понимала... человеку надо найти опору... Дети были на мне. Но время шло, а ничего не менялось. Понимаете? Детям нужна мать и нужен отец, а если матери нет, значит, отец просто обязан... — Она махнула рукой, точно досадуя. — Они живут рядом, но каждый сам по себе. А теперь брат еще и недоволен. Называет Егора лоботрясом и лодырем. А кто в этом виноват? После того как погибла Настя... брат сам не свой. Настя была его любимицей. Я-то думала, теперь он приблизит Егора, но нет... Они замкнулись в себе, и каждый переживает Настенькину смерть в одиночестве. Несчастная семья, — заключила она, горестно качая головой.

— Что ваш брат думает по поводу этих несчастий?

— Брат? — переспросила Тамара Львовна. — Он со мной думами не делится. Он вообще по натуре человек замкнутый... Максимильян Эдмундович, найдите племянника, у меня дурное предчувствие. Все это неспроста...

— Давайте поговорим об этом, — кивнул Максимильян, перебивая даму с вежливой улыбкой. — Вы считаете, кто-то сознательно вредит вашей семье?

— А что я еще должна считать? Я даже боюсь подумать, что Егор... Была большая дружная семья, и вдруг все погибают один за другим.

— Между смертями довольно приличный временной промежуток, — точно извиняясь, напомнил Максимильян. — Старшая дочь исчезает через год после смерти матери, младшая погибает спустя восемь лет.

— Есть сумасшедшие, которые готовы ждать годами, чтобы их замысел осуществился... — запальчиво произнесла Тамара Львовна, глаза ее наполнились слезами, она покачала головой и продолжила: — Думайте обо мне что хотите, старая баба помешалась от горя... может быть... но в совпадения я не верю. Особенно сейчас, когда Егор вдруг пропал. Через полгода после ужасной гибели Насти... Девочку бросили замерзать на дороге. Она не была изнасилована, ее раздели догола и оставили. Что это, если не чудовищная, изощренная месть?

— Месть кому? Вашему брату?

Вопрос вызвал затруднение, Тамара продолжала хмуриться, нервно разглаживая подол своего платья.

— У меня нет детей, и если... если я лишусь племянника, наш род перестанет существовать. Исчезнет с лица земли. Вы верите в проклятие? — вдруг спросила она.

Максимильян едва заметно улыбнулся:

— Скорее да, чем нет.

— Не хотите меня обидеть? Я вас понимаю... Но в совпадения я точно не верю, — повторила она.

— Давайте поговорим о людях, желающих зла вашей семье. Или о проклятии.

— Я не знаю, кто это может быть... Теща моего брата терпеть его не могла. Она, знаете, всех бизнесменов считала мерзавцами и жуликами. Совершенно спятившая баба, коммунистка.

— Ей положено быть атеисткой, — заметил Максимильян. — Вряд ли проклятия по ее части.

— Не скажите. То-то эти атеисты кинулись в храмы, которые с таким остервенением разрушали. Почему бы и к колдунам не отправиться?

— Хорошо. Но проклинать собственных внуков...

— Мы понятия не имеем, какие силы приводим в движение. Она хотела навредить зятю, а в результате...

— Хорошо. С этой дамой можно встретиться?

— Она умерла еще до гибели дочери. На свадьбе не присутствовала и не видела никого из внуков. По-вашему, это нормально? Извините, — покачала она головой, — вы и вправду решите, что я спятила от горя. Главное, найдите Егора. Я хочу знать, что мой мальчик жив, здоров и ему ничего не угрожает. Верните его домой...

— Приложим все усилия, — кивнул Максимильян. — А вы уверены, что Егор единственный наследник?

— В каком смысле? — растерялась женщина.

— Ваш брат младше вас?

— Да. Ему пятьдесят шесть. Вы хотите сказать, у него могут быть еще дети?

— Почему бы и нет? Он вдовец уже девять лет. Кстати, и женатых мужчин клятва, данная в загсе, не всегда останавливает...

— Понимаю, куда вы клоните: семья на стороне... Чего же он тогда ее прячет? Давно бы женился.

— Допустим, у него есть причины этого не делать. И признавать ребенка он тоже не спешит.

— Но если законных детей вдруг не станет... Ему придется признать незаконного, чтоб было кому добро оставить?

Максимильян развел руками, точно хотел сказать: «Это куда вероятней, чем бабкино проклятие».

— Вы плохо знаете моего брата. Если у него возникнут подозрения, я этим мерзавцам не завидую. К тому же он в самом деле может жениться и детей нарожать. И злодейство окажется бесполезным.

— Люди редко думают об этом. Прошу прощения, свои деньги вы завещаете племяннику?

— Само собой. У брата и без того денег хватает.

— Егор дружил с младшей сестрой? — сменил тему Максимильян.

— Он очень любил Женю, она ему вместо няньки была. Тосковал очень, все ждал ее... Когда она исчезла, ему было тринадцать, переходный возраст, мальчик-сирота, в тот год она ему мать заменила, а с Настей... Настю он тоже любил, но она младше на три года и сама нуждалась в поддержке.

— А он не пытался сам найти старшую сестру?

Тамара вскинула голову и не меньше минуты смотрела на него, как будто искала ответ на этот вопрос.

— Пытался, — наконец, произнесла неохотно. — Даже к частному детективу обращался.

— Давно?

— Мне сказал об этом месяц назад.

— А что за детектив, вы знаете?

— Сказал, что нашел по Интернету.

— Понятно. И как успехи?

— Не знаю. Я не верю, что племянница жива, восемь лет прошло, глупо верить в чудо.

— Но он верил?

— Вряд ли. Просто любил ее... не мог успокоиться. Когда человек вот так исчезает, всегда есть крохотная надежда, ведь если тело не найдено...

— Вы его надежду не разделяете?

— Нет. Тело не нашли, но... тогда исчезло несколько девушек. Так сказали в полиции. Их тела тоже не нашли.

— То есть в городе орудовал маньяк, я правильно понял?

— Правильно. Она была последней жертвой. Исчезновения прекратились. Хотя... может, убийца просто переехал в другой город. Никаких следов. И я не хотела, чтобы Егор ворошил все это... Ничего, кроме боли, это не принесет. Если восемь лет назад не было никаких зацепок, то сейчас... Ради бога, найдите Егора. Вы моя единственная надежда.

— Благодарю. И все-таки не могу не задать вопрос: почему вы не обратились в полицию?

— А вы не догадываетесь? Потому что не верю, что они способны помочь. По крайней мере, предыдущий опыт убедил меня в этом. А о вас отзывались как о человеке, который свой хлеб не зря ест.

— Кстати, о хлебе, — улыбнулся Максимильян. — Нам понадобятся деньги на расходы. И небольшой аванс.

— Ольга, — громко позвала Тамара Львовна, на ее крик тут же появилась домработница, которая встречала нас. — Деньги принеси, — сказала хозяйка.

Ольга кивнула и тут же удалилась. Минут через пять она снова вошла в комнату, держа в руках большой пакет из плотной бумаги, и передала хозяйке. Та вскрыла его, и на столе оказались несколько пачек в банковской упаковке.

— Денег не жалейте, — жестко сказала женщина. — Мне важен результат. Заплачу, сколько скажете, только племянника найдите. Деньги с собой в могилу не унесешь.

— Что ж, этих денег хватит на первое время, — кивнул Максимильян, сунул банкноты в пакет и убрал его в карман. — Желаете получить расписку?

— Мне сказали, вы честный человек и репутация для вас не пустой звук.

— О да... репутацией я дорожу. Если не смогу вам помочь, значит, верну ваши деньги... Думаю, мне еще придется вас побеспокоить, когда возникнут какие-то вопросы.

— Беспокойте сколько угодно, лишь бы толк был, — вздохнула Тамара Львовна. — Найдите племянника, заклинаю вас... четвертый день мне жизнь не мила...

Договорить она не успела, в комнату заглянула домработница, лицо у нее было напуганное, она вроде бы попыталась о чем-то предупредить хозяйку, но тут за ее спиной вырос мужчина лет пятидесяти, легонько задел ее плечом и вошел в комнату. Тамара разом подобралась, точно готовясь к бою, а мужчина сказал:

— У тебя гости? — взгляд внимательный и неприятный, на мне он задержался ненадолго, а вот Максимильян вызвал у него беспокойство, даже тревогу. Он окинул его взглядом с ног до головы, вроде бы прицениваясь, и повернулся к Тамаре: — Ты нас познакомишь?

Было ясно, это ее брат. Пользуясь тем, что на меня внимание он теперь практически не обращал, я разглядывала его с большим старанием. Невысокий, плотный, в дорогом костюме, волосы густые, изрядно поседевшие, в целом выглядел значительно, как и положено человеку с его деньгами. Он мне не понравился, и объяснение этому я пока не находила. Возможно, дело в его деньгах. На досуге, с легкой руки Пантелеевны, я почитывала Кропоткина, а таких, как Басов, называла буржуями.

— Геннадий Львович, — покорно ответила Тамара, представляя своего брата. — А это Максимильян Эдмундович. Мой знакомый.

— Очень приятно, — произнес Максимильян и улыбнулся. Должно быть, улыбка эта предназначалась как раз для таких случаев. Совершенно обезоруживающая. Он выглядел наследником престола, путешествующим инкогнито. И тут, как вы понимаете, все вопросы, по меньшей мере, бестактны. — К сожалению, нам уже пора. — Он склонился к старухе, сграбастал ее руку и поцеловал, а она от неожиданности его перекрестила. В целом вышло трогательно. — Всего хорошего.

Максимильян направился к двери, и я припустилась за ним. Басов проводил нас взглядом, скорее заинтригованным, чем сердитым. А с чего, собственно, дяденьке злиться на сестру? Она семейству добра желает. Но у брата на сей счет может быть иное мнение. Во-первых, деньги. Бизнесмены знают им цену, а всяких там частных сыщиков заведомо считают жуликами (кстати, я до недавнего времени считала так же, и если уж совсем честно, пока еще мнение не изменила). Во-вторых, ему может не понравиться, что посторонний человек будет в курсе проблем его семьи. Об этом я и размышляла, покидая дом.

Едва мы оказались возле машины, Максимильян спросил:

— Как впечатление?

— Тамара боится брата, я почувствовала это, как только он вошел. Но уступать ему не намерена.

— Браво, — улыбнулся Максимильян. — Это примерно так же, как читать чужие мысли... — в голосе его чудилась насмешка, хотя говорил он вполне добродушно.

— Нет, не так, — нахмурилась я. — Я не знаю их мыслей, но воспринимаю эмоции. Иногда.

— Этого вполне достаточно... для начала, — сказал он, устраиваясь за рулем. — Старуха не пришла в восторг от того, что брат застукал нас в ее доме... Скорее всего, причина банальная, — судя по его дальнейшим словам, мысли наши были схожи: Басова беспокоят деньги сестры, выброшенные на ветер, и вмешательство посторонних. — Есть еще ценные наблюдения? — спросил Максимильян, ловко лавируя в потоке машин.

— Она очень волнуется за племянника. И гибель его сестры для нее большое горе. А вот что касается Евгении, пропавшей восемь лет назад...

— О ней тетушка говорила неохотно. Не будь в том необходимости, вовсе не стала бы ее упоминать. Чему, кстати, дала объяснение: не желает бередить старые раны.

— Зачем я тебе? — спросила я с усмешкой. — Ты и сам прекрасно справляешься.

— Хотел убедиться, что это не моя фантазия. Значит, ты почувствовала то же самое.

— Я почувствовала, а ты сделал те же выводы, понаблюдав за старухой, — в этом утверждении заключался вопрос, Максимильян, наверное, это понял, но предпочел не отвечать и продолжил:

— Сейчас клиентка объясняется с братом, не удивлюсь, если она позвонит и откажется от наших услуг. — Максимильян засмеялся и подмигнул, повернувшись ко мне. — Вот как важно получить аванс.

— А расценки у вас не хилые.

— Еще бы. Мы ценим свой труд. Кстати, провалов у нас действительно не было.

— Поздравляю. Чего-то она не договаривает, — помолчав, заметила я. — Во время разговора старуха была напряжена, точно боялась сказать лишнее.

— Не беда, мы все из нее вытянем, если понадобится.

Тут у Максимильяна зазвонил мобильный, он торопливо достал его, взглянул на дисплей и поднял брови, вроде бы в недоумении, но все же ответил.

— Бергман, — бросил отрывисто, и на его физиономии появилась усмешка, презрительная. Он выслушал собеседника, сказал: «Хорошо», — и убрал телефон.

— Старушка с нами прощается? — предположила я.

— Ничего подобного. Братец предлагает встретиться. В своем офисе через полчаса.

— Решил вправить нам мозги или взять расследование в свои руки?

— Что говорит твоя интуиция?

— Погонит нас поганой метлой.

— Он предложит нам работу. Как насчет ставки в тысячу?

— Перебьешься. Я не слышала вашего разговора, вдруг ты жульничаешь?

— Никогда не лгу без особой на то нужды, — хмыкнул Максимильян. — Что ж, едем к господину Басову.

Офис не выглядел особо впечатляющим. Обычное трехэтажное здание в центре города. Но, учитывая месторасположение и квадратные метры, тянуло на весьма приличную сумму. Из чего следовало: Басов консервативен, «сталинка» ему милее новомодных строений из стекла, в которых чувствуешь себя как в аквариуме, а еще для него куда важнее быть, чем казаться. Впрочем, у него может быть два десятка причин выбрать именно то здание, а не любое другое.

— Он тебе не понравился, — сказал Максимильян, имея в виду Басова.

Мы искали место на парковке возле офиса, пока безуспешно.

— Не так категорично, — ответила я и брякнула: — Не люблю буржуев.

— У тебя, случайно, нет татуировки Че или Мао, к примеру?

Он вроде бы шутил, но такая догадливость мне не понравилась:

— Откуда ты знаешь?

— Учусь на ясновидца, — засмеялся он. — На самом деле я заметил наколку, когда ты подняла руку... но что там изображено, разглядеть не успел. Так чей портрет ты носишь на своем предплечье?

— Че.

— Он куда симпатичнее Мао, да и всех остальных своих собратьев... Ну наконец-то, — буркнул он, заметив свободное место.

Через минуту мы уже входили в офис. Возле дверей нас встретил охранник. В глубине холла около монитора сидели еще двое. Узкий проход был перекрыт автоматическим шлагбаумом.

— Простите, вы к кому? — спросил охранник, завидя нас.

— Моя фамилия Бергман.

Охранник скупо улыбнулся:

— Проходите, пожалуйста, вам на второй этаж.

Выглядел он скорее бойцом «Альфы», чем рядовым охранником, хотя одет был в серый костюм, а вместо автомата в руках держал рацию.

Мы направились к лестнице.

— Такое впечатление, что здесь готовятся к осаде, — шепнул мне Бергман. — Что тебе подсказывает твое чутье: понты или у Басова неприятности?

— Мое чутье ничего не подсказывает, — фыркнула я. — Задремало, наверное.

Но Максимильян, конечно, прав. Мысли о возможной осаде являлись сами собой, стоило лишь взглянуть на крепких парней в костюмах.

На втором этаже нас ждала женщина лет двадцати пяти, одетая подчеркнуто по-деловому, никаких вольностей в виде расстегнутой пуговички в нужном месте, короткой юбки или шпилек.

— Прошу за мной, — сказала она, поздоровавшись, и пошла впереди, указывая дорогу. Но пару раз обернулась, вроде бы желая убедиться, что мы следуем за ней, однако интересовал ее исключительно Бергман, что, в общем-то, не удивило. На такого, как он, трудно не обратить внимания. Она дважды обернулась, а он дважды улыбнулся ободряюще, мол, дерзай, дорогая, просящему да обломится.

Когда мы подходили к кабинету Басова, деловитость девушки практически улетучилась.

— Что вы делаете сегодня вечером? — шепнул ей Максимильян, притормозив перед дверью, а она в ответ лукаво улыбнулась, из чего я заключила, что этот вечер они, вполне возможно, проведут вместе.

«Бабник», — мысленно хмыкнула я, хотя и знала, что не права. Максимильян из тех, кто женское внимание ценит недорого, и если возьмется охмурить девушку, то скорее из соображений возможной пользы для дела. Впрочем, как знать, как знать... Для меня он до сих пор оставался непроницаем, ни одной эмоции я не смогла уловить, точно передо мной не человек, а его бездушная копия.

Девушка распахнула перед нами дверь, и я увидела просторный кабинет с тремя окнами, гигантским столом посередине с черной глянцевой столешницей, креслом, которое больше походило на трон, и низким стеллажом вдоль одной из стен. Стена над креслом вся была завешана дипломами и фотографиями. На столе тоже стояли фотографии, но видеть изображение со своего места я не могла. Те, что на стене, могли похвастать медийными лицами, в основном политиками, которые дружески обнимали улыбающегося Басова. Вид у него при этом был такой, что сразу становилось ясно, кто тут настоящая звезда.

Геннадий Львович стоял возле окна и хмуро обозревал пейзаж. Как только мы вошли, девушка тут же закрыла за нами дверь, оставшись в приемной, такое впечатление, что в кабинет хозяина заходить она боялась. Должно быть, босс он суровый.

— Моя сестра — дура, — не поворачивая головы, громко произнес он.

— Не могу с вами согласиться, — ответил Максимильян. — Мне Тамара Львовна показалась на редкость здравомыслящей женщиной.

Бергман устроился на одном из стульев, не дожидаясь приглашения. Кивнул мне:

— Присаживайся, милая.

Его тон можно было бы назвать развязным, заяви так кто-то другой, но Максимильян, само собой, оставался безукоризненным джентльменом. Басову его поведение вряд ли понравилось, но он не спешил демонстрировать недовольство, хотя не удержался и сказал язвительно:

— За те деньги, что она вам платит, вы ее пресвятой девой объявите.

— Вы ошибаетесь, это будет стоить куда дороже. Геннадий Львович, у вас свой бизнес, у меня — свой, не будем понапрасну тратить время друг друга.

— Что ж, я уважаю деловых людей, — кивнул Басов, не спеша устраиваясь в своем кресле. Видно, кресло с секретом, Геннадий Львович точно воспарил над столом и теперь выглядел и выше, и значительнее.

— Что вам наговорила моя сестра? — ворчливо начал он. — Историю о проклятии? Моя покойная теща и на том свете никак не успокоится? Все это чушь, которой сестра набирается, целыми днями сидя перед телевизором.

— О проклятии речь действительно заходила, — кивнул Максимильян.

— Надеюсь, вы-то не сомневаетесь, что это бред?

Бергман пожал плечами, понять это можно было как угодно.

— Вашей сестре есть о чем тревожиться.

— Да. Есть, — вздохнул Басов. — Мои дети... Самое худшее, что может быть в жизни человека, это смерть его ребенка... такого я и врагу не пожелаю.

— Ваши чувства мне понятны...

— Тамара просила вас найти Егора? — перебил Басов, точно жалея о минутной слабости, голос вновь звучал деловито, без эмоций.

— Да. Ее беспокоит его долгое отсутствие.

— Мальчишка где-нибудь на Мальдивах, по крайней мере, в прошлый раз его обнаружили там. Тогда моя сестра тоже нервничала, заявила в полицию. Он, видите ли, не мог позвонить, потому как оставил телефон в машине, в аэропорту на стоянке... Буду с вами откровенен. О том, что сестра обратилась к вам, я узнал еще вчера, и навел о вас справки. И то, что я услышал... Хочу предложить вам работу: не поиски моего оболтуса, надеюсь, на днях он и сам объявится, дело куда серьезнее... Убийство моей дочери. Я абсолютно уверен, это было убийство. Ее бросили в лесу на верную смерть, и тот, кто это сделал... Разумеется, вы можете назвать любую сумму за свои услуги, в пределах разумного, естественно. Я хочу получить убийцу дочери.

— Я понял, — кивнул Максимильян. — Что ж, предложение заманчивое. Мой принцип: если можешь взять больше — бери. Но... я связан обязательством. Ваша сестра...

— К черту старую дуру, — отмахнулся Басов.

— Не в моих правилах отказывать клиентам, когда мы уже заключили договор. Но мне ничто не мешает взяться за оба дела, моих ресурсов хватит на это.

— И все-таки я бы хотел...

— Это не обсуждается, — не сказал даже, а промурлыкал Максимильян, но становилось ясно, что так оно и будет.

Вряд ли Басов привык к подобному, его заметно перекосило, однако он счел за благо проглотить обиду.

— Обещайте, что приоритетным для вас будет расследование убийства, — сказал он.

— Обещаю, что приложу максимум сил...

— Будем считать, мы договорились. Секретарь подготовит необходимые документы... А все бумаги, которые у меня есть по этому делу, копии протоколов допросов...

— О, — уважительно произнес Максимильян, но и здесь я заподозрила насмешку, — это значительно облегчит нашу работу.

— Девушка — ваша сотрудница? — соизволил обратить на меня внимание Басов.

— Да. И, несмотря на молодость, очень ценная сотрудница.

— За все время она не сказала ни слова.

— У нее другие задачи, — мягонько так съязвил Бергман. На языке хозяина кабинета вертелся вопрос: «Какие?» Не надо быть экстрасенсом, чтобы это заметить, но задавать этот вопрос он не стал.

— Уверен, вы отлично знаете, что вам нужно для работы.

— В первую очередь ваша откровенность, — тем же тоном заявил Максимильян.

— Что вы имеете в виду? — нахмурился Геннадий Львович.

— У вас есть подозрения, кто мог быть причастен к гибели вашей дочери? Охрана на входе выглядит впечатляюще.

— Глупости, обычная охрана. — Басов отвернулся к окну, пожевал губами, точно прикидывая, стоит ли продолжать. — Вы правы, — со вздохом заявил он, в голосе не было ничего от уверенного в непогрешимости своих оценок босса, только усталость. — Нечестно заставлять вас плутать впотьмах. В январе этого года у меня появились некие люди... Они не назвали ни своих имен, ни имен людей, интересы которых представляют. Двое наглых мерзавцев... — Басов стиснул кулак и вновь отвернулся к окну. — Не буду утомлять вас рассказами о своем бизнесе, речь в данном случае шла о крупном проекте, строительстве очистных сооружений. Так вот, мне советовали отказаться от него. Разумеется, я указал нахалам на дверь. Тогда один из них вскользь обронил фразу, что... что мне следовало бы подумать о своих детях. Не знаю, как я сумел сдержаться и не придушил подонка прямо в этом кабинете. А через две недели погибла моя дочь.

— Эти люди напомнили о себе? — спросил Максимильян.

— В том-то и дело, что нет. Но я не мог отделаться от мысли, что угроза вовсе не была пустой. Расследование не дало никаких результатов, а неделю назад мне вновь позвонили и задали вопрос, не передумал ли я.

— Вы знаете, где ваш сын? — спросила я.

Басов взглянул с недовольством:

— Нет.

— Учитывая ваш рассказ, — заговорил Максимильян, — вам бы следовало побеспокоиться о его безопасности. И его отсутствие должно бы вас напугать. Но вы называете сестру «старой дурой» за то, что она обратилась к нам, и настаиваете на том, чтобы мы расследовали убийство вашей дочери, вместо того чтобы разыскать Егора. Немного странно. Этому может быть лишь два объяснения: либо судьба сына вам безразлична, либо вы знаете, где он.

— Знаю, и не хочу, чтобы об этом знали другие. Оттого и разозлился на сестру. После того звонка по телефону я решил, что сыну лучше пожить за границей. Купил билет на самолет и снял номер в гостинице. Он улетел в понедельник. Прислал смс, что у него все в порядке. Мы договорились, что он не будет звонить ни друзьям, ни своей тетке, ни даже мне. Я не хочу лишиться своего теперь уже единственного ребенка. И я хочу знать, кто эти люди, приходившие ко мне. Кто их хозяин? Кто убил мою дочь?

— Если речь о заказном убийстве, — закинув ногу на ногу, произнес Максимильян, — будет довольно трудно доказать причастность заказчика.

— Неопровержимые доказательства оставим суду. Мне нужен исполнитель и имя человека, который его нанял. И я готов за это очень хорошо заплатить. Остальное вас не касается.

— Что ж, меня это вполне устраивает, — покачивая ногой и глядя куда-то в угол, сказал Максимильян.

Басов, наблюдая за ним, вроде бы ожидал продолжения. Потом достал из ящика стола толстую папку и передвинул Бергману.

— Здесь все, что смогли нарыть следователи.

— Благодарю. — Максимильян взял папку и поднялся.

— Обо всем докладывать мне лично, — в голосе Басова вновь появились хозяйские интонации.

Максимильян кивнул и направился к двери, в том, как он шел, как небрежно держал папку в руках, было полное равнодушие, если не сказать презрение. Неудивительно, что глядя ему вслед, хозяин кабинета сцепил зубы, а рука его вновь сжалась в кулак. Наблюдая все это, я совсем забыла, что мне следует поспешить за своим боссом, Геннадий Львович на мою задержку никакого внимания не обратил, всецело поглощенный лицезрением спины Максимильяна.

— Ты его дразнишь, — сказала я, когда мы оказались в пустой приемной. Обитавшую здесь секретаршу сразу после нашего ухода вызвал Басов.

— Да? — поднял он брови. — Терпеть не могу тех, кто мнит себя чуть ли не Господом, — тут он засмеялся и добавил: — Сам грешен. Ничто не раздражает так, как собственные недостатки, обнаруженные у других.

Вернулась девушка, попросила нас подождать и вновь удалилась в юридический отдел. Ожидая, когда юристы проверят договор, предложенный Максимильяном, а потом отнесут его на подпись Басову, мой босс просматривал документы в папке, а мне оставалось таращиться в окно. Правда, надолго нас не задержали. Минут через двадцать все было подписано, и секретарша, забирая свой экземпляр соглашения, с улыбкой произнесла:

— Деньги поступят на ваш счет часа через три-четыре.

— Отлично, — ответил ей Бергман. — Значит, вечер обещает быть приятным.

Девушка хихикнула, смущенно отводя взгляд, а Бергман жестом фокусника вложил ей в руку свою визитку. «Бергман Максимильян Эдмундович», значилось на ней, без всяких там объяснений, что это за столп отечества, ниже номер мобильного телефона, а в левом верхнем углу герб, тот самый, что красуется на фасаде его магазина. Девушка сунула визитку в карман пиджака, косясь на дверь, за которой обретался Басов. Мы простились и направились по коридору.

— Девушка... — начала я, но Бергман сделал предостерегающий жест рукой и, только когда мы оказались в машине, спросил:

— Девушка, и что дальше?

— Ты ее вербуешь или нуждаешься в женской ласке?

— Одно другому не мешает, как ты понимаешь. Девушка позвонит... Кстати, как ее имя? Юлия, кажется... точно, имя было на табличке, стоявшей на столе. Так вот, Юля позвонит, мы встретимся, и она поведает, какой редкий гад ее шеф. Чувствуется, бедняжке не сладко живется.

— Вот именно, и такие, как ты, жизнь отнюдь не облегчают.

— Вот как... приступ женской солидарности. Я не собираюсь ее соблазнять, я лишь подарю ей незабываемый вечер, с шампанским, цветами, свечами и прогулкой под луной. Сделаю ее жизнь прекрасной... на время.

— А оставшееся время она будет тосковать о несбыточном, — усмехнулась я в досаде. Досадовала в основном на себя, какого черта я вообще завела этот разговор.

— Как у тебя с душевными ранами? — нахмурился Бергман. — Не кровоточат?

— Бог миловал. Легкие царапины, и те давно уже не в счет. Ты не разозлился, что я вмешалась в ваш разговор с Басовым? — решила я сменить тему.

— Я был бы разочарован, не сделай ты этого.

— Такие, как Басов, обычно хорошо знают своих конкурентов, а он пытался убедить нас в том, что его бизнес отжимают неизвестные.

— Догадки-то у него точно есть, но он решил ими не делиться. Выйти на тех, кто разевает рот на чужое добро, проще простого.

— Да? — хмыкнула я.

— Поверь мне, — кивнул он. — Итак, нам предлагают заняться убийством, случившимся в феврале, и не тратить понапрасну время на поиски Егора, который жив-здоров и не выходит на связь, потому что так велел отец.

— Ты расскажешь об этом Тамаре? — спросила я.

— Нет.

— Ты взял деньги...

— Точно. Я взял с нее деньги, чтобы разыскать племянника, этим и займемся. Деньги надо отрабатывать. А ты... — тут он покопался в папке и протянул мне копию протокола допроса, — встреться с подругой Насти Басовой, поговори по душам... Считай это первым самостоятельным заданием.

Он завел мотор, мы выехали со стоянки, я уткнулась в протокол и не сразу расслышала, когда Бергман спросил:

— Где тебя высадить?

— Все равно... можно здесь, — отозвалась я.

Машина притормозила, я подхватила свою сумку.

— Протокол верни в папку, — буркнул мой босс. — Надеюсь, на память ты не жалуешься.

— О результатах докладывать по телефону? — серьезно спросила я.

— В письменном виде, это дисциплинирует. Удачи, Девушка.

— Пока, Джокер.

Он уехал, а я осталась стоять посреди тротуара с маетой в душе. «Если Бергман окажется обычным жуликом, меня это здорово расстроит, — внезапно решила я. — Пока все указывает на то, что так и будет. Он взял деньги с обоих, собирается морочить голову старухе... Может, позвонить ей?» — подумала я, но тут же отсоветовала себе торопиться. Поживем — увидим. Я добрела до ближайшего ларька, где торговали мороженым, купила шоколадное в вафельном стаканчике и устроилась на скамейке неподалеку.

Итак, я должна встретиться с подругой Насти Басовой. Вряд ли Бергман ожидает, что я с ходу укажу на убийцу. Девушку допрашивали не один раз. Будет чудом, если она вспомнит новые подробности. Во-

прос, где она сейчас и захочет ли со мной говорить...
Это проверка и от того, справлюсь ли я, зависит... что?
Моя работа в команде? «Еще и проверки устраивает», — злобно подумала я, доела мороженое, вытерла
руки салфеткой и тут услышала сигнал мобильного.

— Привет, — голос Димы я узнала сразу, и на душе
тут же потеплело. — Как проходит первый день в наших
рядах?

— У меня задание, провалю — и первый день станет
последним.

— Да ладно, — засмеялся Дима. — В твоем почтовом
ящике письмо, там все, что тебе нужно.

— А что мне нужно? — съязвила я, но он, смеясь, отключился.

Я тут же открыла почту, так и есть, письмо от Дмитрия, о чем нетрудно догадаться по логину с его инициалами в «имейле».

Открыв письмо, я присвистнула. Начиналось оно
так: «Все, что тебе надо знать о девице...» А дальше не
только адрес, который я и так уже знала, привычки,
обычные места тусовок, но и приписка: «В настоящее
время она в городе, живет у подруги, так как поссорилась с отчимом, адрес прилагается. Если поспешишь,
застанешь ее там».

Это наводило на множество мыслей. Маловероятно
собрать данные за несколько минут, значит, занялись
они этим еще до нашей встречи с Басовым, это первое.
Второе: благодарить за помощь следует, прежде всего,
Бергмана, хоть и не хотелось бы. Узнать о том, что мне
поручено, Дима мог только от него.

— Боишься, что провалю задание? — хмыкнула я и
еще немного посидела на скамье, прикидывая свои возможные действия. Остановила такси и отправилась к
девушке.

Ей было двадцать, а проблем накопилось уже достаточно, судя по двум приводам в полицию, затяжной войне с отчимом и недавнему исключению из университета. На фотографии она так и выглядела: молодой, симпатичной, но с колючим взглядом. И оба привода в полицию, и отчисление случились этой весной. Логично предположить, так на нашу девушку, а звали ее Карпенко Лилия Аркадьевна, подействовала смерть подруги. Бывает, что человек от горя точно в спячку впадает, а бывает и по-другому, в него точно черт вселяется, и он как будто провоцирует судьбу. Хотя Лилия и раньше могла не входить в число пай-девочек, но счастливо избегала последствий.

Через пятнадцать минут я оказалась возле дома номер восемь, по улице Красногвардейской, где Карпенко обитала, покинув родителей. Я расплачивалась с таксистом, когда из-за угла появилась девица в шортах с блестками, сапогах и ярком топе, на голове бейсболка, из-за нее я поначалу и не узнала предмет своих недавних размышлений, но внимание обратила. Впрочем, не обратить на нее внимание было невозможно. Она с такой яростью размахивала руками, точно от драконов отбивалась. На плече ее болтался рюкзак, из которого торчали какие-то тряпки.

Я открыла дверцу машины и услышала, как вопит девица, вгоняя в ступор редких прохожих:

— Да пошли вы все!..

К этому моменту я успела ее разглядеть и мысленно усмехнулась. В таких случаях говорят: на ловца и зверь бежит. Лилия Аркадьевна собственной персоной и явно не в духе. Я пошла ей навстречу и, когда мы оказались рядом, спросила:

— Тебя Лилей зовут?

— Тебе-то что? Идиотское имя, — буркнула она.

— А по-моему, красивое, — не согласилась я. — Хочешь, выпьем кофе? — Я кивнула на ближайшую кафешку.

— А ты вообще кто?

— Там и расскажу, — улыбнулась я.

Она колебалась не больше двух секунд, а потом последовала за мной.

— Ты угощаешь, — сказала задиристо. — Я сейчас на мели.

— Без проблем, — кивнула я.

— Слушай, может, тогда я бутерброд возьму? Жрать хочется.

— Бери. Меня, кстати, Леной зовут. Я работаю в детективном агентстве.

— Ты? — вытаращила она глаза. — Гонишь.

— Я там «девочка на побегушках», ничего серьезного мне не поручают, так, всякую мелочь.

Мы сделали заказ, и когда официантка отошла, я продолжила:

— Ты ведь дружила с Настей Басовой?

— Блин... так и знала, — закатила девица глаза. — Достали с расспросами, менты, папаша ее...

— Неудивительно. Ты последней видела ее живой.

— Ну да... Мы вышли из клуба, простились и разъехались в разные стороны. Я со своим тогдашним парнем, Настя — одна. Я тысячу раз все рассказывала, меня, между прочим, на детекторе лжи проверяли, ага. Ее папаша настоял, все думал, я кого-то покрываю.

— Тех ребят, с которыми вы в тот вечер поссорились?

— Да не было никакой ссоры. Подкатил к Насте парень, она его послала. Он разозлился и обозвал ее... нецензурно. Она его. Он плюнул и убрался, а потом вообще из клуба ушел.

— Он мог поджидать ее на улице.

— Слушай, как там тебя... Лена. Если ее поджидал какой-то псих, то я о нем знать не знаю.

— Не злись. Это просто моя работа.

Принесли заказ, и Лилия с увлечением принялась за трапезу. Я посоветовала себе быть активнее, аппетит у нее отличный, слопает все и смоется.

— Расскажи, какой была Настя.

— Честно? — отложив в сторону бутерброд, спросила она.

— Конечно, зачем мне твое вранье.

— Если честно, она была стервой... Папаша, бабки, то-се... очень выпендриться любила. Прямо королева. Хотя внешне ничего особенного. Парням запросто могла нахамить. А еще динамить любила. Раскрутит парня на выпивку, глазки строит, да еще бедро ему наглаживает, это у нее прикол такой, а потом: пока-пока.

— Вряд ли им это нравилось.

— Еще бы. В общем, все знали, что она за птица, и начали за версту обегать, а одной совсем не весело. Она бы и рада дать задний ход, да поздняк метаться. Но гордая была, ходила, задрав нос, хотя последний год у нее вообще парня не было. Год — это много.

— Согласна. Ее тетка считала Настю образцовой девочкой.

— Да знаю я... Папаша ее на меня весь в обидах, не то сказала, оклеветала... плохо папы знают своих детей, — глубокомысленно изрекла она. — Слышала анекдот: «Хорошая девочка не пьет, не курит... Потому что больше не могу». — Она засмеялась.

А я спросила, сочтя момент подходящим:

— Может, был кто-то, кому она особенно досадила?

Лилия пожала плечами, подчеркнуто равнодушно и отвела взгляд, а я почувствовала ее беспокойство. И еще тоску, с которой она не умела справиться.

— Откуда мне знать? Может...

— Ты чувствуешь себя виноватой?

— Я? Ничего я не чувствую... О чем ты вообще?

— О Насте, конечно. Тебе ее не хватает?

Губы ее задрожали, а в глазах выступили слезы, девушка Лиля эмоциональная и совладать с чувствами ей нелегко.

— Мы дружили с семи лет. Ее папаше я не нравилась, семейка у меня неподходящая. А то я ее выбирала... Но Настя отцу сказала, что будет со мной дружить. И дружила. Никогда меня не бросала, пьяную там или еще что-нибудь в этом роде. Тряпки давала, деньжат подкидывала и не задавалась. С другими — за милую душу, а со мной никогда. Поэтому, она хоть и стерва, я ее любила. Завидовала немного, но не особо. Хорошо иметь папашу с деньгами, но не такого, как ее.

— Чем он плох, по-твоему?

Она присвистнула:

— Зануда — жуть, а смотрит так, точно дырку в тебе прожигает. Чувствуешь себя... не человеком вовсе. А чем я хуже? Тем, что мой папаша по пьяни окочурился? Так это папаша, а не я... Жесть.

— У тебя неприятности? — когда с бутербродом она покончила, задала я вопрос.

— Ерунда. С подругой поругалась, да и не подруга она мне вовсе, тусовались вместе. Я взяла планшет ее сестры, старшей, надо было в Интернете кое-что посмотреть, а сеструха разоралась. Подруге бы ее послать, а она тоже на меня погнала: «Чего ты все хватаешь...» Оно понятно, я у них неделю живу, надоела.

— И куда ты теперь? Домой?

— Лучше утопиться. Вот отчим-то порадуется, — фыркнула она. — К парню своему пойду. У него как раз предки на дачу отчалили. Несколько дней перекантуюсь, а там посмотрим. — Она достала мобильный, набрала номер и сказала: — Лешик, привет. Я от Нинки съехала.

Давай за мной... в кафе, рядом с ее домом... ага, то самое... давай побыстрее.

— Вы давно вместе? — спросила я, когда она отложила мобильный.

— Месяца три.

И снова я почувствовала ее беспокойство.

— У вас любовь или так, время провести?

— Любовь, — вздохнула она. — Только предкам его я не нравлюсь. И вообще... есть проблемы.

— Какие?

— Тебе-то что?

Я пожала плечами:

— Да просто к разговору.

— Тип один мне проходу не дает. Тот самый, с которым я тогда из клуба уехала. Я с ним до Лешки встречалась, Юрка Донцов. Вообще он ничего, но в плане секса — полный отстрел. Если тебя парень не заводит, на фига он тебе нужен? Но мне его жалко было, ну я и делала вид, что все в порядке. А потом Лешку встретила. И завертелось. Я сразу честно сказала, так, мол, и так, люблю другого... А этот гад стал Лешке про меня всякие гадости болтать, а мне — про него. — Она тяжело вздохнула и вновь отвела взгляд. — Короче, столько крови попортил... — Губы у нее вновь задрожали, и она добавила: — Если б не Настя...

Более ничего интересного я от нее не услышала, минут через десять позвонил ее Лешка, и она меня покинула, а я, ожидая, когда мне принесут сдачу, таращилась в окно. Вряд ли она могла обмануть следователя, тем более если на детекторе лжи в самом деле проверяли. Но что-то ее беспокоит, нет, мучает по-настоящему... И эти слова: «Если б не Настя...» К чему это относилось? Все было бы куда легче перенести, если б не несчастье с Настей? Или она каким-то образом связывает свои любовные проблемы с ее гибелью?

Сдачу, наконец, принесли, а я, прикинув все за и против, набрала номер, которым меня снабдил Максимильян.

— Это я, — сказала, когда он по привычке буркнул: «Бергман». И поняла, что испытываю определенные трудности, потому что не знала, как к нему обратиться. Ясно, что не по имени-отчеству. Странно, но называть Максимильяна по имени оказалось непросто, как будто я переходила границы дозволенного. Может быть, Макс? А что, ни к чему не обязывает. Джокер — это прозвише подходит ему куда больше. Обойдемся пока без имени, а там посмотрим. — Задание выполнила, с девушкой встретилась. За помощь спасибо.

— Нашла убийцу? — весело спросил он.

— Вот сейчас как раз ищу в потемках, — разозлилась я.

— А говоришь, задание выполнила. Как тебе девушка?

— Есть сомнения.

— В том, что она говорит правду?

— В том, что она рассказала все, что знает. Послушай... Я хотела бы съездить туда, где все произошло. Где нашли Настю, я имею в виду.

— Почему бы и нет? Правда, я занят, пришлю тебе Поэта, он поможет найти место. Отправляйтесь прямо сейчас.

Дима появился минут через двадцать, позвонил и сказал, что подъезжает. Я ждала в сквере по соседству, перечитывая письмо, которое от него получила до встречи с Лилей. Увидела, как он идет по аллее, и поднялась ему навстречу. Заметив меня, он помахал рукой. Сегодня он был в белых шортах и футболке в полоску, выглядел лет на двадцать пять, по крайней мере издалека. Мысли о его возрасте становились навязчивыми, потому я и спросила:

— Сколько тебе лет?

Он сморщил нос:

— Неприлично спрашивать о возрасте.

— Ты не девушка.

— Ага. И, к сожалению, давно не юноша. Мне тридцать пять, я старше Волошина на три года, хотя он любит выставлять меня сопляком.

— А сколько лет Джокеру?

Дима пожал плечами:

— Судя по паспорту, тридцать три.

— Что значит, судя по паспорту? — хмыкнула я. — Ты мне голову морочишь, разозлившись, что я спросила о твоем возрасте?

— Тебе не нравятся мои шорты? — засмеялся он. — Думаешь, пора становиться респектабельнее?

— Мне нравишься и ты, и твои шорты. А морочить мне голову завязывай. Все ваши тайны просто смешны.

— У нас есть тайны? — удивился он. — Кстати, в машине дожидается Воин. Решил составить нам компанию. Думаю, изнывает от нетерпения узнать, что ты затеяла.

Вадим сидел впереди на пассажирском кресле с наушником в одном ухе, качая головой в такт музыке и отбивая его ладонью. Увидев нас, наушник вынул и сказал, скаля зубы:

— Привет, Девушка. Будешь показывать фокусы? Извини, я хотел сказать, войдешь в контакт с душой убиенной?

— Хочу взглянуть на место, где нашли труп, — спокойно ответила я, дав себе слово не поддаваться на провокации.

— Жаль, я большой любитель шоу экстрасенсов.

— С этим не ко мне.

Дима сел за руль, завел машину, старенькую «Шкоду». Занятный выбор для парня, который не знает, куда деньги девать. А может, машина не его? Или он к таким вещам попросту равнодушен? Вадим между тем достал из бардачка планшет и уткнулся в него, прокладывая маршрут.

— Джокер сказал, ты считаешь, подружке Насти что-то известно, — через пару минут повернулся он ко мне. — Ты прочла ее мысли?

— Эмоции. И не прочла, а почувствовала. Считай это интуицией. Впрочем, тупице вроде тебя этого не понять.

— Ты слышал? — засмеялся он и толкнул Диму под локоть, чего уж точно делать не стоило, учитывая интенсивность движения. — Девчонка на меня запала. Такие, как она, становятся ершистыми...

— Ага, влюблена, как кошка. Завязывай ко мне цепляться. Я к вам не напрашивалась, так что все претензии к вашему Джокеру.

— Вы как первоклашки, — покачал головой Дима.

— Детка, — вновь повернулся ко мне Вадим, — мы подружимся, вот увидишь. Ничто так не объединяет людей, как честно заработанные деньги и обещание заработать их еще больше. Кстати, как ты относишься к деньгам?

— С любовью. Но с ответным чувством пока туго.

— Как это знакомо! — засмеялся Волошин. —У меня нежная дружба с ними тоже не складывается. То ли дело наш Поэт. У него вид нищего студента, но бабла немерено, и все в швейцарских банках. Другим он не доверяет. А знаешь почему? До того, как Джокер нашел его, он тихо-мирно опустошал счета богатеньких недотеп...

— Ты бы помолчал, — со вздохом предложил Дима.

— Да ладно. Здесь все свои. Ты же наверняка рассказал девушке, что я больной на всю голову, страдаю легким бешенством в тяжелой форме. Мозги мне вынесло на войне, и, если б не Джокер, я вполне бы мог оказаться в психушке. Но он нашел мне адвоката-фокусника, и вот, я на свободе.

— Может, ты зря радуешься?

— Может. Кстати, а у тебя не наблюдалось тяжелого жизненного периода? Депрессия от несчастной любви, например... вены не резала?

— Чего ты ко мне привязался? — все-таки не выдержала я.

— Хочу, чтобы мы получше узнали друг друга. Лично я не прочь узнать тебя совсем близко, — тут он подмигнул и заржал во весь голос.

— Выпендрежники вроде тебя редко способны на что-нибудь путное, — съязвила я.

— Сам напросился, — засмеялся Дима и тоже толкнул его локтем.

— Ладно-ладно. У девчонки плохо с чувством юмора, но это поправимо.

Препираясь подобным образом, мы покинули город. Вадим перестал трепаться и уткнулся в планшет. Минут через десять сказал:

— Стоп. Это здесь.

Дима съехал на обочину, и мы вышли из машины. Дорога была проселочной, узкой. Спрашивается, что тут могло понадобиться девушке, да еще ночью.

— Тело лежало примерно вот здесь, — заговорил Дима, указывая место на дороге.

— Логично предположить, что тут Настя оказалась не по своей воле, — продолжила я размышления на этот раз вслух.

Достоинство данного места для убийцы очевидно: за пять минут, что мы здесь находились, еще ни одна машина не проехала. И это днем, к тому же летом.

— Экстрасенсом быть не надо, чтобы понять, девчонку перехватили где-то в городе, привезли сюда и бросили, — проворчал Вадим.

— Странный способ убийства, — заметил Дима.

— У нее не было никаких шансов. Ночью в темноте, совершенно голая, при температуре минус тридцать. Она замерзнет раньше, чем доберется до жилья.

— Но в любой момент могла появиться какая-нибудь машина. Где гарантия, что не сработает закон Мерфи? Убийца рисковал, и это мне совершенно непонятно. Придушил девчонку, и дело с концом, так нет...

И тут я почувствовала присутствие еще кого-то... Подобные ощущения трудно объяснить. По спине прошел холодок, а потом... меня захлестнули эмоции, не мои, чужие.

— Она шла вон туда, — сказала я, указав на перелесок неподалеку.

— Ну вот и шоу, — хмыкнул Вадим, однако без былого задора.

Я уже шла в том направлении, и очень скоро оказалась на перекрестке, три дороги разбегались в разные стороны: одна вела в лес, постепенно сужаясь и заканчиваясь поляной с редкой порослью березок и кустов малины.

— Это здесь, — убежденно сказала я. — Ее бросили на этой поляне.

Вадим нахмурился и кивнул:

— Тут нашли ее перчатку. Утром пошел снег, и, когда прибыла следственная группа, все следы уже исчезли. А перчатка зацепилась за ветку куста.

Он мне мешал своими разговорами, я отошла в сторону, прикрыла глаза, прислушалась, а потом, повторяя чужой маршрут, вышла к оставленной нами машине.

— Здесь были две машины, — сказала я, когда мои спутники ко мне присоединились. — Одна стояла тут, а другая на поляне. Разъехались они в разные стороны.

— По той дороге тоже можно вернуться в город, — кивнул Дима.

— Подожди, — вмешался Вадим. — Две машины? Девчонка была на своей тачке? Или убийц было несколько и на двух машинах?

— На этот вопрос я тебе не отвечу. И еще... Девушка была очень раздражена, ее переполняли ненависть, стыд, унижение, все, что угодно, но страха за свою жизнь она не чувствовала. Страх возник только здесь.

— На полянке она не боялась, лишь гордость ее была задета, а на дороге она вдруг испугалась, я правильно понял? — уточнил Вадим.

— Да, — кивнула я.

— Может, спросишь у покойницы, кто ее напугал?

— Спросить могу, но на ответ не рассчитываю.

— Предположим, — заговорил Дима, — что наша девушка отправилась сюда не одна, а, например, со знакомым, который тоже был на машине.

— Ага. Еще придумай причину, по которой они сюда ночью поперлись. Хоровод возле елки водить?

— Дай пофантазировать, — отмахнулся Дима. — Допустим, она пересаживается в его машину и они едут на полянку, чтобы не привлекать внимание случайных проезжающих.

— Которых и так нет, — вновь влез Вадим.

— Но не на дороге же им трахаться, в конце концов. Здесь они поругались, парень уехал, бросив Настю, и она пошла к машине ножками.

— Где ее и поджидал маньяк, — кивнул Вадим. — О второй машине в протоколах ни словечка, впрочем, так же как о первой. На проселочной дороге ни одной камеры. В каком месте Настя покинула город, тоже не ясно, ни одна камера ее машину не зафиксировала, хотя не факт, что проверили все и тщательно. Опять же, чтобы потрахаться с бабой, тащиться в лес не обязательно. Да еще зимой, да еще сюда. Всего-то десять километров от города, но глухомань, потому что здесь ничегошеньки нет, две дачные деревни, и все. Это я к тому, что место выбирали с целью девушку замочить, а вовсе не позабавиться с ней на природе.

— Но не замочили, — напомнил Дима, — а оставили замерзать.

— Согласен, — сказал Вадим. — Все весьма странно, я бы еще добавил: бестолково. Скажи, милая, а про перчатку ты в протоколе вычитала?

— Конечно, — кивнула я, не желая вступать в дискуссию по поводу своих способностей.

— Жаль, я, честно сказать, впечатлился.

— Немного же тебе надо.

— Машину Насти до сих пор не нашли, — глядя куда-то вдаль, произнес Дима. — Я бы сосредоточился на этом. Зимой ее в реке не утопишь, в чаще леса не бросишь. Да и зачем с ней возиться, если труп никто прятать не собирался. Если машинка где-то бегает, мы ее найдем.

— Так просто? — хмыкнула я.

— На самом деле не так уж и трудно.

— Ему можно верить, — кивнул Вадим. — В таких вопросах он спец. Только сдается мне, машинку уже давно на запчасти разобрали.

— Придется порасспрашивать умельцев, которые ворованные тачки разбирают, — пожал плечами Дима. — И это уже по твоей части.

Вадим вновь кивнул, вроде бы соглашаясь, и спросил весело:

— Экскурсия закончена? — сунул руки в карманы джинсов и, насвистывая, направился к машине.

Мы вернулись в город, и вскоре Вадим с нами простился, а Дима повез меня домой, хоть я и заявила, что сама доберусь. Въехали во двор, я собралась выходить, когда он сказал, вроде бы сам сомневаясь, стоит это делать или нет:

— Чашкой кофе угостишь? — И засмеялся: — Без продолжения.

— Пошли, — хмыкнула я и, не удержавшись, добавила: — Фраза о продолжении была лишней, теперь соблазнять тебя как-то неловко.

— Сомневаюсь, что это было в твоих планах.

— Зря, из всех известных мне на сегодня мужчин ты самый привлекательный.

— Жаль, Воин этого не слышит. Он убежден, что все девушки от него без ума.

— И среди наших сестер дуры встречаются. Тебя он, кстати, тоже считает сердцеедом.

Я открыла дверь квартиры и сделала широкий жест рукой.

— Проходи.

— Квартира съемная? — спросил Дима, прогулявшись по пятидесяти трем квадратным метрам, да и то не моим.

— Повезло, подруга за границей...

Кофе я приготовила, и мы устроились за столом в кухне напротив друг друга.

— Я тебе хотел сказать... — повертев чашку в руках, начал Дима и засмеялся, чтобы справиться с вдруг возникшей неловкостью. — Не обижайся на Вадима.

— И не думала, — ответила я. — Я совсем не в восторге, от этой своей... особенности.

— Почему? — нахмурился он.

— Пользы не вижу.

— Многие на этом неплохо зарабатывают, но ты, надо полагать, имеешь в виду совсем другое.

— Угадал. Обманывать доверчивых сограждан как-то не хочется.

— Но... Джокер сказал, ты трижды очень успешно помогла следствию.

— Да, — откидываясь на спинку стула, вздохнула я. — И во всех трех случаях эти люди были уже мертвы.

— Я понимаю, — кивнул он. — Иногда и у меня возникает ощущение, что все... напрасно.

— И как ты с этим борешься?

— Напиваюсь, — пожал он плечами.

— Надо взять на заметку. Спасибо тебе, — вдруг сказала я, самой себе удивляясь. — Извини, что говорю банальности, но у меня такое чувство, что мы...

— Знакомы сто лет? — улыбнулся он.

— Точно, — кивнула я. — Хотя... хотя я толком не знаю, кто ты такой.

— Познакомиться мы успеем, а насчет чувства... у меня то же самое. Как только ты вошла там, в цирке, на душе потеплело. Точно встретил старого друга.

— Ну вот, — всплеснула я руками, — я думала, это любовь с первого взгляда.

— Может, и так, — кивнул он. — Поживем — увидим.

— Ты сказал, что в вашей команде все равны, — сменила я тему, чтобы не ставить его в неловкое положение, и так ясно: с любовью он не спешит, да и я, если честно, тоже. — Но... такое впечатление, что решающее слово за Бергманом.

— Это другое... — покачал головой Дима. — К работе не имеет никакого отношения.

— А к чему имеет? — растерялась я.

— Ну... это не просто объяснить. Если он тебя искал... в общем, сама со временем во всем разберешься.

— Хороший способ заинтриговать девушку, — усмехнулась я.

— Не все можно объяснить, — повторил он.

А я вдруг решилась:

— Незадолго до нашей встречи я, по чистой случайности, оказалась на лекции гуру-гастролера... — и рассказала Дмитрию о предсказании.

— Тебя такие вещи удивлять не должны, — пожал он плечами, восприняв все очень серьезно.

— Да? И все же удивляют.

— Постой... — с минуту он внимательно смотрел на меня. — Ты решила, что Джокер имеет к предсказателю какое-то отношение?

— Логичное предположение, — сказала я, а Дима покачал головой с таким видом, точно я бог знает что сморозила.

— Не забивай себе голову, Джокеру на фиг не надо что-то подстраивать, и если бы он... короче, никакие гуру ему не нужны.

— А-а-а, — протянула я, злясь все больше. — Он предпочел бы огненную надпись на стене, что-то вроде «Мене текел упарсин».

— Это еще куда ни шло... но нанимать какого-то странствующего проповедника... Кстати, приятно иметь дело с образованной девушкой. Далеко не все знают историю невезунчика Валтасара. — И стало ясно, что он тоже торопится сменить тему, как я недавно.

— Люблю читать о предсказателях, — засмеялась я. — У меня нет их способностей, но кое-что нас роднит.

— Кофе отличный, — сказал Дима, поднимаясь. — И... будь уверена, мы: и я, и Максимильян, и Вадим очень хорошо к тебе относимся. Ты — одна из нас. Джокер не ошибается.

— Дать бы тебе в зубы, — помечтала я, — чтоб завязывал говорить загадками.

— При чем здесь загадки? — вытаращил он глаза. — Ты — идеальный член команды. У Джокера отличная интуиция и никогда его не подводит.

— Радостно, что ты перешел на доступный мне язык.

— Кстати, а почему у тебя нет парня? Это как-то связано с твоим... даром? — не сразу нашел он подходящее слово.

— «Даром»? — передразнила я. — Сразу видно, что ты Поэт, словарь подходящий... — И вздохнула: — Вообще-то, да. Когда человек становится близким, я каким-то образом настраиваюсь на него.

— И читаешь его мысли? — ахнул Дима.

— Эмоции. Например, раздражение или скуку в самый неподходящий момент.

— Спасибо, что предупредила. Пока, — сказал он уже возле входной двери и поцеловал меня, уходя. Дружески или, скорее, как давний любовник, для которого этот поцелуй не более чем ритуал, начисто лишенный сексуальности.

Утром я позвонила Варьке. Жизнь моя становилась чрезвычайно насыщенной, узнай об этом Пантелеевна, запросто вгонит в гроб болтовней и участием. Оттого я нагло соврала, что уезжаю к маме, отдохнуть перед предстоящими трудовыми буднями. Дату возвращения не обозначила, но обещала позванивать. Разговор, как всегда, затянулся, прервал его звонок Бергмана на мобильный.

— Вадим нашел детектива, к которому обращался Егор Басов. Собираюсь его навестить, не хочешь составить мне компанию?

— Если ты считаешь... да, хочу, — перешла я с сослагательного наклонения. — Где встречаемся?

— Я за тобой заеду.

Через десять минут в полной готовности я устроилась на подоконнике, ожидая, когда машина Максимильяна появится во дворе. Была уверена, подниматься в квартиру он не станет, и оказалась права. Еще один звонок на мобильный, и короткая фраза:

— Выходи, — после чего я увидела его «Ягуар», появившийся из-за угла дома. Подхватила сумку и покинула квартиру.

Утро выдалось жарким, Бергман был в джинсах и белой футболке, солнцезащитные очки скрывали его глаза, взгляд которых вызывал в душе оторопь. Наряд выглядел вроде бы скромно, но сразу становилось понятно, что скромность стоит денег, в общем, простым парнем босс не выглядел. Мысленно я продолжала так его называть, хотя новоявленные коллеги и пытались убедить меня, что в рядах царит абсолютная демократия. Он посмотрел на мое платье, белое в розовый горох, и сказал:

— Отлично выглядишь.

— Спасибо. Не слишком легкомысленно?

— Нет, — покачал он головой и начал разворачивать машину, чтобы выехать со двора. — Иногда весьма кстати, что тебя не принимают всерьез.

— Я поняла. У каждого своя роль, поэтому и прозвища соответствуют. Так? Надо нагнать страха — появляется Воин, придать фирме значительности — за дело берешься ты, Поэт — умник, а я — дурочка.

— При желании можно вспомнить Пьеро и Арлекина, прекрасную Коломбину... Маска — самый древний атрибут человечества. Ты была в Венеции?

— Нет.

— Закончим дело и слетаем на выходные. Вадим вдоволь попьет хорошего вина, Димка поваляется на солнышке, а мы побродим по переулкам и заглянем в музеи. Маски в Венеции на каждом шагу. А теперь о сыщике: бывший мент, то ли сам ушел, то ли его ушли, человек с репутацией. В разговор не вмешиваешься, просто наблюдаешь.

Я согласно кивнула.

Мы свернули в переулок и притормозили возле старого пятиэтажного здания, с таким количеством вывесок на фасаде, что прочитать их все вряд ли у кого хватило бы терпения. Дорогу к офису Бергман знал, то ли получил исчерпывающие разъяснения, то ли по наитию свыше, заплутаться здесь ничего не стоило. Железная дверь на втором этаже выглядела более чем скромно, рядом табличка «Петраков Лев Иванович. Частный детектив». За дверью оказалась небольшая приемная, где сидел молодой человек и явно скучал. Бергман поздоровался, представился и был отправлен в комнату по соседству.

Упитанный дядя лет шестидесяти изнывал от жары, включив вентилятор на полную мощность и обтираясь носовым платком в клеточку. Нормальные люди обзавелись кондиционером, а такому вот носовому платку вообще место в музее, как и самому дяде, судя по всему.

— Рад познакомиться, — Петраков поднялся навстречу и протянул руку.

Максимильян ее пожал, а потом незаметно вытер ладонь о джинсы. Я решила обойтись без рукопожатий. Дядька вновь плюхнулся на свой стул, а мы пристроились на кожаном диване, скрипучем и низком.

— У вас новый сотрудник? — с улыбкой задал вопрос Петраков, кивнув в мою сторону.

— Да. Потихоньку входит в курс дела...

«А дядя-то не прост, — подумала я. — Сразу дал понять, что Бергманом интересовался». Впрочем, они конкуренты, по крайней мере потенциальные, так что слышать друг о друге просто обязаны.

— Спасибо, что согласились поговорить, — продолжил Максимильян. — Признаться, очень рассчитываю на вашу помощь.

— Все что могу... — развел руками Петраков. — В нашем деле без взаимных услуг никуда.

— Верно, — Бергман улыбнулся и потер переносицу, точно прикидывая, как подступиться к разговору.

Петраков, развалившись на стуле, наблюдал за ним с самодовольной улыбкой.

— Мой клиент озабочен долгим отсутствием своего родственника, — вкрадчиво заговорил Максимильян. —

Хотя отсутствует родственник всего пять дней, но... повод для беспокойства, безусловно, есть. Мне стало известно, что молодой человек обращался к вам за помощью...

Петраков на мгновение замер, затем выпрямился и стал катать по столу карандаш, избегая смотреть в сторону гостя. Максимильян затягивал паузу, хозяин кабинета не выдержал первым.

— Вы кого имеете в виду? — спросил он.

— Басова Егора Геннадьевича.

Петраков криво усмехнулся:

— Так парень исчез?

— У меня есть повод считать, что он покинул страну...

— И слава богу, — закончил Лев Иванович. — От таких клиентов надо бежать как черт от ладана.

— В чем проблема?

— В чем? Проблемы начались, можно сказать, сразу. Не буду перед вами ваньку валять: профессиональная этика и прочее... Мы в одном бизнесе, и все прекрасно понимаем... Короче, этот парень появился у меня месяц назад. И поначалу дело казалось вполне обычным. Но вскоре выяснилось, что я ошибался. Паренек тоже, кстати, не без подвоха. Он просил разыскать его сестру, и я с готовностью согласился, дело для меня привычное, потеряшки — мой конек... но очень скоро выяснилось, что сестры и в живых-то нет.

— Он предложил вам разыскать Анастасию Басову?

— Почему Анастасию? — удивился Петраков. — О том, что с младшей сестрой случилось, я прекрасно знал, в средствах массовой информации сообщалось, по телевизору... Обращались ко всем, кто что-нибудь знает, отец большие деньги предлагал... Речь идет о старшей сестре. Евгении, без вести пропавшей восемь лет назад.

— Он любил сестру, насколько мне известно, и желание ее найти...

— Найти? Шутите? Прошло восемь лет. Будь она жива, за это время сто раз бы объявилась. Вы же знаете, если в первые месяцы потеряшку не нашли, на девяносто девять процентов он или она уже труп. Но дело даже не в этом. Восемь лет назад в городе орудовал маньяк. Четыре девушки пятнадцати-шестнадцати лет пропали в течение года. Последней из них была Женя Басова.

— Пропали? То есть трупы так и не были найдены?

— Только труп первой из них, да и то... назвать это трупом трудно. Человеческие останки, которые удалось идентифицировать по ДНК. Убийцу не нашли. Через два месяца пропадает вторая девушка. Вы можете возразить: если есть лишь один труп и три потеряшки, как можно говорить о маньяке?

— Действительно, как?

— Все четыре девушки знали друг друга. Учились в одной школе искусств и исчезли по дороге из школы. То, что он сделал с первым трупом... он мог сделать и с остальными, но спрятал куда лучше, вот их и не нашли. После четвертого исчезновения маньяк залег на дно. Видно, сообразил, что не ту девчонку похитил. Папаша ни перед чем не остановится, чтобы его отыскать. У него есть и деньги и связи...

— Маньяки не успокаиваются, просто не могут, — подал голос Бергман.

— Кто спорит. Но все прекратилось, значит, он либо сдох, либо уехал, третий вариант — он все еще здесь, но теперь похищенные девчонки друг с другом не связаны. В городе за этот год бесследно исчезло с десяток девчонок подходящего возраста. Все из неблагополучных семей. Может, где-то на дороге стоят, собой торгуют, а может, их останки давно по свалкам разбросаны.

— Предположим, что Евгении Басовой давно нет в живых, но что мешает ее брату верить в обратное?

Петраков нахмурился и пожал плечами.

— Меня удивило, что он вроде бы не сомневался, даже... был уверен, она — жива. И когда рассказывал мне о ее исчезновении, о других девушках даже не упомянул.

— Возможно, просто не знал о них? Когда Женя исчезла, ему было тринадцать. Он обожал сестру и, став взрослым, попытался ее найти.

Петраков немного помолчал, взвешивая его слова, и вновь пожал плечами:

— Наверное, вы правы, но лично мне все это показалось подозрительным. И я подумал, а не водят ли меня за нос с непонятной целью? Аванс парень заплатил, я приступил к работе, гадая, что будет дальше. И уже на третий день обнаружил «хвост». Вели меня профессионально, это я вам как опер со стажем говорю. Я сделал вид, что ничего не замечаю: дурак дураком, сибирский валенок. Номера машин, что за мной приставлены, срисовал и попытался выяснить, кому это я так понадобился. И что вы думаете? — спросил Петраков и тут же сам ответил: — Ничего. Машины зарегистрированы на двух граждан из Казахстана, которые о них наверняка и представления не имели...

— Вы думаете, вашим расследованием заинтересовались федералы?

— Если бы... у меня в службе безопасности знакомые есть. Они картины не прояснили, но заверили — это не наши. Да и зачем я им сдался? Следить, время тратить... Заглянули бы сюда и всех-то дел. Пока я прикидывал и так и эдак, к внучке моей подошел какой-то тип, когда она с подружками во дворе играла, и сказал, мол, передай дедушке, чтоб был поаккуратней. Теперь понимаете?

— Не совсем. Почему вы решили, что это связано с Басовым?

— А с кем еще? Я ж не следак в ментовке, у которого десять дел одновременно. Я занимался только Басовой, ее исчезновением. Стоило мне отказаться от этого дела, как слежка прекратилась и больше я этих типов не видел.

— Егору вы о слежке рассказали?

Петраков ответил не сразу.

— Нет. Сказал, что не вижу в деле перспективы. Слишком много времени прошло и все такое...

— И произошло это...

— Двадцать пятого июня.

— За время работы вам удалось что-нибудь узнать об исчезновении Жени?

— Ничего нового. Слишком мало я над этим работал, да и восемь лет — все-таки срок.

— И никаких идей, кем могут быть эти типы?

— Кто-то очень не хочет, чтобы о маньяке вспомнили вновь. Понимаете?

— Не совсем.

— А вы подумайте, — усмехнулся Петраков и, придвинувшись ближе, понизил голос: — Его не нашли, потому что он имел возможность влиять на следствие.

— Будучи высокопоставленным лицом? Или обладателем больших денег, что одно и то же.

— Конечно. Других версий у меня нет.

— Маньяки по натуре одиночки... — пожал плечами Бергман.

— Его люди могли и не догадываться об истинной причине... Велели проследить — проследили, велели запугать — пожалуйста. Мой вам совет, Максимильян Эдмундович, держитесь от всего этого подальше. Всех денег не заработаешь, а вы, я слышал, и так человек не бедный. Я у Егора-то спросил, знает ли отец о том, что он сестру ищет. Ответил уклончиво. Думаю, отцу он все-таки рассказал, и тот отправил его в безопасное место.

— С какой стати, если о слежке он не знал.

— Ну... мог и узнать, — слегка смешался Петраков и демонстративно взглянул на часы.

— Спасибо за помощь, — тут же поднялся Максимильян. — Теперь я ваш должник.

— Какие могут быть счеты... — ответил довольный
Петраков, провожая нас до двери.

— Твои впечатления? — повернулся ко мне Бергман,
как только мы покинули офис.

— Самодовольный тип, но, кажется, говорил правду.
Если только...

— Что? — поторопил Максимильян.

— Когда речь зашла о Басове — отце, он...

— Проговорился, — подсказал Бергман. — Уверен,
папаше он сам и позвонил. Старый лис живет по прави-
лу: «и нашим, и вашим».

— В отличие от Петракова папа Басов знал, кем могут
быть эти люди, и сына спрятал.

— Тогда вопрос: с какой стати предполагаемым кон-
курентам папаши беспокоиться о розыске девочки, пропавшей восемь лет назад.

— Их интересовало не расследование, а сам Егор.
Они следили за ним, дожидаясь подходящего случая...

— А Петракова для чего запугивали?

— Тогда другая версия, — вздохнула я. — Фантастическая. Это те же люди, что похитили дочь Басова восемь лет назад.

— Орудуя под маньяка? И папаша ни о чем не догадывался? Действительно фантастическая. Допустим,
внести путаницу, а главное, нагнать страха в стиле конкурентов Басова. Когда речь идет о больших деньгах, все
средства хороши.

— Тебе удалось что-нибудь о них узнать? — спросила я.

— Желающих погреть руки много, но... никто ничего
конкретного на сей счет не слышал.

— Это странно?

Максимильян пожал плечами:

— У противников Басова наверняка имеется масса причин вести себя очень осторожно. Он дезорганизован и, не зная своего врага, наделает ошибок. Опять же, Басов может быть в курсе, кто эти люди, но не пожелал сообщить нам об этом. Придет время, и мы все узнаем, — оптимистично закончил он. — На мой взгляд, идея о высокопоставленном маньяке тоже интересна.

Он замолчал, а я решила, что Бергман предложит отвезти меня домой, если, конечно, у него на примете нет еще свидетеля, с которым стоило бы поговорить. Но он не спешил предлагать мне свои услуги, сел в машину, а я все еще топталась рядом, гадая, ждать особого приглашения или обойдусь. Добраться до своей квартиры я и сама способна. Выжидающе посмотрела на Максимильяна, а он заявил:

— Сейчас подъедет Вадим и заберет тебя.

— Куда? — не очень толково поинтересовалась я.

— Дмитрий нашел машину Насти. Обычно у него на это уходит несколько дней, но в этот раз повезло...

— Как он это делает? — спросила я, любопытство вполне извинительное, учитывая, что угнанные машины очень редко удается разыскать.

— Во-первых, наш Поэт — гений, а, во-вторых, машина не может появиться из ниоткуда...

— Ясно, — сказала я, хотя объяснение особо толковым не назовешь.

— С нынешним хозяином тачки надо встретиться, твоя задача проследить за тем, чтобы Вадим дров не наломал.

И, не дожидаясь моего ответа, Максимильян отчалил, а я криво усмехнулась: ничего себе задание. Сомнительно, что Вадим станет меня слушать. Мне что, следует успокоить его приемом карате? Даже если бы я знала хоть один прием, вряд ли бы смогла справиться с таким здоровяком.

«Нечего ныть, — тут же одернула я себя. — Хочешь быть с ними на равных — милости просим. Эмансипация имеет свои отрицательные стороны».

Еще немного потоптавшись на парковке, я вернулась к офису, потом прошлась по улице, поглядывая на проезжую часть, не появится ли машина Вадима. Он явно не спешил...

Я купила мороженое, устроилась на троллейбусной остановке, тут Вадим и появился. Причем увидел меня раньше, чем я его, лихо притормозил и крикнул, открыв окно:

— Прыгай быстрее. — Так и не доев мороженое, я бросила его в урну и юркнула на переднее сиденье. — Привет, — сказал Вадим, весело мне улыбнувшись.

— Привет, — отозвалась я. — Куда едем?

— К одному типу, который раскатывает на ворованной тачке.

Он сосредоточился на дороге, вдруг потеряв ко мне интерес, а я уставилась в окно, очень надеясь, что сегодня мне повезет, и мое вмешательство не потребуется. Минут через двадцать мы свернули в промзону и притормозили у автомойки.

— А вот и наша тачка, — кивнул Вадим на стоявшую неподалеку золотистую «Ауди».

— Ты хочешь сказать, это та самая машина, которая принадлежала Насте?

— Это не я, это Поэт так сказал, а я склонен ему верить. Теперь на ней катается хозяин мойки, придется подождать, когда он один останется.

Неподалеку от «Ауди» стояли еще две машины: «Опель» и «Лада Калина».

— Схожу-ка я на разведку, — заявил Вадим и направился к автомойке. Пробыл там минут десять. — Мойщицы две девчонки-таджички, считай, повезло. Сейчас у хозяина два каких-то типа. Мы его навестим, как только они отчалят. Это лучше, чем перехватывать его по дороге. Тебя Джокер со мной зачем отправил, скрасить мое одиночество?

— Боялся, что ты уснешь и дяденьку проворонишь.

Вадим хмыкнул и отвернулся.

— Он не хочет признать, что в команде от меня никакого толка, — серьезно сказала я. — А что со мной делать, понятия не имеет. Вот я и болтаюсь, то с ним, то с тобой...

— Ты серьезно так думаешь? — с подозрением спросил Вадим и головой покачал, точно желая сказать: «И как только таких дур земля носит». — Хочешь совет? В Джокере не стоит сомневаться, сбережешь нервы и время.

— Поняла. По этой причине вы меня и терпите.

— Не только по этой, — засмеялся Вадим. — Ты красотка и ожидание скрасишь куда лучше, чем радио.

— Спасибо за высокую оценку, — усмехнулась я.

— Без обид. Ты мне нравишься, хотя я предпочитаю блондинок, но шатенки тоже ничего. Кстати, если ты запала на нашего Поэта — выбрось это из головы.

— Почему? — заинтересовалась я.

— Вообще-то я не должен этого говорить, — почесал он затылок, вроде бы уже жалея, что завел этот разговор.

— Ты уже сказал.

— Я слышал их разговор с Джокером. Поэт задал ему вопрос о тебе, и... он ответил, вероятность ошибки сто процентов. Иными словами, вы не пара.

— Вероятность ошибки? — переспросила я. — Он проверял нас на совместимость, исходя из расположения звезд?

— Вот уж не знаю, как он это делает, — пожал Вадим плечами, при этом выглядел виноватым. — Зря я полез с советами. Лучше б засунул свой язык в задницу...

— Да ладно, — поостыв, махнула я рукой. — Джокер просто не хочет, чтобы на работе шашни заводили, делу это вредит.

Вадим усмехнулся и даже кивнул, но я была уверена, что данное объяснение он в расчет не принял. Мои мысли устремились в другом направлении, и я спросила:

— Дима его послушает? Сделает так, как прикажет Джокер?

— Да никто никому не приказывает, — поморщился он. — Уясни главное: у нас одна дорога, но знает ее только Джокер.

Мне очень хотелось развить эту тему, но, как на грех, из здания автомойки вышли двое мужчин, загрузились в «Опель» и отчалили, Вадим тут же выбрался из машины, с азартом мне кивнув:

— Потопали.

Мы вошли в помещение мойки, сбоку за небольшим столиком устроились две девушки и пили чай.

— Где хозяин? — спросил их Вадим.

Одна из мойщиц кивком указала на боковую дверь. Вадим быстро приблизился и толкнул ее. Когда я вслед за ним вошла в небольшую комнату, нечто среднее между кабинетом хозяина и кассой, мой спутник нависал над столом, где лицом вниз с вывернутой назад рукой тихо поскуливал мужчина лет сорока в белой футболке.

— Присмотри за бабами, — сказал мне Вадим. — Чтоб не вздумали никому звонить... — и наклонился к хозяину мойки, поскуливание которого к тому моменту перешло в безнадежный стон. — Где ты свою «Ауди» взял, голубь?

— Купил, — смог-таки произнести тот.

Я чувствовала, как его растерянность и страх сменила убежденность, что по-другому и быть не могло, что-то вроде панического и громкого «так и знал».

— Он догадывался, что тачка ворованная, — заметила я.

А Вадим хмыкнул:

— Кто бы сомневался.

— Вы что, с ума сошли?! — заверещал мужик. — Я ее купил... у меня и документы есть...

— Про документы отдельно расскажешь... — кивнул Вадим.

Я вышла из кабинета, аккуратно прикрыв за собой дверь, привалилась к ней спиной и наблюдала за женщинами. Чай они допили и теперь не спеша разговаривали, в мою сторону не взглянув ни разу. Я понятия не имела, что буду делать, если кто-то из них возьмется за телефон. За спиной тяжкие стоны сменялись быстрой речью, весьма эмоциональной, иногда доносился голос Вадима.

Минут через десять в открытые ворота заглянула женщина, переговорила с мойщицами и загнала свою машину, после чего устроилась на скамейке возле входа и уткнулась в свой мобильный. Девушки занялись работой, а я решила, что шум воды заглушит любые вопли, вернулась в кабинет и заперла дверь на задвижку. Хозяин мойки от стола переместился в дальний угол и размазывал кровь по физиономии. Судя по тому, что он вдруг начал пришепетывать, зубов он уже не досчитается.

— Ты не слишком его? — спросила я с печалью, вспомнив наставление Максимильяна.

— В самый раз, — ответил Вадим, присел перед мужчиной на корточки и спросил укоризненно: — Ну что? Созрел для разговора?

Тот кивнул и сообщил со вздохом:

— Тачку у Вовы Еланцева взял. Всего за десять штук баксов, надо бы сообразить, что тачка паленая.

— Надо бы, — кивнул Вадим. — А Вова Еланцев, это кто?

Вопрос вызвал у допрашиваемого легкий шок, видимо, в здешних краях Вова Еланцев был человеком известным.

— Где его найти? — иначе сформулировал вопрос Вадим, тоже обратив внимание на чужое затруднение.

— Тут недалеко у него автомастерская. Там, где гаражи. Первый ряд, кирпичный бокс в розовый цвет выкрашен.

— Когда тачку купил?

— Два месяца назад. Соблазнился, тачка совсем новая.

— Вова, значит, тачки чинит, а в свободное время их ворует?

— Ворует или нет, не знаю, а краденые разбирают — это точно. У него все схвачено, сунетесь и...

— Обязательно сунемся, — перебил Вадим. — Значит, так, сидишь тихо, зализываешь раны и не вздумай Вову предупредить. Я вернусь, и твоя мойка превратится в пепелище. Вместе с тобой.

Мужчина кивнул, и Вадим направился к выходу, я открыла дверь и едва не столкнулась с дамочкой, которая загоняла свою машину на мойку. Вадим посторонился с широкой улыбкой, а женщина, сделав еще пару шагов, пораженно замерла, обнаружив за столом окровавленного хозяина, куда тот успел перебраться.

— Мы из отдела по защите прав потребителей, — убрав улыбку, сказал Вадим. — Жалоба поступила. У вас, кстати, претензий нет?

Женщина продолжала таращить глаза, покачала головой, а мы, наконец, удалились.

— Я бы на его месте полицию вызвала, — проворчала я, направляясь к машине Вадима.

— Нет, не вызовет, — отмахнулся он. — Такие типы полицию не жалуют. Себе дороже. Приедут по одному делу, а дел вдруг может оказаться множество.

— Если Еланцева крышуют менты, — сварливо возразила я, — соваться к нему не стоит. Второй раз этот номер не пройдет.

— Думаешь? Давай попробуем.

— Он его предупредит, — упрямо заявила я.

— Поспорим, что нет. Наш друг зубов лишился, и из чувства справедливости решит, что Вове как минимум надо лишиться всей челюсти. Но если у тебя есть сомнения, отправляйся домой, хочешь, такси вызову.

Я досадливо отмахнулась.

— Ах ну да, мы же напарники, — засмеялся Вадим. — Мне нравится твой подход...

Гаражи оказались совсем рядом, мы проехали мимо бокса, выкрашенного розовой краской. Когда-то краска была яркой, но успела выгореть. На площадке рядом стояло несколько машин, все иномарки, но довольно старые.

— Сделаем так, — сказал Вадим, оглядываясь. — Ты останешься в тачке, а я прикину что к чему. В автосервисе вряд ли таджички работают.

— Ты не безнадежен, — похвалила я, симулируя большую радость. — Может, в целях конспирации вдвоем отправимся?

— Ты мне слишком дорога, чтобы я тобой рисковал.

— С чего вдруг?

— Меня еще в детстве учили: женщин и детей надо беречь.

— Трепло, — не выдержала я.

— Есть немного, — хохотнул Вадим, останавливая машину. — Сидишь здесь, слушаешь радио и ждешь моего возвращения, как и положено женщине.

— Ладно, иди повоюй немного, — усмехнулась я.

Вадим ушел, а я включила радио и принялась вертеть головой во все стороны, в основном потому, что не очень представляла, чем себя занять. От бокса я находилась довольно далеко, если там поднимется шум, я его могу и не услышать.

«Нужно было с ним идти», — подумала я, всерьез в это не веря. Кулачный боец из меня никакой, а Вадим все привык решать кулаками. Может, стоить позвонить Максимильяну? Пока я над этим размышляла, прошло минут двадцать. Много это или мало? Надо беспокоиться или подождать?

И тут ожил мой мобильный. Звонил Вадим.

— Подъезжай к двадцать пятому гаражу, второй ряд, — быстро произнес он, понижая голос. — Не заблудишься?

Я отбросила мобильный, перебралась за руль и, пребывая в большом волнении, вскоре подъезжала к двадцать пятому гаражу. Вокруг ни души, и голосов не слышно. Не успела я об этом подумать, как в узком проходе между гаражами возник Вадим.

— Оперативно, — сказал он мне. — Открой багажник.

Багажник я открыла, и тут стало ясно, что вернулся с задания мой спутник не один. Волок за шиворот тощего парня моего роста, с лысой башкой и шрамом над левым ухом. Руки у парня сзади скованы наручниками, а во рту торчала грязная тряпка, так что выражать словесно свои эмоции он не мог, хотя они у него, безусловно, были.

Вадим зашвырнул его в багажник, точно мешок, захлопнул дверцу и устроился за рулем, а я гадала, подпадает ли все это под определение «наломать дров».

— Что стоишь? — высунувшись в окно, спросил Вадим вроде бы с удивлением.

Я тут же присоединилась к нему, по поводу «дров» так ничего и не решив, и мы покатили прочь из промзоны, но и в центр возвращаться Вадим не спешил, на ближайшем светофоре выбрал противоположное направление. Город мы покинули и теперь ехали по проселочной дороге вдоль реки, за спиной нервно возились, а Вадим насвистывал, с детским любопытством оглядываясь по сторонам.

— Что ты собираешься с ним делать? — с беспокойством спросила я, имея в виду пленника.

— Пока не знаю. Все зависит от того, что он расскажет.

— Ты считаешь, он причастен к убийству?

— Потерпи, скоро все узнаем, — пожал Вадим плечами, и мне пришлось заткнуться.

«Подходящее место», как выразился мой спутник, нашлось минут через двадцать. Полянка, окруженная плотной стеной молодых березок, с небольшим озерцом посередине, которое уверенно превращалось в болото. Осока, кочки и прозрачная вода, ровная, точно зеркало, отражающая белые облака.

— Супер, — заявил Вадим. — Пробегусь немного и проверю, нет ли кого по соседству.

За спиной вновь отчаянно завозились, повернувшись, я увидела, что пленник сумел встать на колени и тоже оглядывается с очумелым видом.

— Не ерзай, — вежливо попросила я.

В этот момент багажник открылся, и Вадим произнес:

— Ну и куда мы спешим? — вновь ухватил парня за шиворот и поволок к озерцу. — У тебя две попытки, — выговаривал он по дороге. — Начнешь упрямиться, тебе одна дорога — рыбок кормить.

Он вытащил кляп, и Вова тут же завопил:

— Ты что творишь?! Да ты знаешь...

Договорить он не успел, Вадим сунул паря лицом в воду, для верности придавив его спину коленом.

— Черт, — проворчала я, не зная, стоит вмешиваться или все-таки подождать.

Вова симпатий не вызывал. Неказистый снаружи, богатым внутренним содержанием он похвастаться тоже не мог. И очень боялся. Но наравне со страхом его переполняла злоба и желание поквитаться с обидчиком, а отнюдь не сожаление за когда-то совершенные грехи. Понятие «расплата» для него, похоже, вовсе не существовало.

Открыв окно и вытянув шею, я наблюдала за происходящим. Если парень не Ихтиандр, время у него уже на исходе. Наконец, Вадим извлек его из воды. Пленник стал отплевываться, дыша тяжело, с хрипом, а Воин предупредил:

— Последняя попытка...

— Чего тебе надо? — заголосил Еланцев, собравшись с силами.

— Ты продал «Ауди» два месяца назад, я хочу знать, откуда она у тебя появилась?

— Купил... за тысячу евро. У одного придурка. Попридержал, потом продал. А что? Тачка ворованная?

— Вова, — укоризненно заговорил Вадим, — если ты скажешь, что того придурка знать не знаешь, я тебя утоплю. От обиды за напрасно потраченное время. Если назовешь мне имя, побудешь в надежном месте под присмотром моих друзей, пока я придурка не доставлю и не устрою вам очную ставку. Надеюсь, тебе не надо объяснять, что будет, когда вдруг выяснится, что ты мне соврал... Ты угнал тачку не у того человека, понял, урод? — рявкнул Вадим, а я поспешила к ним присоединиться, чего доброго, и вправду утопит парня.

— Я ничего не знаю, — проблеял Вова, так и не придумав достойного ответа, и вновь оказался в воде.

— Что ж за народ пошел?! — ворчал Вадим, крепко держа его за шею. — Ничего с первого раза понять не хотят. Ведь предупредил, что утоплю. Потом перед Господом будет неловко, а кто виноват?

— Хватит, — попросила я тихо, наблюдая за пузырьками на воде.

Вове дали отдышаться и даже позволили сесть.

— Еще одной попытки не будет, — заверил Вадим.

Я наклонилась к парню, стараясь понять, знал ли он об убийстве. Допустим, знал, но имел ли к нему отношение? Глупо в этом случае оставлять у себя машину. Он мог разобрать ее, бросить, в конце концов, но только идиот продал бы ее...

— Расскажи нам про убийство, — тихо попросила я, Вова вздрогнул и на меня уставился. — Не трать время, ты прекрасно знаешь, о чем я. Ведь знаешь?

Вадим смотрел с ухмылкой, не на Вову, на меня. Пленник дернул плечами и опустил взгляд.

— Ничего я про убийство не знаю... — произнес он, Вадим громко втянул в себя воздух, демонстрируя, что его терпение приказало долго жить, а Вова замотал головой.

— Погодите, я все объясню. У меня был заказ. «Ауди» «пятерка», обязательно золотистая.

— Тачки тыришь? — не удержался Вадим.

Еланцев счел излишним отвечать на этот вопрос.

— Заказ был, но все не складывалось, то цвет не тот, то тачка битая, то аэрография... и тут... Едем с дачи с дружком, ночью уже, зима, холодрыга страшная... Вдруг вижу тачка на обочине. Золотистая «Ауди», новенькая. А главное: нет в ней никого. Понимаете? Я назад сдал. Точно, нет. Потоптался маленько, думаю, куда водила делся... в кустах по нужде? Но в такой холод и на три шага отходить не станешь. Дверь на всякий случай проверил, а она открылась. И ключ в замке торчит. Мне бы сообразить, что все неспроста, и от этой тачки бегом бежать надо, а я... еще радовался, дурак. Короче, дружок на моей машине поехал, я на «Ауди». Документы выправил, номера перебили, продал я ее за приличные деньги, а через два дня случайно узнал про девчонку, убитую на дороге, про то, что труп в этом месте нашли. Вот... Мне прям нехорошо стало... Человек, которому я ее продал... он, конечно, догадывался, откуда тачка, хоть я и врал, что из Германии, но продавал-то за полцены, и не догадаться — дураком надо быть. Мужик этот сам на законы всякие поплевывает, вот и пришел ко мне, чтоб подешевле... Я все это к чему: ссориться мне с ним не с руки, а он, если узнает... Короче, я сам не свой. Три месяца ходил, каждый день беды ждал, ему раз десять звонил, предлагал «Ауди» «семерку» за ту же цену, а он уперся. Тачку дочери подарил. На счастье, какой-то придурок вскрыл багажник и спер оттуда ноутбук и еще какую-то хрень. Девка папаше звонит, а я как раз рядом был и говорю: «Надо было тачку поменять». В общем, он, наконец, согласился, потому что суеверный: если плохо началось, то добром не кончится. Забрал я «Ауди» и хотел ее на запчасти пустить, но тут нелегкая принесла этого придурка, хозяина автомойки. Увидел тачку: продай да продай, как репей привязался... черт попутал, отдал.

Вова замолчал, а Вадим повернулся ко мне:

— Как тебе рассказ?

— Не похоже, что врет, — ответила я.

— Я не вру, — заволновался Еланцев. — Чем хочешь поклянусь. Все так и было. Тачка у дороги, ни души вокруг, ключи в замке, и никакой девки.

— Хорошо, — кивнула я. — Но труп все-таки нашли там. Где машина стояла, ты помнишь?

— Помню. В сотне метров от развилки, как раз там, где девчонку нашли. Я ж специально в Интернете смотрел... Но дорога пустая была.

— Ты откуда ехал? — перебила я.

Вова назвал деревню, а я открыла на айфоне карту области. Деревня находилась юго-западнее, значит, он подъезжал с другой стороны, и на перекрестке сворачивал налево, следовательно, рядом с местом, где нашли перчатку Насти, он никак оказаться не мог.

— Допустим, девушку ты не видел, — сказала я. — А следы? На обочине.

— Никаких следов, — покачал головой Вова. — Да и кто в сугробы-то полезет? А на дороге... Может, и были, но темно, разве разглядишь, опять же, дорога, машины хоть и редко, но проезжают... Не видел я никаких следов.

— И ничего не слышал?

Взгляд его испуганно метнулся.

— Только врать не вздумай, — предупредил Вадим.

— Доносились голоса... вроде бы... не знаю точно... Я решил: показалось, что за психи станут по лесу бродить?

— А не подумал, что это хозяева той самой «Ауди» ?

— Слушайте, — разозлился он. — Мороз тридцать градусов, ночь. Люди в такую пору на лыжах не ходят, я решил, мне померещилось... «Ауди» угнали, потом испугались и бросили. А что?

— Бросили и в город пешком пошли в тридцатиградусный мороз? — съязвил Вадим.

— Об этом я не подумал. Что хотите делайте, но я возле тачки никого не видел, да и в том, что слышал голоса, не уверен. О девчонке узнал через два дня, и к ее смерти никакого отношения не имею.

— А вот это еще вопрос, — вздохнула я и перевела взгляд на Вадима. — Мы знаем, где его найти, и при случае вернемся.

— Само собой, — разулыбался тот. Снял с Вовы наручники и зашагал к машине.

— А вы меня до города не подкинете? — когда я уже садилась в «Ленд Крузер», спросил Еланцев.

— Ну и нахал, — подивился Вадим и крикнул в ответ: — Только до кладбища.

Вова остался на берегу озера, а мы поехали в город.

— Значит, шарить в черепушке ты умеешь, — довольно ухмыльнулся Вадим. — Он тебя испугался даже больше, чем меня. Уверена, что он нам все выложил?

— Сомнения всегда остаются. Но он не врал. Девушка была в лесу не одна. Не знаю, зачем они отправились в лес, но когда вернулись, машины не было.

— Ага. И несчастные замерзли на дороге. Версия зашибись, только в этом случае должно быть два трупа. И еще: Настю нашли голой. Они в тридцать градусов любовью в лесу занимались и забыли одеться?

Максимильяна мы обнаружили в букинистическом магазине. Рассказали о встрече с Вовой и изложили свои доводы. Бергман слушал, устроившись в кресле. На этот раз подниматься на второй этаж не стали, покупателей внизу не наблюдалось, а Василий Кузьмич заварил нам чай и удалился в свой закуток. Мне нашлось место возле стеллажей, а Вадим приткнулся на передвижной лестнице.

— Н-да, — произнес Бергман, выслушав нас. — Вместо убийства у нас вроде бы несчастный случай. Я правильно понял?

— Непонятки у нас, а не несчастный случай, — возразил Вадим. — С кем Настя была в лесу? Почему оказалась голой? И куда делся ее спутник, спутница или спутники?

— Вот это и надо выяснить, — заключил Максимильян.

— Тряхнуть как следует ее знакомых? Подружку, с которой она в клубе была...

— Не подружку, — подала я голос. — Я бы поговорила с ее бывшим бойфрендом, неким Юрой Донцовым.

— И что нам Юра? — хмыкнул Вадим.

— Пока не знаю. Девушка жаловалась, что он гадости говорит о ее новом друге. Что за гадости, не уточнила, но была серьезно расстроена.

— Что ж, позвони Поэту, пусть посмотрит, что там есть на Донцова. Навестите парня, как только будете знать, где его найти.

— Ладно, — согласился Вадим. — Найдем, вытряхнем душу и все узнаем. А у тебя как дела?

— Ничего особенно интересного, — держа в руках чашку с блюдцем, ответил Максимильян. Чашка была антикварной, из тончайшего фарфора. — Егор — типичный шалопай, в друзьях половина города... И никто из тех, с кем я успел переговорить, понятия не имеет, где он. Сам не звонит и на звонки не отвечает.

— Ясное дело, папаша запретил, — пожал Вадим плечами.

— Одна из знакомых девушек считает, что в последнее время Егор вел себя необычно, — продолжил Максимильян. — Охладел к тусовкам и вообще неизвестно чем был занят. Мы знаем, что он вдруг заинтересовался исчезновением сестры, заметьте, не недавним убийством Насти, а преступлением восьмилетней давности.

— Оба этих преступления связаны? — нахмурилась я. — Или он так решил?

— Если все дело в бизнесе, как убеждал нас папаша — это ни в одни ворота не лезет, — покачал головой Вадим.

— Почему же, — возразил Максимильян. — Теоретически вполне допустимо. Кому-то приглянулся бизнес Басова, и, чтобы вынудить его принять определенные условия...

— Девчонку похитили и забыли вернуть? — не удержался Вадим. — Но откуда парню знать, что сестер он лишился благодаря одним и тем же людям? Петраков ничем ему не помог, а ни к кому больше, по крайней мере в этом городе, он не обращался.

— Оставим пока его мотивы, — с легким недовольством произнес Максимильян. — Егор нанимает Петракова, об этом узнает его отец, и Басов-младший, по его настоянию, спешно покидает страну. Сам Басов надеется, что мы отыщем убийцу Насти, он будет знать своих врагов и сможет с ними разобраться. Его нежелание быть до конца откровенным вообще-то понятно...

— Бизнесмены — народ недоверчивый, — хохотнул Вадим.

— Что ж, найдите этого Донцова и разберитесь, что там к чему, — отставляя чашку в сторону, произнес Бергман.

Мы с Вадимом переглянулись и вскоре покинули «берлогу» Максимильяна.

Юра Донцов выглядел вполне обыкновенно, не лучше и не хуже большинства своих сверстников. Бритые виски, длинные волосы, зачесанные назад. В ухе серьга величиной с десятирублевую монету. На руке татуировка, то ли дракон, то ли еще какое-то крылатое чудовище, на ладони иероглифы. Высокий, худой, джинсы на бедрах свисают мешком, разбитые кроссовки и надпись на футболке по-английски, значение которой он не знал, иначе бы не надел. Хотя черт его знает, может, среди его друзей называть себя «тупым засранцем» очень даже круто.

Мы пасли его уже полдня и изрядно намучились. Дима разыскал парня довольно быстро, летом тот подрабатывал на пляже, выдавая лодки напрокат, здесь мы его и обнаружили примерно в десять утра. Он сидел в тенечке и пил колу из банки. Потом сменил джинсы на шорты и устроился на причале, рядом с ним постоянно паслись еще двое типов: тощий парень, почти подросток, и мужчина лет сорока, дочерна загорелый. Столпотворение на пляже по соседству очень не нравилось Вадиму, вот мы и ждали удобного момента, когда Юрка причал покинет.

Уже имея представление о методах Воина, я смотрела на Донцова с сочувствием, хотя симпатии он упорно не вызывал. Все в нем непостижимым образом меня раздражало: и манера смеяться, задрав голову, и привычка то и дело сплевывать сквозь зубы, ко всему прочему он без конца чесался. Вадим всерьез предположил, что у него блохи.

На пляже было негде яблоку упасть, однако троицу беспокоили редко, желающих покататься на лодке оказалось немного. Чтобы не привлекать к себе внимание, мы оставили машину на парковке и заняли свободные шезлонги под грибком подальше от реки. На счастье, я догадалась прихватить купальник. Вадим, покопавшись в багажнике, достал шорты, переоделся, и теперь, лежа на спине, закинув ногу на ногу, поглядывал в сторону Донцова поверх солнцезащитных очков. Юрку отсюда было видно хорошо. Я лежала на животе, наблюдая за ним без особой охоты, с минуты на минуту готовясь погрузиться в дрему.

— Интересно, когда у него рабочий день заканчивается? — пробормотала я.

— Имей терпение, — отозвался Вадим. — С погодой нам повезло, тут ты возражать не станешь.

— Искупаться, что ли?

— Валяй. Только не теряй его из виду, вдруг придется срочно делать ноги.

Я направилась к воде, поплавала возле берега и вернулась на свой шезлонг.

— Полегчало? — спросил Вадим.

— Не очень.

В два часа наметилось оживление, Юрка вернулся в будку, закрылся там на несколько минут, а потом побрел по дороге к автобусной остановке, на плече у него болтался рюкзак, по виду пустой.

За считаные секунды Вадим переоделся и запрыгнул в машину, я натягивала платье уже на переднем сиденье его «Ленд Крузера». Лихо обогнав парня, Вадим потеснил его к обочине. Юра замер столбом, гадая, что происходит, и потерял драгоценные секунды, а с ними и возможность смыться. Появление из салона Вадима очень ему не понравилось, он попятился и вроде бы решил-таки бежать, но Волошин хлопнул его по плечу рукой и буркнул:

— Поговорить надо... — после чего Юрка, можно сказать, добровольно сел на заднее сиденье и уставился на нас ярко-синими глазами, в которых отчетливо читалась паника. Вадим устроился рядом и едва заметно кивнул мне, еще раньше мы договорились, что на этот раз беседу буду вести я.

— Тебя ведь Юрой зовут? — спросила я, ожидая, когда паренек немного успокоится. — Юра Донцов?

— Ну...

— Лилю Карпенко хорошо знаешь?

— Ну...

— А другие ответы у тебя есть? — влез Вадим. — Постарайся их как-то разнообразить.

— Она была моей девушкой.

— Молодец, можешь, когда хочешь, — похвалил Воин. — А чего разбежались?

— Просто разбежались, и все... Надоели друг другу...

— А вот Лиля утверждает, что ты довольно часто ей звонишь, — заговорила я. — Хотя у нее уже другой парень.

— Я не понял, вас что, Лилька прислала? — спросил Юра, но сам не верил в такую возможность.

— Нас прислал, — медленно начала я, — отец погибшей девушки, Насти Басовой. Они ведь с Лилей дружили?

Вот тут он испугался по-настоящему. Лицо его непроизвольно вытянулось, лоб покрылся испариной, одна капля скатилась по длинному тонкому носу, и он торопливо смахнул ее рукой.

— Я здесь ни при чем, — быстро произнес он и сцепил руки, стиснув их коленями.

— Поясни, — рыкнул Вадим над его ухом.

— Чего вы от меня хотите...

— Ты хорошо знаешь Лилиного парня? — не дав ему опомниться, тут же задала я вопрос.

— Лешку? Ну... да... вообще-то не очень. Я с его другом в одном классе учился, а с Лешкой так, знаком...

— У тебя нет причин хорошо к нему относиться. Ведь Лиля тебе нравится, да?

— У нас все было нормально, потом разбежались, чего такого?

— Действительно: ничего такого. И ты не стал бы на него наговаривать.

— Идиотка, — в отчаянии произнес он. — Она вам сказала, да?

— А почему мы здесь, по-твоему? — хмыкнул Вадим. — Выкладывай все, как есть. Не тяни за душу. И без фокусов. Начнешь врать, можешь оказаться инвалидом.

— Чего мне врать-то? — возмутился он. — Если Лилька вам все рассказала, то ей же хуже.

— Давай без предисловий, — нахмурилась я, заподозрив, что мы еще долго будем ходить вокруг да около.

— Рассказывать? — вроде бы усомнился Юра. — С чего начинать?

— С самого интересного, — вновь вмешался Вадим.

— Ладно... Короче, Настя эта, Лилькина подруга... такая, блин, выпендрежница. Папаша у нее богатенький. Машина, шмотки и бабла немерено. Есть девчонки и получше, но она считала себя крутой... Долго рассказывать, что да как, но у многих парней на нее зуб был. Одному чуваку она в рожу бокал вина выплеснула, и, главное, ни за что. Ничем он ее не обидел, понимаете? Лилька ей говорила, так нельзя, мужики, мол, тоже люди и все такое, но она только ржать начинала и нарочно все делала.

— Есть такие подлые бабы, — сочувственно произнес Вадим.

— Многих она против себя настроила. И в тот вечер, когда все случилось, опять с кем-то поцапалась. Ребят потом в ментовку сто раз таскали.

— Она с ними поцапалась, дальше что? — напомнила я.

— Дальше мы с Лилькой уехали, мы тогда еще вместе были, и Настя вроде тоже. Но недалеко. — Он вздохнул и замолчал.

— Эта пауза призвана подчеркнуть драматизм? — нахмурился Вадим. — Иди ты, гад, мое терпение испытываешь?

— Тот самый парень, о котором я говорил, как раз в клуб решил заехать, отдохнуть. Он с друзьями был, все трое уже бухие. Увидели Настину тачку... в общем, решили ее наказать, то есть тот чувак решил, а дружки поддержали.

— Имена всех троих?

— Денис Котов, Леха Нестеров и одноклассник мой, Витька Райзман. Витька потом рассказывал, что в тот вечер они сильно обдолбанные были, ну, вы понимаете. Башка и так в неадеквате, а тут еще эта Настя... Все ей припомнили и решили проучить. И за ней покатили. Она в переулок, ну, мужики ее подрезали, ей бы в машине сидеть, а она из тачки вышла и погнала на них с разборками. Денис ей и вмазал. Легонько, чтоб место свое знала, но с головой у них и правда плохо было... в общем, они сунули ее в свою машину и за город повезли. А Витька ехал следом на ее «Ауди», потому что они придумали, как ее наказать.

— Выбросить голой на дороге, — вздохнула я.

— Они оставили ей машину. И ключи, и документы. И не приставали, так, малость поиздевались, но она ведь заслужила, сама любила парней унижать. Короче, они ее раздели и на лесной поляне высадили, потом поехали в город. Она за ними бежала, не верила, что бросят. Витька все-таки окно открыл и крикнул, где ей машину искать.

— Какой дряни они нажрались в тот вечер? — покачал головой Вадим.

— Витька сказал, до ее тачки было метров триста, свернешь на развилке и ее увидишь.

— Даже в темноте?

— Он же сказал, где машина.

— А тридцатиградусный мороз его не смутил? Он совсем идиот и не догадывался, что за все это отвечать придется?

— Вы на меня-то чего наезжаете? — вполне справедливо возмутился Юра. — Про мороз не подумали, им тепло было. И точно знали, в полицию она не пойдет. Она же гордая. А там рассказывать придется, и вообще... все узнают... Не пошла бы она в полицию. Добрела бы до машины, отогрелась, потом к Лильке бы поехала или еще к какой подруге. Одеться. И вела бы себя тихо. Она б молчала и не задавалась, и они бы молчали.

— Гениально, — прокомментировал Вадим. — Трава была афганская?

— Откуда я знаю? Им надо было Настю до машины проводить, чтоб убедиться: она ее нашла. Вдруг все-таки в другую сторону потащится? А они сразу в город поехали. Настя в темноте заплуталась и замерзла. А тачка ее вообще неизвестно куда делась. Настю утром нашли, и Лильку и меня в ментовке допрашивали. Но мы, само собой, ничего не знали. Парням, с которыми она в тот вечер поцапалась, тоже досталось. Ну и других расспрашивали, конечно.

— И троицу тоже?

— Да, в клуб полицейский заходил, но к себе не вызывал. Два перца свалили, один в больницу лег, вроде язва у него, второй бабку навестить решил. А Витя зубами стучал, боялся, что кто-то их в городе видел или по дороге. Но обошлось. Никого полиция не нашла. Но Витя все равно сильно нервничал, и как-то по пьяни мне все рассказал. А Лилька как раз с Лешкой этим замутила. Вот я и решил ее предупредить. С Настей они подруги, а Лешик, выходит, ее на тот свет отправил.

— А может, Лешку кто-то надоумил девку проучить? — вкрадчиво произнес Вадим.

Юрка не сразу понял вопрос, взирал с недоумением, потом смысл сказанного начал доходить, и глаза выкатились еще больше.

— Вы чо? — переспросил он. — Вы думаете, он Настю нарочно? Не-е... — парень замотал головой. — Витька сказал, все само собой получилось. Они увидел Настю, та поддатая была, ну и решили...

— Возможно, твой Витька действительно думал, что идея поквитаться пришла сама собой. Но ведь кто-то предложил первым наказать девчонку?

— Наверное, — пожал Юрка плечами. — Меня-то там не было, откуда мне знать, кто первый предложил? Думаю, Денис Котов, он на нее здорово злился. А Лехе она по барабану, как и Витьке. То есть парни на нее зуб имели, потому что выпендрежница, но... Короче, точно не скажу...

— Ага. — Вадим почесал подбородок, глядя куда-то вдаль. — Где, говоришь, Котов живет?

— Не знаю, — испугался Юрка. — Ей-богу, не знаю. Я из их компании только с Витькой...

— Ну так позвони Витьке...

— А что я ему скажу? Зачем мне Котов понадобился?

— Придумай что-нибудь. Ты же парень голова-стый... — улыбнулся Вадим, но улыбка была из тех, что вгоняла неокрепшие души, вроде Юркиной, в затяжную тоску.

Он выразительно вздохнул и достал мобильный. Его дружок ответил сразу, и Юрка неуверенно замямлил:

— Витя, привет. Ты вроде говорил, Котов награды может достать, в смысле, есть знакомые, которые ими торгуют... С одним чуваком разговорились, ему кое-что нужно, но только чтоб не ворованное... Номер мобиль-ного дай... — Юрка продиктовал номер телефона, по-вторяя его за собеседником, а Вадим его записал.

— Молодец, — сказал, убирая свой мобильный, и по-хлопал Юрку по плечу. — А теперь главное: не вздумай кого-то из этих типов предупредить. Вернусь и что-нибудь сломаю... — С этими словами Вадим распахнул дверцу и вытолкал Юрика, впрочем, тот был рад от нас избавиться.

— Позвони Димке, — сказал мне Вадим, направляясь в город. — Пусть выяснит адрес Котова.

Очень скоро я смогла убедиться, что Дима работать умеет, адрес был у нас уже через десять минут, а еще че-рез двадцать мы тормозили возле дома, где жил Денис.

На разведку я отправилась одна. Дверь восемнадца-той квартиры мне открыть не пожелали, хотя я довольно долго давила на звонок. Зато пока я топталась на лест-ничной клетке, из лифта появилась соседка, с которой мне удалось завязать непринужденный разговор. Выяс-нилось следующее: в квартире живет сестра Дениса со своим гражданским мужем, сам Котов появляется здесь редко, где обитает, толком и сестра не знает. Родители с весны на даче, но там он появляется еще реже.

Я покинула подъезд. Вадим, насвистывая, с праздным видом бродил возле машины.

— Как успехи? — спросил без особого интереса.

Я пересказала разговор с соседкой, и он уставился куда-то поверх моего плеча, сунув руки в карманы брюк. Кстати, до сокрушительной элегантности Бергмана ему, конечно, далеко, но одевался он со вкусом, впрочем, скорее всего, это заслуга его подруги. Деньги он тратит охотно, а девушка ему в этом помогает.

— Ладно, — выслушав меня и помолчав с минуту, сказал Вадим. — Отыщем засранца, не здесь, так в другом месте. Фотку нам Димыч скинул, а паренек любит тусоваться в ночных клубах...

— Предлагаешь рейд по злачным местам? — фыркнула я.

— Точно. Клиент за все платит. Отчего ж себя не порадовать? — Я взглянула на часы, а Вадим кивнул: — До восьми разбегаемся. Отвезти тебя домой?

Я отказалась, придумав срочное дело неподалеку. Он уехал, а я побрела к дому пешком.

Странности этого дела стоило обдумать. Странность первая и основная: если убийство Насти дело рук конкурентов Басова, способ они выбрали чересчур необычный. Допустим, хотели замаскировать убийство под несчастный случай... Тогда почему девушка оказалась голой? Шансы выжить в лесу в тридцатиградусный мороз сводились к нулю, даже если бы она была одетой (не вмешайся везение, разумеется), но вопросов бы вызвало куда меньше. Способ убийства совершенно не бандитский. А если это и не убийство вовсе, а действительно несчастный случай? Никто не ожидал, что машину угонят. Допустим, некто подбил Котова на скверную выходку, но откуда ж ему было знать, что мимо поедет Еланцев и позарится на Настину «Ауди»? А если Котова никто не подбивал, что получается? Месть обиженного придурка, в результате которого девушка погибла, и конкуренты здесь ни при чем? Грозить грозили, но от слов к делу не перешли. А Басов тут же решил, что дочь убили. В общем-то, логично, учитывая угрозы. И в обратном его еще надо будет убедить. Не такого результата он ждал от нашего расследования. Тут я хмыкнула, мысленно передразнив саму себя — «нашего». А почему бы и нет? Ты искала работу, и ты ее нашла. Попробуй относиться к этому именно так.

В отличие от меня Вадим оказался знатоком ночных клубов. Я-то была там всего пару раз. Подобрав меня возле моего подъезда, Воин первым делом сообщил, что клубов в городе полтора десятка, но внимание заслуживают всего два. Учитывая, что Настя — девушка с запросами, там она, скорее всего, и тусовалась. И в одном из них судьба свела их с Котовым. Логично предположить, что он там появляется до сих пор. Самым перспективным Вадим считал ночной клуб «Галактика». Были еще заведения закрытого типа, но парню вроде Котова там не место, следовательно, их в расчет не берем.

«Галактика» произвела впечатление хитро сконструированным потолком в виде звездного неба и большим количеством посетителей — и это еще в самом начале вечера. Вопрос, как мы в такой толпе отыщем Котова, я задавать не стала, решив, что сие забота Вадима. Сам Вадим чувствовал себя распрекрасно. Устроившись в баре, сунул мне в руки стакан «мохито», себе взял виски и, привалившись спиной к стойке, с отеческим видом поглядывал на молодежь.

— Надо тебе платье купить, — вдруг заявил он.

— Мне? — решив, что ослышалась, уточнила я.

— Ага. Что-нибудь в обтяжку красного цвета и обязательно длинное. Как у девушки Бонда.

— Вот оно что, — присвистнула я. — Вообразил себя агентом 007?

— Что он может, твой Бонд? — фыркнул Вадим. — К совету отнесись серьезно, чего ж такую красоту во что попало прятать? Есть девчонки, которые из кожи вон лезут, желая выглядеть роковыми красотками. А ты занята прямо противоположным.

— Чем же? — заинтересовалась я.

— Пытаешься выглядеть обычной девчонкой, — подмигнул он.

— Да ладно, — хмыкнула я, гадая, пудрит он мне мозги или я свою внешность явно недооцениваю.

— Отвечаю, — кивнул он. — Даже наш Поэт сказал: с тобой надо быть настороже, слопаешь и косточек не оставишь. Он года два назад уже нарвался на такую, до сих пор ходит слегка пришибленный.

— Они все еще вместе?

— Куда там... кинула его через месяц, прихватив деньжата, что он держал в квартире. Девицу мы, конечно, нашли. Она покаялась, но к нему не вернулась и денежки тоже себе оставила, точнее, Димыч их девице подарил.

— Благородно.

— До дурости. Я бы в зубы дал. Легонько, но чтоб понимание наступило: за все надо платить. О-па, — прищелкнув языком, вдруг произнес Вадим и кивнул куда-то влево. — А вот и наш мальчик.

Как он умудрился разглядеть Котова, для меня загадка, учитывая, что видел его лишь на фотографии. Молодой человек с прыщеватой физиономией и длинными волосами, немытыми и нечесаными, направился к бару. На фото он был куда симпатичнее. До стойки бара оставалось метров пять, когда взгляд его уперся в Вадима. Парень притормозил, а потом и вовсе сменил траекторию. Теперь путь его лежал в сторону туалетов.

— Пойду, потолкую дружески, — поднимаясь, сказал мне Вадим. — Не скучай, дорогая, я скоро вернусь.

— Но... — начала я, считая, что мне не худо бы присутствовать при разговоре, однако мое «но» так и повисло в воздухе.

Вадим быстро удалялся, а в здешнем шуме мои слова он вряд ли услышит. Ничего не оставалось, как продолжать тянуть коктейль через трубочку и оглядываться по сторонам.

Минут через двадцать я начала томиться и подумывала о том, чтобы позвонить Вадиму и узнать, где его носит, но тут он сам позвонил.

— Девушка-красавица, — сказал весело, — загляни в мужской туалет. — И отключился, так что комментарии по этому поводу пришлось оставить при себе.

Чертыхаясь сквозь зубы, я направилась к туалетам. В коридоре никого, я толкнула дверь с изображением мужчины в котелке, четверо парней возле писсуаров взглянули на меня как по команде, а я позвала громко:

— Вадим!

— Сюда, прелесть моя, — раздалось из ближайшей кабинки, и я заспешила в том направлении, стараясь держать себя в руках.

«Этот тоже решил устроить мне проверку?» — думала я со злостью, пока за моей спиной кто-то спрашивал со смешком:

— Что это было?

Дверь кабинки приоткрылась, а мысли о проверке меня мгновенно оставили, потому что Вадиму они вряд ли в голову приходили, и о моих возможных неудобствах он попросту не подумал... Кабинка оказалась довольно просторной, в узком пространстве между стеной и унитазом примостился Котов, из носа и разбитой губы текла кровь, успев запачкать унитаз и пол, он жалобно поскуливал, зажимая одной рукой ладонь другой. Я уже собралась сказать Вадиму, что думаю по поводу его методов, но, вспомнив, как Котов поступил с Настей, спросила:

— Ну и...?

— Гаденыш клянется, что идея бросить девчонку в лесу его собственная, — пожал плечами Вадим.

— Я не знал, что так получится, — торопливо заговорил Котов, понижая голос, должно быть получив инструкции от Вадима, что вести себя надо интеллигентно, не вопить во все горло, мешая другим заниматься важным делом. — Мы же ее машину оставили совсем рядом, понимаете? Если бы я знал...

— Что скажешь? — спросил Вадим, обращаясь ко мне. Но тут за дверью наметилось оживление, шаги, громкие голоса, после чего в дверь нашей кабинки постучали. Котов оживился, но под укоризненным взглядом Вадима мгновенно сник.

— У вас все в порядке? — сурово спросили из-за двери. Вадим кивнул мне, и я ответила громко:

— У нас все отлично.

Последовала пауза, затем вновь шаги, и все стихло.

— Рассказывай, — сказала я, привалившись плечом к перегородке.

— Мы не хотели ничего такого... ее пальцем никто не тронул, в смысле...

— У кого возникла идея отвезти Настю в лес? — спросила я.

— Не помню... честно. Мы просто ехали... место потише искали... но в городе легко на полицейских нарваться...

— Никаких злых дядей, — вмешался Вадим. — Сама идея и ее осуществление — плод их собственных трудов. Нет?

— Да, — ответила я, внимательно приглядываясь к Котову.

— Отлично. — Вадим открыл дверь кабинки, дурашливо помахал рукой Котову и, обняв меня за плечи, зашагал к выходу.

Через пять минут мы были на парковке, где оставили машину. Поспешность, с которой мы покинули клуб, меня не удивила, Котов мог обратиться к охране, а те вызвать полицию. Все остальное рождало массу вопросов, а также уверенность, что моих компаньонов не особо заботит, к чему приведут их действия, и это еще мягко сказано.

— Поехали к Джокеру, — сказал Вадим, и я решила повременить с критикой, чтобы не повторяться.

Фасад «дома с чертями» тонул в темноте, лишь в окне первого этажа, том, что ближе к двери, посверкивал огонек охранной системы. Вывеска тоже не освещалась, то ли Бергман электричество экономил, то ли руководствовался иными соображениями, мне неведомыми. Ночью здание выглядело так мрачно, что мысли о золотых дублонах мгновенно сменили воспоминания о детских страшилках: в черном-пречерном доме, за черной-пречерной дверью... Вадим себя подобными размышлениями точно не утруждал, припарковался напротив входа и позвонил по мобильному.

— Мы подъехали, — бросил коротко и добавил, обращаясь ко мне: — Потопали.

Игнорируя вход в магазин, мы достигли торца здания и здесь обнаружили неприметную калитку. Раздался щелчок, и калитка открылась. На торцевой стороне дома, лишенной окон, висел фонарь, а также видеокамера. К вопросам безопасности хозяин магазина относился серьезно. Свернув за угол, я увидела зеленую лужайку, освещенную прожектором, и забор, вдоль которого росли высоченные кусты, должно быть, боярышник. Здесь же оказалась дверь под металлическим козырьком. Она была приоткрыта, на пороге стоял Бергман в брюках и стеганой бархатной куртке. Такие я видела в старых фильмах из жизни аристократов.

Максимильян, кивнув, запер за нами дверь, и мы, в молчании поднявшись на второй этаж, вошли в кабинет, окна которого выходили во двор. Вадим плюхнулся в кресло, вытянул ноги и потер лицо ладонями, как делают, пытаясь прогнать сон, хотя признаков сонливости в нем я не заметила. Я выбрала стул, а Бергман устроился возле окна, привалившись к подоконнику.

— Котов божится, что гибель девчонки случайность, — сказал Вадим.

— Уверен?

— На втором сломанном пальце врать обычно завязывают, — и оба посмотрели на меня.

Я пожала плечами:

— По-моему, он говорил правду. И очень боялся...

— Гаденыш поначалу грозился, — заговорил Вадим. — Утверждал, что он нашему губернатору племянник. Димыч лопухнулся или гаденыш врет? По виду, обычная шантрапа.

— Его мать действительно двоюродная сестра губернатора, — кивнул Бергман. — Но они не особо дружны. А вот губернаторский сынок, по слухам, не прочь немного подвинуть Басова.

— Это что же получается? — нахмурился Вадим. — Гаденыш-таки врал?

— Не думаю... — Бергман взял со стола и принялся вертеть в руках лупу с резной костяной ручкой. — У вас нет ощущения, что вся эта история... глупа до невероятности? — с усмешкой спросил он. — Если к гибели Насти имеют отношение конкуренты Басова, кто бы они ни были, им следовало бы выбрать другой способ воздействия на него. Тем более коли речь идет о губернаторе.

— Ты прав, — кивнул Вадим. — И что это значит? Девчонка действительно погибла случайно? Эти олухи не ожидали, что кто-то угонит машину, пока они разбирались с Настей?

— Весьма печально, — развел руками Бергман. — Убитый горем отец вряд ли смирится с этим.

— Ага. Заговор злодеев куда предпочтительней глупой случайности.

— Роковой, — поправил Максимильян.

— А я что сказал? Сообщишь завтра папаше?

Ответить Бергман не успел, потому что заговорила я.

— Можно несколько слов о вашей манере вести дела?

— Конечно, дорогая, — очень серьезно произнес Максимильян.

— Спасибо. Четверо граждан получили увечья разной степени тяжести... — Джокер перевел вопросительный взгляд на Вадима, тот протестующе поднял руку.

— Все в пределах нормы...

— Завтра, то есть сегодня, ты идешь к Басову с докладом. Я правильно поняла? — не обращая внимания, продолжила я.

Бергман кивнул.

— Девушка погибла. У нас есть подозреваемые, но нет никаких доказательств.

Тут Воин достал из кармана миниатюрный диктофон и положил его на стол.

— Здесь все дружеские беседы, — с обидой заявил он.

— И это, по-вашему, доказательства? — возмутилась я. — Ни один суд... — в этом месте я притормозила, заметив, что мужчины смотрят на меня с большим недоумением. — Что-то не так? — едва сдерживаясь, уточнила я.

— Какой еще суд? — спросил Вадим, но обращался вовсе не ко мне, а к Максимильяну. Тот немного посверлил меня взглядом и заговорил:

— Дорогая, ты должна помнить, о чем мы договаривались. Басов хотел знать, кто убил его дочь. У нас есть имена и признательные показания.

— Полученные под давлением. Чтобы посадить их в тюрьму, этого недостаточно, — упрямилась я.

— А разве Басов этого хотел? — искренне удивился Максимильян. — Учитывая все обстоятельства, отсутствие злого умысла, а также родство с губернатором, у парней есть шанс получить минимальное наказание. Вряд ли это устроит убитого горем отца.

— Вы что хотите сказать... — забеспокоилась я. — Черт... а если Басов сам решит с ними поквитаться?

— Вполне вероятно. Но это, как ты понимаешь, нас абсолютно не касается. Мы выполнили свою часть договора.

— А закон? — хмыкнула я, хотя могла бы и помолчать, толку от моих слов, ясное дело, никакого.

— Что у нас с законом? — повернулся Бергман к Вадиму.

— Конечно, мы его уважаем, — надул тот щеки. — Но по большому счету нам плевать, чем занят клиент после того, как с нами расплатился. Мы не полиция, так что можем поступать по справедливости, отложив в сторонку Уголовный кодекс.

Через полчаса я была дома. Вадим доставил меня к подъезду, на прощание заговорщицки подмигнув. Я на подмигивание никак не реагировала, а по дороге молчала, зато уж в квартире дала волю эмоциям.

— Черт бы побрал этих типов... и меня вместе с ними. Ведь видела, чувствовала, связаться с такими себе дороже.

Я села возле окна, покусывая ноготь на большом пальце, одна из дурных привычек, зато помогает успокоиться. Троица придурков во главе с Котовым заслуживала самого сурового наказания, ведь девушка погибла, хотели они того или нет. А если Басов и вправду решит, будто он сам и судья, и обвинитель? Учитывая, что дядя он отнюдь не бедный, исполнителя приговора тоже найдет. Возможно, даже не одного. Око за око... Дикость, с чего я взяла, что Басов до подобного додумается?

— Додумается, — самой себе ответила я. Я это чувствовала, находясь рядом с ним. Яростное желание поквитаться. Справедливость и закон не всегда одно и то же, и тогда приходится выбирать...

К утру свой выбор я сделала. Едва дождавшись восьми часов, набрала номер мобильного Лилии Карпенко. Голос девушки звучал раздраженно.

— Слушаю...

— Это Лена из детективного агентства, помнишь меня?

— Помню, — перебила она. — И что дальше?

— Надо срочно встретиться и поговорить.

— О чем? Я все сказала... чего вы вообще прицепились?

— Речь идет об Алексее Нестерове, о его участии в том деле.

— В каком деле? — испуганно переспросила Лиля. — Лешка-то здесь при чем?

— Ты это знаешь не хуже меня. Поверь, я хочу вам помочь. Тебе и ему. Давайте встретимся через полчаса. Куда подъехать?

Еще минут пять мне пришлось ее уговаривать, наконец, она согласилась встретиться. Через час в парке Победы. До него было рукой подать. Я не спеша выпила кофе, прикидывая, что должна сказать, чтобы быть максимально убедительной.

В парке девушка появилась раньше меня. Я шла по аллее и заметила ее еще издали на скамейке возле фонтана, как и договаривались. Лиля держала в руках мобильный, должно быть, собираясь мне звонить, и нервно оглядывалась.

— Привет, — сказала она и откашлялась.

— Привет, — кивнула я, устраиваясь рядом.

— Ты одна? — вновь оглядевшись, спросила Лиля.

— Одна. Люди, с которыми я работаю, сегодня отправятся к Басову, если уже не отправились. С минуты на минуту он будет знать, как погибла его дочь.

— И чего? Мы-то тут при чем?

— Разве твой бывший бойфренд не рассказал тебе?

— Да он все врет, — со злобой пробормотала Лиля. — Потому что я его бросила. И на Леху наговаривает...

— Денис Котов все рассказал, — перебила я. — Его признания записаны на диктофон.

Лиля таращила глаза, лихорадочно ища ответ, а за моей спиной возник высокий парень в надвинутой на самые глаза бейсболке.

— Ты... — зашипел он. — Кто ты вообще такая?

— Сядь, — как можно мягче ответила я, сообразив, что передо мной Алексей Нестеров. — Позвони своим друзьям, подумайте вместе, что делать. Когда Басов узнает, как вы поступили с его дочерью, а он узнает с минуты на минуту, у вас останется только одна надежда — на наш суд неподкупный и справедливый. Говорю без всякой иронии. Потому что если Басов решит обойтись своими силами...

— Не убьет же он нас? — не очень уверенно произнес Леха, а я пожала плечами, хотя хотелось ответить «непременно убьет», но нагнетать ситуацию не следовало.

— Сваливать надо, — резко произнесла Лиля и даже приподнялась со скамейки, собираясь тут же осуществлять задуманное.

— Давайте, — сказала я. — Окажите ему большую услугу.

— В каком смысле? — в отличие от девушки Леху идея бегства и дальнейших странствий не особо привлекала.

— В смысле, развяжите Басову руки. Здесь ему все-таки придется соблюдать осторожность, а в другом месте... Найдут трупы каких-то бродяжек, кому надо разбираться, кто их убил? И при чем здесь Басов?

— Ты чего, в самом деле думаешь... — нахмурилась Лиля, разрываясь между страхом и сомнением.

— Твой приятель хотел наказать девчонку, в результате она погибла. Теперь ее отец жаждет справедливого возмездия. Вас это удивляет?

— О господи, — кусая губы, простонал Леха. — Мы же не хотели... мы не виноваты... ей-богу...

— Басов считает, вас наняли, чтобы убить его дочь, — немного отступив от истины, сказала я.

— Что? Чушь... никто нас не нанимал. Да мы бы никогда не согласились. Мы просто хотели ее проучить... Она сама виновата, вела себя, как последняя гадина...

— Все это я уже слышала. Мы нашли вас довольно быстро. Попытаетесь удрать — найдем еще быстрее, если этого захочет Басов. А он захочет. У вас нет ни денег, ни возможностей где-то долго прятаться. К тому же вас трое, не считая Лили, кто-то из троих непременно себя выдаст. Накроем всех троих или переловим по одиночке...

— Чего ты хочешь? — нервно спросил Нестеров.

— Я уже сказала. Ты и твои дружки идете в полицию, где вам оформляют явку с повинной. Чистосердечное признание суд зачтет, особенно если красочно поведаете, как вас все это время совесть мучила.

— Нас же посадят.

— Зато останетесь живы.

— Что скажешь? — повернувшись к Лиле, спросил Нестеров.

— Не слушай ее... — ответила девушка с большой горячностью. — Пусть докажут.

— Доказывать как раз никто ничего не собирается, — усмехнулась я. — Вы не поняли главного. Речь о том, останешься ты жив или нет.

— Она тебя просто запугивает, — разозлилась Лиля, лицо ее покраснело, губы дрожали, но Леха на ее слова особого внимания не обратил, сурово хмурился, размышляя о перспективах. Беспокойство уже закралось в душу, и просто отмахнуться от моего предупреждения он не мог. А я решила, что самое время поставить точку.

— Поступайте, как знаете, — сказала, поднимаясь. — Будем считать, я сделала все, что могла...

— Подожди, — вскочил Леха, хватая меня за руку. — Почему ты думаешь, что Басов... он ведь не бандит какой-нибудь... богатый дядька и...

— И у него столько денег, что может нанять и лучших сыщиков, и даже бандитов, если понадобится.

— Тогда нас и в тюрьме достанут.

— Его должно подкупить ваше раскаяние... Если нет... вы в скверной ситуации, но выбирать придется меньшее из зол.

— Не слушай ее, это все подстава, — завопила девушка. — Уедем из города, переждем.

— Счастливого пути, — кивнула я. — Очень может быть, что скоро встретимся.

Махнув рукой на прощание, я направилась по аллее и почти сразу обратила внимание на машину Бергмана, она стояла почти вплотную к ограде сквера, окно было открыто, и Максимильян, находясь в салоне, отлично видел и меня, и Лилю с ее бойфрендом.

— Черт, — пробормотала я, продолжая движение, «Ягуар» тронулся с места и теперь не спеша меня сопровождал.

На выходе из парка наши пути пересеклись. Дверь «Ягуара» со стороны пассажира открылась, и я услышала голос Максимильяна:

— Садись, дорогая.

— Следишь за мной, — усмехнулась я, устраиваясь рядом с ним.

— Я-то решил, ты сама отправишься в полицию, — добродушно улыбнулся он, голос звучал мягко, не похоже, что мой поступок его разозлил, хотя должен был. Или нет? — Я бы предпочел, чтобы впредь ты ставила меня в известность о своих намерениях.

— Вряд ли «впредь» стоит рассматривать всерьез, — съязвила я, но он вроде бы вовсе не обратил на это внимания.

— Как, по-твоему, они явятся с повинной? — спросил он с любопытством, иных чувств ситуация, похоже, у него не вызывала.

— Не знаю, — честно ответила я.

— Что ж, будем следить за развитием событий. Ты сделала все, что могла... Или есть еще идеи?

Я решила, он издевается, но взгляд Максимильяна, как и голос, были далеки от издевки. В досаде я отвернулась к окну, а он продолжил:

— Тогда ничто не мешает нам навестить Басова.

— А мне ехать обязательно?

— Я думал, тебе будет интересно. В любом случае, я бы хотел, чтобы ты отправилась со мной.

Басов ждал нас в своем офисе. Мы опять искали место для парковки, когда я обратила внимание на женщину. Она стояла в нескольких метрах от центрального входа, держась ближе к углу здания, и, честно говоря, выглядела странно. В общем, не обратить на нее внимание было затруднительно, хотя она к этому явно не стремилась. Я даже подумала, что она прячется. Женщина то отступала за угол, то вновь появлялась. Одета была в черное платье, застиранное до такой степени, что первоначальный цвет приобрел коричневый оттенок. Худые ноги, нелепо торчащие из-под неровного подола, были обуты в сланцы ядовито-зеленого цвета. Наряд завершал черный кружевной платок, повязанный так, что ни волос, ни лба женщины видно не было. Лицо худое и бледное до синевы. Женщина вызвала бы недоумение в любом месте, а здесь, среди снующих туда-сюда людей в деловых костюмах, она и вовсе выглядела нелепо.

— Городская сумасшедшая, — вдруг заявил Бергман. Найдя, наконец, свободное место, он, совершая сложный маневр, старался не задеть соседнюю машину. Но даже это не помешало ему обратить внимание на странную женщину.

— Встречал ее раньше?

— Нет.

— Тогда почему решил, что она сумасшедшая?

— У тебя есть сомнения?

Женщина сделала несколько шагов в нашем направлении и вдруг замерла, а потом спешно укрылась за кустом. В самом деле, в тот момент очень походила на сумасшедшую.

— Что она здесь делает? — задала я вопрос, само собой, не ожидая, что Максимильян и впрямь на него ответит.

— Это место не лучше и не хуже любого другого, — пожал он плечами, покидая машину. Я пошла за ним.

Женщина продолжала прятаться. Я чувствовала ее взгляд, а потом мне и вовсе показалось... показалось или нет? Будто рядом кто-то отчетливо произнес: «Где моя дочь?»

— Ты слышал? — повернулась я к Бергману.

— Что? — удивился он. Выходит, показалось.

Мы подошли к дверям офиса, Максимильян замедлил шаг, а потом остановился. Оглянулся, ища взглядом женщину, и сказал:

— Забавная.

Забавная? Что забавного он в ней нашел? Но лезть к нему с вопросами я не стала, мы как раз вошли в здание, и мое внимание привлек мужчина, шедший нам навстречу, он был в дорогом костюме, в котором чувствовал себя не совсем уверенно. Среднего роста и средней комплекции. Окинул нас взглядом, успевая подмечать все. Уверена, при необходимости он сможет дать наше предельно точное описание. Он еще только заговорил, а я уже поняла, кто перед нами.

— Туманов Михаил Валерьевич, начальник службы безопасности. — Он пожал руку Максимильяну и перевел взгляд на меня. Максимильян представился и сказал с намеком на улыбку:

— Елена Яковлевна, наша сотрудница.

— Умеете подбирать помощников, — серьезно заявил Туманов.

— Да. В этом мне нет равных, — так же серьезно ответил Бергман, и мужчины взглянули друг на друга с любопытством.

— Геннадий Львович ждет вас. — Туманов зашагал рядом с нами по коридору, как видно решив быть нашим сопровождающим. — Надеюсь, у вас хорошие новости.

— К сожалению, мы, как правило, приносим плохие, — с постной миной вздохнул Бергман.

— О вас отзываются как о крутом профессионале, — с легкой усмешкой заметил Туманов, будто сомневался в этом и все-таки ждал положительного ответа.

— Надеюсь. Гонорары у нас тоже крутые, и мы стараемся им соответствовать.

Хотя Максимильян и говорил во множественном числе, имея в виду не только себя, но и своих компаньонов, Туманов, в свою очередь, явно имел в виду его конкретно. Выходит, все-таки есть в команде главный и это, безусловно, Максимильян. Михаил Валерьевич распахнул дверь в приемную, но заходить вместе с нами не стал.

Секретарь отсутствовала. При нашем появлении Басов поднялся нам навстречу, чувствовалось, что он взволнован, хотя и старался это скрыть.

— Вы сказали по телефону, что у вас есть новости, — поздоровавшись, произнес он.

Мы устроились в креслах, на тех же местах, что и в прошлый раз. Бергман достал из кармана диктофон, выложил его на стол и включил. Запись слушали в тишине, Басов сидел с каменным лицом, но когда очередь дошла до рассказа Котова, щека его несколько раз непроизвольно дернулась, а в глазах появился странный блеск. Жутковатый. Взгляд хищника, наконец-то обнаружившего добычу.

— Полиции об этом что-либо известно? — деловито спросил Геннадий Львович, когда запись закончилась.

— Нет, — покачал головой Бергман.

— Хорошо. — Он потер подбородок, исподлобья глядя на Максимильяна. — Если они решат сбежать, для вас, я полагаю, найти их труда не составит?

— Разумеется. Но я уверен, молодые люди сами обратятся в полицию. Удивляюсь, что они не сделали этого раньше.

— Никакой полиции, — гневно возразил Басов, а Максимильян улыбнулся краешком губ.

— Свою часть соглашения мы выполнили. Вы знаете, как и почему погибла ваша дочь.

— Ее убили, — рявкнул Басов.

— Я — сыщик, а не судья, — поморщился Максимильян.

— Разумеется, уже сегодня вы получите гонорар, — теперь голос хозяина кабинета звучал с некоторым неудовольствием, твердость Максимильяна не пришлась ему по душе.

— Позвольте вопрос? — Бергман закинул ногу на ногу и уставился в глаза Басова, тот едва заметно передернул плечами и взгляд отвел, поспешно ответив:

— Конечно.

— Ваши конкуренты не имеют отношения к гибели Анастасии. Вас это удивило?

— Да. Возможно. Не знаю. Признаться, я еще не совсем осознал... Вы ведь не станете отрицать, с моей стороны было логично предположить, что это их рук дело.

— Безусловно, — легко согласился Максимильян. — Мы поначалу тоже в этом не сомневались.

Что-то в ответе Бергмана Геннадию Львовичу не понравилось, он вдруг занервничал, хотя старательно сдерживал эмоции.

— Этот мерзавец... один из трех мерзавцев, я хотел сказать... родственник губернатора?

— Да. Мы знаем о ваших разногласиях с губернаторским сыном. Но... вы ведь всерьез не думаете, что он имеет отношение к гибели вашей дочери? Впрочем, выводы делать вам.

Басов снял трубку и распорядился перевести деньги на счет Бергмана. Сумма так впечатлила, что все остальное я едва не прослушала. Когда Басов закончил разговор по телефону, Максимильян спросил:

— Вы по-прежнему считаете, что вашему сыну грозит опасность?

— Почему вы заговорили о моем сыне? — теперь раздражение быстро сменило беспокойство.

— Вам больше не угрожали? — взглянул исподлобья Бергман.

— Нет. Но... вам что-то известно?

— О вашем сыне? Вы связывались с ним? — Беспокойство все нарастало, Басов убрал со стола руки, чтобы мы не заметили, как они дрожат, и покачал головой. — Смс от него приходили? — продолжил задавать вопросы Максимильян.

— Только в день прилета, я вам говорил...

— Я правильно понял, что вы не разговаривали с ним и не получали сообщений? В гостиницу, где он остановился, тоже не звонили?

— Зачем? — теперь Басов испугался по-настоящему, я чувствовала его страх, впрочем, для этого не надо быть экстрасенсом. На его лбу выступила испарина, взгляд затравленно метался от Бергмана ко мне и вновь к Бергману.

— Чтобы убедиться: с ним все в порядке, — пожал Максимильян плечами.

— Я... звонки могут отследить...

— Вы уверены, что кто-то устроил охоту за вашим сыном? Ведь теперь вы знаете: гибель Насти...

— В чем дело, черт возьми? — рявкнул Басов.

— Дело в том, — спокойно ответил Максимильян, — что ваш сын не покидал пределов Российской Федерации. По крайней мере, по своему паспорту.

С минуту Басов сидел молча, потом как-то очень беспомощно тряхнул головой, точно избавляясь от наваждения.

— Но... где же он тогда?

— Именно это и надеялась узнать ваша сестра, нанимая нас. Не сомневайтесь, мы его найдем.

— Подождите, постойте. Он прислал смс, у меня должно сохраниться... вот оно... — Басов протянул Максимильяну мобильный, пальцы его нервно вздрагивали. Максимильян взял телефон, взглянул без особого интереса, прочитал вслух: «Все в порядке, я на месте».

— Он всегда так лаконичен? — спросил Бергман, возвращая телефон.

— Да... как все молодые люди... большинство.

— У вас сохранились еще смс от сына?

Вопрос вызвал замешательство.

— Я проверю... — Басов принялся возиться с мобильным, я чувствовала, как в нем плещется страх, я ощущала его физически, точно страх имел плотность, цвет, запах...

— Нет, — сказал Геннадий Львович. — Господи, нет ни одной. Я недавно стер сообщения, их скопилось слишком много. Это важно? Я имею в виду...

— Просто хотел сравнить смс от вашего сына.

— Вы что, хотите сказать, это не Егор его написал?

— Надеюсь, что Егор, — пожал Бергман плечами.

— Но... вы сказали, он не покидал страну, тогда... я ничего не понимаю...

— Вы хотели, чтобы сын уехал. В целях безопасности. Но Егор решил иначе. Сообщение выглядит довольно двусмысленно. Вы расценили его по-своему, уверенные, что сын выполнил вашу волю. Однако Егор мог остаться в стране из каких-то своих соображений.

— Каких еще соображений?

— Не хотел покидать любимую девушку, к примеру. Была у него девушка?

— Понятия не имею, — отрезал Басов, но тут же вновь заволновался: — Он ничего мне не сказал, остался здесь...

— Или его вынудили остаться, — кивнул Бергман. — Такое, к сожалению, тоже возможно. Тогда лаконичность смс понятна: боялись вызвать подозрение. Вдруг у вас существует некое кодовое слово.

— Вы меня пугаете, — с трудом дыша, произнес Басов.

— Позвоните сыну. Мы убедимся, что с ним все в порядке. Чего проще...

— Я... я звонил, несколько раз. Уже после нашей с вами встречи.

— Мобильный отключен?

— Да.

— В таком случае, свяжитесь с гостиницей.

Басов тяжело поднялся и вышел из кабинета. Вернулся минут через пятнадцать.

— В гостинице мой сын не появлялся, — тихо произнес он, повалившись в кресло. — Выходит, он похищен?

— Необязательно, — ответил Бергман. — Ведь вы непременно бы узнали об этом. Какой смысл вашим врагам похищать Егора, если они не собираются этим воспользоваться? Прошу прощения за настойчивость: не было звонков или писем с угрозами?

— Нет, — резко ответил Басов.

— Отлично, — улыбнулся Максимильян, улыбка сбивала с толку.

— Не понимаю... — Геннадий Львович нахмурился.

— Значит, ваш сын где-то приятно проводит время, не желая, чтобы его беспокоили. Не волнуйтесь, мы его найдем. — Максимильян поднялся, давая понять, что разговор окончен.

— Вам нужен аванс? — торопливо спросил Басов в некоторой растерянности.

— Вы забыли, нас наняла ваша сестра. — Бергман вновь улыбнулся и направился к двери. Само собой, я пошла за ним. Басов сидел в кресле с посеревшим лицом.

— Я в восторге от твоих методов, — заметила я, как только мы оказались в коридоре.

— Что опять не так?

— Во-первых, ты меня не предупредил... Во-вторых, так можно человека довести до инфаркта.

— Ты Басова имеешь в виду? Он бизнесмен, перегрузки для него явление обычное. Большие деньги — большие нервы.

— Деньги и сын — не одно и то же. Ты не находишь?

— Да-да, конечно.

В этот момент мы заметили начальника охраны. Туманов стоял на пороге одного из кабинетов. Может, это было случайностью, но у меня сложилось впечатление, что поджидал он нас. Замедляя шаг, Бергман вдруг сменил траекторию и направился к нему. В тот же момент в коридоре возник Басов, начальник охраны отступил в кабинет и поспешно закрыл дверь, а Бергман вновь сменил траекторию, делая вид, что ничего особенного не произошло. Басов очень скоро поравнялся с нами.

— Вы к моей сестре? — спросил он хмуро.

— Нет, — ответил Максимильян.

— Наш разговор выбил меня из колеи. Поеду к Тамаре... пообедаем вместе...

Мы вышли на улицу и намеревались проститься, но тут выяснилось, что Максимильян припарковал свою машину рядом с «Мерседесом» Басова. Водитель Геннадия Львовича уже ждал в машине. Наконец, мужчины пожали друг другу руки, Басов сел на заднее сиденье «Мерседеса», а Бергман за руль своего «Ягуара». Я собиралась устроиться рядом, когда вновь увидела странную тетку. Она выглядывала из-за кустов, точно ребенок, играющий в прятки. «Чокнутая», — в досаде подумала я и поймала на себе ее взгляд, от которого вдруг стало не по себе. Ничего зловещего в нем не было, и тетка все так же выглядела по-дурацки, но... сердце ушло в пятки, как при сильном испуге. Я села в машину, косясь на Максимильяна, он в это время разговаривал по телефону. Звонил он, скорее всего, Диме.

— Мне нужен номер его мобильного. Да, срочно. — Отложив телефон, он повернулся ко мне. — Она не дает тебе покоя. — Слова звучали насмешливо, однако, выезжая с парковки, он очень внимательно посмотрел в сторону кустов, где за мгновение до этого укрылась женщина.

— Собираешься звонить Туманову? — спросила я не без гордости за свою догадливость. Максимильян кивнул.

— У тебя не возникла мысль, что он сам хотел поговорить с нами?

— Возникла, — согласилась я.

— А как обстоят дела с ощущениями? — Он улыбался, но я поняла, что спрашивает он серьезно.

— Басов очень напуган. Он не ожидал такой новости. Я тоже не ожидала.

— Напуган — это точно, — кивнул Максимильян.

— По-твоему, Егор действительно просто загулял? — спросила я.

— По-моему, в этой истории все не так, как кажется. Ты сама могла в этом убедиться.

— Ты говоришь о Насте?

— Не только. Кстати, теперь ты можешь быть спокойна. Похоже, Басову сейчас не до того, чтобы мстить троице идиотов—любителей лесных прогулок в морозную ночь.

— Если бы ты мне сказал... — Я вздохнула, а он продолжил:

— Если бы я сказал, ты бы не стала предупреждать их? Иными словами: не действовала бы за моей спиной?

— Злишься?

— Нет, — подумав, ответил он. Тут как раз ожил его мобильный, Бергман достал его, взглянул на дисплей и удовлетворенно кивнул.

— Дима ответил? — проявила я интерес. — Будешь звонить Туманову?

— Конечно.

С Тумановым мы встретились через полчаса в кафе на улице Пестеля, для этого нам пришлось вернуться к офису Басова, кафе находилось в соседнем переулке. На предложение о встрече Михаил Валерьевич ответил согласием, хотя и без особой охоты, и через полчаса, судя по его виду, так и не определился, жаждет он разговора по душам или нет. Подготовка к встрече интриговала. Только мы вошли в кафе, как рядом оказалась девушка-менеджер, спросила фамилию Максимильяна и, согласно кивнув, повела нас в отдельный кабинет. Чтобы в него попасть, надо было пройти до конца коридора. Кабинет располагался напротив кухни, рядом служебный вход. Скорее всего, им Туманов и воспользовался. Окно в отдельном кабинете отсутствовало, на двери задвижка. Дверь открыл сам Туманов, после того как сопровождавшая нас девушка постучала. Она тут же ушла, Михаил Валерьевич запер дверь и сел за стол, кивнув нам.

— Что с его сыном? — спросил отрывисто.

— Попробуем выяснить, — сказал Максимильян.

— Курите? — Туманов достал пачку сигарет, придвинул пепельницу.

— Не курю, — сказала я. Бергман покачал головой, Михаил Валерьевич с сожалением убрал сигареты, сказав:

— И я тогда не буду.

— С сыном у Басова отношения не сложились? — быстро спросил Максимильян.

— Не сложились? — переспросил Туманов, я решила, просто тянет время. — В таком возрасте да еще избалованные большими деньгами сынки перестают слушать отцов.

— Вы знали, что он отправил его за границу?

— Так он за границей? — с надеждой спросил Туманов.

— Сомневаюсь. Паспортный контроль не проходил, в самолете его, само собой, тоже не было. Так же как и в гостинице. Есть соображения, где он может быть?

— Нет, — после небольшой заминки произнес Михаил Валерьевич.

— Девушка? Друзья?

— Девушек сколько угодно. Друзья... какие друзья у парня с такими бабками?

— Интересное замечание.

— Не делайте вид, будто не поняли, о чем я.

— Я понял. Значит, он решил спрятаться от папаши...

— С какой стати ему прятаться? — нахмурился Туманов.

— Допустим, он не хотел покидать страну. Кстати, Егор отца побаивался?

— А вы как думаете? Басов мужик с характером, чуть что не по нему... А сынок лоботряс, сам ни копейки не заработал. Если б не сестра Басова, Тамара, может, парню и пришлось бы за ум взяться... Отец запросто мог денег лишить, машину отобрать...

— Тетка баловала парня?

— Сверх меры. Она племянников очень любила. Своих детей нет. Егор знал: все ее добро ему достанется. Так что отца боялся, конечно, но... Вас Тамара наняла Егора искать? — спросил он.

— Почему Тамара?

— Неужели он? — Туманов вроде бы смутился и пожал плечами. — Я хотел сказать... хозяин должен был разозлиться на сына... впрочем, сами разберутся.

— Вы в курсе, что мы занимались расследованием гибели Насти? — спросил Максимильян, выждав паузу, в продолжение которой Туманов ощущал неловкость.

— Само собой. А еще у вас роман с его секретаршей, — язвительно произнес Туманов и посмотрел на меня. Но, не дождавшись никакой реакции ни от одного из нас, нахмурился и продолжил с заметной обидой: — Судя по тому, что вам сегодня перевели деньги, с делом вы справились?

— Более или менее.

— Не понял...

— Вряд ли такого результата ожидал Басов.

— Мне вы о нем расскажете?

— Не вижу повода держать это в тайне. — Максимильян коротко сообщил, как обстоят дела.

— Это точно? — спросил Туманов, о чем-то размышляя.

— Излишний вопрос.

— Извините. Я вовсе не сомневаюсь... девчонка погибла случайно? В такое трудно поверить. И хозяину это не понравилось?

— У меня сложилось впечатление, что он хотел сам наказать негодяев. Всего лишь впечатление. А сейчас его куда больше волнует, где Егор.

Туманов подался вперед, чтобы быть ближе к Максимильяну, и быстро произнес:

— Я бы не советовал вам лезть в это дело...

— Вы бы удивились, узнав, сколько раз мне приходилось выслушивать подобные советы, — заявил Максимильян.

— Не такие уж вы крутые ребята, — усмехнулся Михаил Валерьевич.

— Нам все время об этом говорят, — тон Максимильяна совершенно не изменился, но почему-то прозвучало это в высшей степени издевательски. — Расскажите об угрозах, которые получал Басов.

— Угрозы? — Туманов пожал плечами. — Если честно, я не считал их особо серьезными.

— Однако сына Басов решил спрятать.

— С перепугу. После того что случилось с Настей, я ведь тоже начал думать... Хотя до этого был уверен: какой-то придурок марает бумагу от безделья.

— То есть Басов получал письма с угрозами?

Туманов нахмурился и дал ответ не сразу.

— Да, получал.

— Можно на них взглянуть?

— Нет. Он их уничтожил. Мне показал только одно, хотя я знаю, их было много. Ничего конкретного, я имею в виду, претензий по бизнесу в нем не содержалось. У меня вообще сложилось впечатление, что письмо писал ненормальный.

— Любопытно. — Максимильян откинулся на спинку стула и теперь внимательно разглядывал Туманова, тот испытывал неловкость под его взглядом, хотя и пытался это скрыть. — Могу я расценить ваше заявление так... — заговорил Бергман, вроде бы подбирая слова, хотя я чувствовала, что это всего лишь уловка, — у Басова есть проблемы с бизнесом, но все происходящее с членами его семьи никак с этим не связано?

— Разве гибель Насти не убеждает в этом? — пожал плечами Туманов.

— Тогда чего вы боитесь? — этот вопрос застал Михаила Валерьевича врасплох, хотя он должен был его ожидать. Туманов поспешил взять себя в руки и ответил:

— Когда в дело замешана власть... Спорные вопросы есть и...

— Вам известно об исчезновении старшей дочери Басова? — перебил Максимильян.

— Да. В то время я у него еще не работал, но, конечно, слышал об этом. Тогда угрозы тоже приходили. Насколько я знаю, ее исчезновение с бизнесом никак не связано. Это очевидно... или нет?

— Его детей преследует злой рок, — серьезно заявил Бергман, а Туманов нахмурился, видимо, гадая, как отнестись к его словам. — Сестра Басова убеждена в этом. Потому и просила разыскать племянника. Я обратился к вам за помощью...

— Сомневаюсь, что могу помочь, — перебил Туманов и тут же смешался: — Моя забота — сам Басов и его фирма. Кое-какие слухи о Егоре до меня доходили, но вряд ли вас интересуют слухи... Хорошо, я подготовлю для вас отчет в ближайшие дни. Устроит? — не совсем уверенно закончил он.

Максимильян кивнул и тут же задал вопрос:

— Басов вас просил разыскать сына?

— Нет. Я даже не догадывался о том, что возникла проблема. Если он обратился к вам, вряд ли стал бы меня подключать. Мы бы просто путались под ногами друг друга... — Тут Туманов взглянул на часы, а я вопросительно посмотрела на Максимильяна. Он едва заметно кивнул в ответ на мой немой вопрос.

— Возле офиса мы сегодня заметили женщину, — сказала я. — Выглядит довольно странно, она пряталась за кустами.

— А, это сумасшедшая. Я тоже ее видел.

— Часто появляется?

— Здесь? Она болтается по всему городу. Говорят, ездит из конца в конец на троллейбусе и пристает ко всем с дурацкими вопросами. Безобидная тетка, хоть и надоедливая. Я сказал охране, чтобы лишний раз ее не гнали, если, конечно, никому досаждать не будет.

— Так она часто появляется у вас?

— То появится, то надолго исчезнет. Я же сказал, она болтается по городу. В кафе напротив ее иногда подкармливают, может, поэтому она предпочитает наш район.

— Что с ее дочерью?

— Не понял... — нахмурился Туманов, кашлянул и продолжил с кривой улыбкой: — А-а-а... вот вы о чем... Да, у нее была дочь. Девочка погибла, а мать от горя спятила. Грустная история...

— Как погибла ее дочь? — не отставала я.

— Шутите? Откуда мне знать? Она уже много лет болтается по городу, все давно к ней привыкли и не обращают внимания. Странно, что вы ее никогда не видели. Она своего рода достопримечательность. Извините, мне пора. — Туманов поднялся и деловито спросил: — Куда выслать отчет?

Максимильян продиктовал ему адрес электронной почты, и мы простились. Михаил Валерьевич первым покинул кафе, выждав время, точно заправские конспираторы, мы тоже вышли на улицу.

— Туманов что-то недоговаривает, — сказала я, спеша поделиться своими впечатлениями. Максимильян пожал плечами.

— У людей вроде Михаила Валерьевича нет доверия к частным сыщикам. Я и не рассчитывал услышать от него откровения. Похоже, у них с хозяином особого взаимопонимания не наблюдается. Басов человек жесткий и держит всех на расстоянии. Начальнику его охраны приходится самому догадываться, что происходит. Хотя... догадываться, не совсем подходящее слово, — усмехнулся Бергман. — Настоящий профессионал знает все, даже если его об этом не просят. А у Туманова репутация профессионала.

— Выходит, он перед нами простачка разыгрывал? Зачем? Из-за глубокого убеждения, что частные сыщики — существа вредные или в этом деле у него свой интерес?

— Думаю, мы об этом скоро узнаем.

— А если мы ищем не там? — решила я все-таки сообщить о своих сомнениях. — И злой рок имеет место быть в том смысле, что гибель детей Басова связана с какими-то давними событиями.

— А вовсе не с бизнесом?

— Одно другому не мешает. Бизнесом он занимается много лет...

— Скажи честно, чем тебя так заинтересовала сумасшедшая? — спросил Бергман.

— Мне послышалось, она спросила: «Где моя дочь?»

— Вот оно что. Ее дочь погибла, а она до сих пор ее ищет...

— Возле офиса Басова, у которого погибли обе дочери?

— Стоп, стоп, — поднял руку Максимильян. — Надеюсь, ты не подозреваешь несчастную в злодействе?

— В гибели Насти, к примеру? — усмехнулась я. — С этим мы вроде бы разобрались. Но... сомневаюсь, что возле офиса Басова она оказалась случайно. Кстати, он ее заметил и был недоволен, хотя кому понравится, что возле его дверей вертится сумасшедшая.

— Хорошо, давай проверим, что это за персонаж такой неожиданный...

— Если она до сих пор возле офиса, мы можем за ней проследить, — сказала я.

Все это время мы стояли возле «Ягуара» Максимильяна, но предложение сесть в машину мне так и не поступило. Вероятно, у него были свои планы.

— Пусть сумасшедшей займется Дмитрий, — сказал он.

— Как знаешь.

— Отвезти тебя домой?

Выходит, планы действительно имеются, и мое присутствие в настоящий момент излишне.

— Пройдусь, — сказала я и, махнув рукой на прощание, зашагала в сторону своего дома. Прошла метров пятьсот, но потом решила вернуться к офису Басова. Если женщина еще там, попробую с ней поговорить... О чем? Можно ли вообще разговаривать с сумасшедшей? Куда разумнее дождаться сведений от Димы... Однако эти вполне здравые мысли меня не остановили.

Женщину возле офиса я не застала, что вызвало едва ли не обиду. Я обошла здание по кругу и даже заглянула в кусты. Охранник, вышедший покурить, наблюдал за мной с недоумением.

— Вы не видели здесь женщину, одетую во все черное? — обратилась я к нему.

— Чокнутую? — переспросил он. — Вертелась тут с утра. Зачем она вам?

— Хотела узнать, может, ей что-то надо?

— Чокнутой? — кажется, мой ответ показался ему исключительно глупым.

— Жаль ее, — сказала я.

— Она давно такая, мне приятель сказал... Я-то ее видел всего пару раз...

— Здесь, в этом районе?

— Возле офиса. Решил, что она побирается, вышел шугнуть, а она мне погнала какую-то пургу про дочь. Совсем ничего не соображает. Письмо просила передать.

— Кому?

— Думаете, я понял? Взял, чтоб с ней не спорить, и выбросил вот в эту урну, как только она ушла.

— Когда она просила передать письмо? — спросила я.

— В прошлую смену, два дня назад. А сегодня опять притащилась. Но в офис войти не пыталась, ходила возле дверей. Таким ничем не поможешь. Одну ее отпускать нельзя, но у нее вроде вообще никого. Хоть бы в интер-

нат какой определили или как это называется. Вдруг
шваркнет кого тяжелым предметом, ведь совершенно
чокнутая... — Он покачал головой, выбросил окурок в
урну и вернулся в офис. А я, преодолевая отвращение,
урну обследовала, вдруг повезет и письмо еще здесь?
К моему сожалению, дворник работал исправно, урна
была почти пуста. И никаких писем. Вымыв руки в ближайшем кафе, я побрела домой.

Что-то меня беспокоило. Казалось, вот-вот должна
возникнуть некая догадка и подсказки во множестве разбросаны вокруг, но я их не вижу... Зато я увидела женщину. Ту самую сумасшедшую, но сначала услышала
крик.

— Девочка, девочка! — звал кто-то, и я машинально
повернулась, хотя девочкой давно себя не считала, да и
звать меня было некому. Повернулась и увидела тетку в
дурацком наряде на противоположной стороне улицы.
На пешеходном переходе собралась толпа, она стояла
ближе к светофору и отчаянно махала рукой, хотела бро-
ситься вперед, но старушка рядом схватила ее за плечо,
удерживая на тротуаре. Я огляделась, пытаясь понять,
кого она зовет. Никто на нее внимания не обращал. Никто, кроме меня. И тут до меня дошло, что ко мне она,
скорее всего, и обращается.

Я направилась к переходу, женщина вновь взмахнула
рукой и крикнула:

— Смерть совсем рядом! Ты видишь, видишь?

Старушка укоризненно что-то сказала, а у меня мороз
пошел по коже от ее слов, от того, как она беспомощно
машет руками... Автобус на мгновение скрыл от меня
женщину, а когда поток машин иссяк и зажегся зеленый
сигнал для пешеходов, на той стороне женщины уже не
было. Я бросилась через дорогу, тревожно оглядываясь,
но ее так и не увидела. Вбежала в ближайшую подворотню, потом в переулок, нигде никого похожего. Если

она о чем-то хотела меня предупредить, почему вдруг исчезла? «Она сумасшедшая, — напомнила я себе. — Глупо искать логику в ее поступках». И все-таки эта сцена произвела большое впечатление, вот я и продолжала носиться по улице без особой пользы, то есть так мне поначалу казалось. Пока я не обратила внимание на «Жигули» с сильно затонированными стеклами и замазанными грязью номерами. Сначала пришло ощущение опасности, страх вдруг накатил холодной волной, а потом я почувствовала чей-то взгляд, настойчивый. Люди вокруг двигались туда-сюда, и никому не было до меня никакого дела.

«Это все из-за слов сумасшедшей», — решила я, продолжая ее высматривать. Оттого, что я бестолково сновала по улице, мне и удалось заметить машину. «Жигули» держались на расстоянии, но, наткнувшись на них взглядом в третий раз, я торопливо свернула в переулок. Вскоре «Жигули» возникли за моей спиной. Минут через пятнадцать я была уверена, ни о какой случайности и речи быть не может, увязались они за мной и сопровождали до самого дома. Я заглядывала во все витрины и неизменно видела неподалеку еле-еле ползущую вдоль тротуара машину. Судя по всему, они вовсе не были заинтересованы в том, чтобы себя обнаружить, и я постаралась сделать вид, что не обратила на них внимания. К Петракову явились какие-то типы, посоветовавшие не лезть не в свое дело. Похоже, и мы умудрились куда-то влезть, хотя пока не ясно, куда именно. Если гибель Насти трагическая случайность, у кого наше расследование может вызвать беспокойство? Петраков занимался поисками пропавшей сестры Егора. А теперь исчез и сам Егор. Значит, дело все-таки не в Насте, а... в чем? На этот вопрос я сейчас вряд ли отвечу.

Я достала мобильный и набрала номер Максимильяна.

— За мной кто-то увязался, — сказала с улыбкой, в надежде, что типу, наблюдавшему за мной, звонок не покажется подозрительным.

— Уверена? — без намека на беспокойство уточнил Бергман.

— Абсолютно. Темно-синяя «девятка», на днях со свалки. Номер не разберешь. Кто в машине и сколько их, не видно.

— Где ты?

— На углу Спасской и Тимирязева, — ответила я.

— Иди домой. Сейчас пришлю кого-нибудь или сам приеду.

Я кивнула, точно он мог меня видеть, и убрала мобильный. До моего дома оставалось метров пятьсот, магазинов более не встречалось, так что использовать витрины как зеркало не удалось. Но я и без того знала, «Жигули» по-прежнему сзади. Ощущение взгляда, сверлившего затылок, не проходило.

Во двор я сворачивала с беспокойством, не потому, что ожидала нападения, нет. Но то, что кому-то стало известно, где я живу, очень не нравилось. Возле подъезда я встретила соседку и немного с ней поболтала. Машина не появилась, зато возле дома напротив на мгновение возникла фигура женщины во всем темном.

«Глюки», — понаблюдав немного и никого более не обнаружив, решила я и поднялась в квартиру. Впервые за все время заперла дверь на задвижку и подошла к окну, выходящему во двор. Ни «Жигулей», ни сумасшедших баб. Вопрос, стоит ли этому радоваться? Вскоре во двор въехало такси, и из машины показался Дмитрий. Я ожидала, что приедет Волошин, и появление Димы стало приятным сюрпризом.

Я вдруг поняла, что скучала и очень рада его видеть. Открыла дверь, прислушиваясь к его шагам по лестнице. Заметив меня, он улыбнулся.

— Привет, — подошел и поцеловал меня в висок, как старый друг, и продолжил: — Жива-здорова — это главное. Рассказывай, что случилось?

— Давай для начала выпьем чаю, — предложила я. — Или кофе.

— Не откажусь ни от того, ни от другого. Если еще и накормишь, буду счастлив. Не успел позавтракать.

Я быстро собрала на стол, сварила кофе.

— Почему ты на такси? — спросила, нарезая хлеб. — У тебя ведь есть машина?

— Ага. Ты ее видела. Взаимной любви у нас не сложилось. Я вечно что-то забываю: то ключи, то водительское удостоверение, а в ней вечно что-то ломается. Наверное, собирали в пятницу, тринадцатого числа.

— Может, все ее недуги от старости?

— Может. Так что случилось? Максимильян очень беспокоился, — сказал он, я усмехнулась, а Дима засмеялся: — Я, конечно, тоже. Бросился сюда со всех ног...

Я рассказала о «Жигулях».

— Ни во дворе, ни в переулке по соседству такой машины не видел, — покачал он головой.

— Меня проводили до дома, — пожала я плечами.

— Думаешь, на этом не успокоятся?

— Зависит от того, что им надо.

Я изложила свою теорию: происходящее связано не с бизнесом Басова, как это логично предположить, а неизвестными нам событиями, которые случились несколько лет назад.

— Это ты из-за чокнутой тетки так решила? — спросил Дима, внимательно выслушав меня.

— В совокупности. Зачем-то Егор обращался к частному детективу.

— И интересовала его не младшая, а старшая сестра, — кивнул Дима. — Что, в общем-то, странно. Джокер такие дела обожает, — неожиданно закончил он.

— Любит головоломки?

— Любит, когда нам хорошо платят, тут за пару дней не разберешься, что к чему, следовательно, гонорар увеличивается. — Он запихнул в рот очередной бутерброд и потянулся за своей сумкой, которую повесил на спинку стула. Достал ноутбук и положил его на стол, одной рукой держа чашку с кофе, а другой принялся ловко стучать по клавишам. — Давай попробуем разобраться с теткой, которая тебя напугала.

— Заинтересовала, — поправила я — И как ты намерен это сделать?

— Для начала забиваем в поисковую строку «городская сумасшедшая» ну и название нашего славного города. Программу я сам написал, все лишнее быстро отсеивается. Вот, смотри. Городской сайт, в чате несколько сообщений. «Я видел в троллейбусе тетку, помешанную, сначала громко пела песни, потом начала приставать ко всем с расспросами: «Где моя дочь?» Ага, а вот и интересный ответ. «Я ее знаю, она живет в Воронцовском переулке. С ее дочкой случилось несчастье, мне мама рассказывала. И тетка помешалась от горя». Спасибо за информацию. Воронцовский переулок, кстати, совсем маленький, и нашу загадочную женщину в черном найти будет легче легкого. — Заглянув через его плечо, я увидела на мониторе карту города. — Так и есть. Восемь домов, из них только половина жилых. Сейчас проверим поточнее... — Он вновь застучал по клавишам. — Зарегистрировано всего шестнадцать человек, — удовлетворенно произнес он. — Из них лишь пять женщин подходящего возраста. Теперь заглянем в пенсионный фонд. Наша дама наверняка получает пенсию по инвалидности. Так... инвалидов двое. Но Симакова Вера Петровна проживает с Карпухиной Еленой Владимировной, скорее всего, дочерью. Я бы сделал ставку на Бережную Ольгу Павловну, живет она в доме 1/2. Квартира не указана, значит, она там только одна. Осталось найти фотографию Ольги Павловны... — Прошло еще несколько минут, и Дима спросил: — Похожа? — И развернул ноутбук ко мне.

Я внимательно вглядывалась в лицо женщины на экране. Здесь она была моложе на несколько лет. Светлые волосы свободно падают на плечи. Лицо печальное, но в нем нет и намека на безумие.

— Она, — кивнула я, продолжая ее разглядывать. — Ловко у тебя получается.

— Задание ерундовое. Ты бы и сама справилась.

— Вряд ли...

— Просто надо знать, где и что искать, — пожал он плечами. — Жаль, что номер машины не срисовала, сейчас бы уже знали, кто тебя пасет.

— Меня больше интересует, почему они вдруг решили за мной следить. Не за Максимильяном, а за мной.

— Может, и за Джокером есть хвост...

— И он его не заметил?

— Такое трудно вообразить. Но мог промолчать, не считая нужным посвящать нас в это.

— А чем занят Вадим? — спросила я.

— Отправился в Решетов. Районный городок на северо-западе области, километрах в пятидесяти отсюда.

— Что ему там понадобилось?

— Егор Басов расплатился кредитной картой на автозаправке, как раз на въезде в город Решетов, первого июля в 22 часа 13 минут.

— Но в это время, насколько я помню, он должен был находиться в аэропорту.

— Совершенно верно. В воскресенье он обедал у тетки, по ее словам, никуда уезжать не планировал. Но мы знаем, что у него был билет на самолет и заказана гостиница. Во вторник, в шесть утра отец получил смс, что сынок благополучно приземлился.

— В котором часу вылет?

— В 23.15. Папаша передал нам копии электронного билета и ваучер на гостиницу. Заказал он и то и другое в понедельник утром. Сын летел в Португалию... шесть часов в воздухе, так что по времени все сходится.

— Отец спешно отправляет Егора за границу, но провожать его не стал.

— Во-первых, он мог поступить так в целях конспирации, чем меньше людей знает... Во-вторых, этому мог воспротивиться сам Егор. В конце концов, он взрослый парень. А теперь мы знаем, что никуда улетать он, судя по всему, не собирался.

— На месте отца я бы все-таки отправила с ним надежного человека. С ним или за ним.

Дима пожал плечами:

— Вряд ли Басову могло прийти в голову, что сын его ослушается.

— Но если он чего-то всерьез опасался, об охране должен был подумать.

— Надеюсь, Вадим выяснит, что парню понадобилось в этом городишке, — сказал Дима. — Вдруг повезет и Егор отыщется. В каком-нибудь отеле в компании красивых девчонок.

— Место для загула не совсем подходящее, — заметила я.

— Как знать. Лично я в Решетове никогда не был. Вдруг там рай для любителей загулов? Думаешь, он отправился в районный город не по своей воле? — посерьезнел Дима.

— Или его вовсе там не было, и кто-то просто расплатился его кредиткой, — сказала я.

— Вадим разберется, — кивнул он.

— Мы могли бы к нему присоединиться, — неуверенно предложила я. Дима посмотрел вроде бы с удивлением.

— Он справится, не сомневайся.

— Я не об этом. Просто хотела взглянуть на те места. Моя машина стоит во дворе.

Подозреваю, что Дима решил: я просто боюсь оставаться в квартире или, того хуже, жажду быть в обществе Воина. Чем объяснить свой порыв, я и сама толком не знала, однако чувствовала — надо ехать. Назовем это интуицией.

Через несколько минут мы спустились во двор, Дима на всякий случай тщательно осмотрел мою машину, однако не обнаружил ничего подозрительного. Вскоре мы покинули город, и он позвонил Воину. Я была почти уверена, Вадим не придет в восторг от нашей затеи, и оказалась не права.

— Подгребайте к заправке, где парень расплатился кредиткой, — сказал он, Дима включил громкую связь, и разговор я отлично слышала. — Это прямо на въезде в город. Здесь есть кафешка, там и буду ждать.

Дорога до Решетова оказалась на редкость приличной, и времени мы потратили совсем немного, ко всему прочему, окрестности выглядели живописно, в общем, можно было считать, что мы совершили приятную прогулку. Впереди появился указатель, на цементной плите название города и дата основания, а сразу за ним мы увидели автозаправку. Хотя город начинался с этого места, однако жилых построек поблизости не было. Лес с двух сторон и дорога.

Возле входа в кафе в гордом одиночестве замер «Ленд Крузер» Вадима, и в кафе наш друг оказался единственным посетителем. Он сидел возле стойки и болтал с девушкой-барменом. Судя по тому, как изменилось выражение ее лица, когда стало ясно, к кому мы прибыли, девушка надеялась на продолжение знакомства.

— Танечка, сделай нам кофе, — расплылся в улыбке Вадим и кивком указал нам на стол возле окошка. Мы устроились на обитом кожей диване, Вадим на стуле напротив нас и шепнул: — Жратву здесь лучше не заказывать, жуткая гадость. Съел яичницу и теперь жду, когда брюхо скрутит. Скажите на милость, как можно испортить яичницу?

— Очень просто, — ответил Дима. — Взять тухлые яйца...

— Ой, мама, — зажмурился Вадим. — Меня сейчас стошнит. Если честно, меня уже давно тошнит от этого городишки. Будь моя воля, назвал бы его Большой Задницей. Очень ему подходит.

— Большой? — хмыкнул Дима. — Здесь всего шестьдесят тысяч жителей.

— И правильно. Нормальный человек тут жить не будет.

Девушка принесла кофе, поставила перед нами чашки, Вадим сграбастал ее руку и поцеловал.

— Спасибо, Танечка.

Девушка вспыхнула от удовольствия, и даже на меня посмотрела с приятностью, сказала «пожалуйста», видимо, вновь обретя надежду, что Вадим не исчезнет в одночасье из ее жизни.

— Кое-что приятное в этом городе все же есть, — засмеялся Дима, когда девушка вернулась за стойку.

— Ничего, — сердито покачал головой Вадим, переходя на шепот. — С девчонкой я заигрываю исключительно в интересах дела. Слушайте, други мои, и поражайтесь бесполезно проведенному времени. Значит, так. Никто нашего Егора не помнит. Ни его самого, ни двухдверного «Мерседеса» ярко-красного цвета с номером «888». А машинка, согласитесь, приметная. Сегодня как раз та же смена, что и первого июля. Здесь есть заправщик — великое достижение цивилизации, ко мне вылетел на всех парах, рассчитывая на чаевые. Я с ним полчаса бился, клянется и божится, что никакого красного «Мерседеса» здесь не видел. На всякий случай я проверил, а ну как он дальтоник? Цвета различает исправно. На фотографии Егора тоже не признал. Не только он, девица в кассе и прекрасная Татьяна тоже его не видели.

— Кассирша на лица внимания не обращает, а в кафе он мог не заходить, — влезла я. Вадим кивнул.

— Согласен. Я больше на тачку рассчитывал.

— Кстати, машина исчезла вместе с хозяином? — задала я вопрос.

— Нет, — покачал головой Вадим. — Тачка Басова-младшего стоит на платной парковке неподалеку от его дома. У парня квартира в центре, о машине сообщил папаша, а я проверил. Судя по журналу, поставил он тачку в понедельник, то есть опять же первого июля.

— Тогда странно было искать ее здесь.

— Ничего не странно. Не очень-то я доверяю журналам. В городишке три гостиницы, человек с его фамилией там не останавливался и рожу его тоже никто не припомнил. Чуть дальше по дороге есть два мотеля с чудесными названиями «Жар-птица» и «Гуси-лебеди», креативщики мать их... там тоже голяк. Вывод: либо парень был на другой тачке и в городе не останавливался, либо кто-то расплатился его кредиткой.

— А потом отправил смс с его мобильного. Если Егор похищен, зачем его похитителю тащиться сюда, а главное, зачем расплачиваться карточкой, которую можно отследить? — спросила я.

— Отвлекающий маневр? — нахмурился Дима.

— И чего этим собирались добиться? — фыркнул Вадим. — Заметать следы надо было по-крупному: лететь с паспортом Егора, а там ищи-свищи куда он делся, мир большой. Он сам поставил свой «Мерседес» на парковку, охранник его запомнил. Пока это все, что мы знаем наверняка.

— Надо осмотреть его квартиру, — заметил Дима. — И собрать информацию обо всех его передвижениях, начиная с воскресенья, когда он был у тетки. Есть шанс, что он прячется от отца и воспользовался чужой машиной. Наличных не было, и пришлось расплатиться кредиткой.

— А куда ведет эта дорога? — спросил Вадим. Дима тут же достал ноутбук и открыл карту.

— В соседний областной центр, — сообщил он, — но туда есть дорога непосредственно из нашего города.

— Он предпочел этот маршрут, — пожал плечами Воин. — Сам Егор или его похититель, хотя убийца — вероятней. Уже потому, что никакого выкупа до сих пор никто не просил.

— Басов может и не сообщить нам об этом, — подумав, сказала я.

— С чего вдруг? Он нас нанял...

— Не он. Его сестра.

— Ты меня удивляешь, девочка. По-твоему, есть разница?

— Пока не знаю, — честно ответила я, а Дима, закрывая ноутбук, сказал:

— Кстати, хочу напомнить: в соседнем областном центре крупный аэропорт.

— Птичка улетела, но не туда, куда хотел папаша, — хохотнул Вадим. — Слушайте, я далек от светской жизни, но говорят, толстосумы друг с другом не особо церемонятся. Что, если письма с угрозами — дело рук Егорушки?

— А смысл?

— Откуда мне знать, что за чехарду затеяли конкуренты. Могли подбить сыночка на всякие пакости, шепнув доверительно, что папе давно пора на покой, освободить, так сказать, место у руля.

— Вспомни первое правило Джокера, — с улыбкой сказал Дима. — Версия должна опираться на факты.

— Серьезно? — скроил забавную мину Вадим. — Жаль. У меня фантазия поперла.

— А второе правило есть? — на всякий случай спросила я.

— Он их каждый день придумывает, чтоб нам было веселее. Возвращаемся. Я позвоню Джокеру, пусть напрягает папашу и раздобудет ключ от квартиры Егора. Мне-то ключ не нужен, но клиент может быть не доволен.

Вадим расплатился за кофе, оставил крупные чаевые, но вряд ли они очень порадовали девушку.

— Уезжаете? — прямо-таки с дрожью в голосе спросила она.

— Да, Танечка. Хотя, будь моя воля, остался бы здесь на всю жизнь.

— Трепло, — шепнул Дима, направляясь к выходу, и покачал головой.

А Вадим в ответ запел тенорком «Я тебя никогда не забуду, я тебя никогда не увижу».

«А нормальные мужики в природе существуют? » — собралась спросить я, но тут взгляд уперся в листок бумаги, прикрепленный к входной двери. Когда мы входили сюда, внимание на него я не обратила, потому что дверь открывалась вовнутрь. «Пропала девушка», было напечатано крупным шрифтом, ниже фотография блондинки лет пятнадцати и текст: «Ксения Мельникова ушла из дома 1 июля и не вернулась. Рост сто шестьдесят два сантиметра, средней комплекции, на вид шестнадцать лет, одета в джинсовую юбку и голубую блузку. Всех, кто видел девушку...»

— Интересное совпадение, — произнес Вадим, наблюдая за мной.

— Она из этого города? — задала я вопрос.

— Наверное.

Резко развернувшись, я направилась к стойке, мужчины пошли за мной, хотя и без особой охоты.

— Вам что-нибудь известно о пропавшей девушке? — спросила я Татьяну.

— Да ничего особенного. Пропала она первого июля... там написано... Мамаша ее всех всполошила, в полицию подалась. Хотя я очень сомневаюсь, что ее надо искать. Поболтается где-нибудь и сама вернется. Первого июля как раз моя смена была...

— Вы видели девушку в день исчезновения?

— Видела. В окно. Она на дороге паслась. У нее здесь что-то вроде точки.

— Хотите сказать, что она проститутка? Сколько ей лет?

— Пятнадцать, наверное, может, и меньше. Ничего такого я сказать не хочу, знаю только то, что люди болтают. Город у нас маленький, ну и когда все случилось, всякие слухи были. Сама я ее здесь раза два видела, на дороге. На заправку она не заходила, тем более в кафе. У нашего хозяина строго. Мамаша у нее алкоголичка, это я точно знаю, на нее лишь раз взгляни, и все понятно. Отца нет, а саму девицу вроде с Тесаком видели. Но это уже слухи.

— Кто такой Тесак?

— Бандит местный. Город у нас вообще-то тихий, и о всяких там бандитах я только после исчезновения девицы узнала. И когда ее на дороге видела, плохого не подумала, у нас многие автостопом ездят, автобуса не дождешься. А здесь совсем рядом летний лагерь и сады. Народу хватает. Стоит себе девушка и стоит. Когда я ее в окно заметила, она прохаживалась, вроде бы ждала кого-то.

— В тот день вы ее только один раз видели? — уточнила я.

— Я видела, как она ходит вон там, — ткнула Татьяна в окно пальцем. — Возле сосны.

— Довольно далеко отсюда.

— Ага. И от остановки тоже далеко. Я смотрела в окно, потому что делать было нечего, народу ни души.

Видела, как машина остановилась, легковая, но марку не разглядеть, помню, что темная.

— Машина остановилась рядом с девушкой?

— Не доезжая до нее. Потом фура прошла и ее закрыла, а затем у меня посетители появились, в общем, когда я опять в окно посмотрела, в том месте уже никого...

— В котором часу это было?

— Вечером, после десяти, мы круглосуточно работаем. В половине одиннадцатого охранник на смену заступает, у нас хоть и спокойно, но... сами понимаете, одной ночью жутковато. Так вот, Коля еще не приехал. Значит, с десяти до половины одиннадцатого.

— И вы в это время хорошо разглядели девушку с такого расстояния?

— А что? Еще светло было. Сейчас темнеет ближе к одиннадцати. Про девушку я на следующий день и думать забыла, и вдруг с работы звонят, сказали, что со мной полицейские поговорить собираются. Оказывается, девица домой не вернулась, а кто-то из местных ее на дороге видел, вот и ко мне прицепились. Я все рассказала. Ну а потом все эти слухи пошли: про мамашу, про то, что девица непутевая и вроде уже однажды пропадала. Но это я точно не знаю, а мамашу видела, прибегала она сюда, форменная алкашка.

Я задала еще несколько вопросов, но ответы на них интересными не показались. Вадим, который за время нашего разговора успел выпить еще кофе, махнул девушке рукой на прощание, и мы покинули кафе. Улыбка тут же исчезла с его лица, он кивнул на свой «Ленд Крузер», мы с Димой устроились на заднем сиденье, а Вадим за рулем.

— Есть соображения? — спросил он.

— Два исчезновения связаны? — вопросом на вопрос ответил Дима.

— Похититель Басова решает прихватить по дороге девицу, чтоб ему не скучно было?

— Допустим, Егор отправился сюда на чужой машине и не один, — сказала я.

— В то время, когда должен был обретаться в аэропорту в Москве?

— Что-то его задержало, не знаю... Самый простой ответ, он не хотел уезжать за границу, но не собирался ссориться из-за этого с отцом.

— Годится, — подумав немного, кивнул Вадим. — Дальше.

— Дальше... — вздохнула я. — Дальше два варианта. Либо Егор стал свидетелем похищения девушки и в результате сам исчез, либо девушка увидела то, что видеть была не должна.

— У меня тоже есть версия, — сказал Дима. — Одно с другим никак не связано. При чем здесь вообще исчезновение какой-то девчонки?

— При том, что Егор интересовался исчезновением своей сестры. Это мы знаем абсолютно точно.

— Зато все остальное за уши притянуто, — кивнул Вадим. — Девица может трястись в грузовике, пивко попивая и скрашивая водиле разлуку с семьей, а Егор... где-то оттягивается вдали от папаши.

— На это деньги нужны, — напомнила я. — Если он расплатился картой, значит, наличных у него не было.

— Мы можем гадать хоть сутки напролет, толку от этого ноль, — поморщился Дима. — Найдем парня...

— Или то, что от него осталось, — подхватил Вадим. — Лично я согласен с Девушкой, совпадение уж очень подозрительное. Совещание считаю закрытым, по машинам, бойцы. Ты, конечно, поедешь с дамой? — подмигнул он Димке.

— Конечно. Мы с ней расходимся во мнениях, но видеть ее гораздо приятней, чем тебя.

— Ты тоже не подарок.

Мы вернулись в город, Вадим вскоре мигнул габаритами и исчез в потоке машин.

— Поехал Максимильяну докладывать, — произнес Дима, я взглянула вопросительно, но, судя по выражение его лица, он просто констатировал факт.

— А тебя куда отвезти? — спросила я. Если честно, расставаться с ним не хотелось, я надеялась, ему со мной тоже.

— Выйду на следующей остановке. Хвоста за нами нет, Вадим проверил.

Еще в Решетове Дима сообщил Воину о «Жигулях», что увязались за мной, и всю дорогу тот держался сзади, но ничего подозрительного не обнаружил, о чем и сообщил по мобильному.

— Думаешь, мне они с перепугу привиделись? — вздохнула я, сворачивая на светофоре.

— Нет. Могли сменить машину и действовать осторожнее. Если что-то тебе покажется странным... в общем, при любом намеке на опасность тут же звони мне. Я приеду. И без глупостей, типа «сама справлюсь» и все такое... Договорились?

Дима покинул машину, попросив остановиться возле пешеходного перехода. Я наблюдала за ним некоторое время, пока горел красный свет, и поехала домой. Настроение было скверным, и причину я не знала. Вряд ли это из-за типов или типа в «Жигулях», хотя здравый смысл подсказывал, как раз появления подобных игроков надо бы опасаться. Наше расследование кого-то раздражает. Не расследование гибели Насти, а поиски ее брата. Дома я внимательно просмотрела материалы, которые скинул мне на почту Соколов. «Все дело в Егоре, — думала я, стоя у окна в кухне. — Нет, не так. Дело не в Егоре, а в исчезновении его сестры. Стоило ему обратиться к детективу, и появились неизвестные». Пока мы наводили справки о Насте, нас не беспокоили. Меня, по крайней мере, точно. Но как только переключились на Егора... А откуда неизвестным знать, что теперь наши приоритеты сменились? Мы еще толком и сделать-то ничего не успели. Хотя мои компаньоны Егором, безусловно, интересовались, иначе как узнали, что территорию России он не покидал? «Жигули» возникли вскоре после того, как мы покинули офис... Рядом с Басовым есть человек, который работает на его недругов? Иначе не складывается. Начальник охраны? Он вел себя так, что первым попадает под подозрение. А сколько еще людей, которые легко могут узнать о происходящем? Та же секретарь, к примеру.

Взгляд мой блуждал, ни на чем не останавливаясь, пока вдруг не уперся в знакомую фигуру. Возле детской площадки, в самом конце двора, стояла женщина в темном, та самая сумасшедшая. В первое мгновение я решила, что у меня опять глюки. Откуда ей здесь взяться? Тут она шагнула в сторону, выходя из тени кустов, и сомнения меня оставили: точно, она. Взгляд ее, обращенный к дому, вроде выискивал что-то, женщина сосредоточенно хмурилась, а я подумала: она меня высматривает, то есть мои окна. Как она здесь оказалась? Как смогла меня найти? А главное: зачем? Придется ей на это ответить. Я бросилась к входной двери, потом бегом вниз по лестнице и во двор. Достигнув детской площадки, едва не застонала от разочарования: женщины нигде не было. Я принялась вертеть головой, заглянула в теремок и поезд-гусеницу, вдруг там прячется? И едва ее не прозевала.

Держась ближе к соседнему дому, женщина спешно покидала двор, оглянулась, увидела меня и теперь почти бежала.

— Стойте! — крикнула я и припустилась за ней. Расстояние между нами приличное, но я была уверена, от меня ей не уйти, даже если удирать начнет во все лопатки. Но, как выяснилось, планы ее изменились, женщина обернулась и теперь, хмуро глядя на меня, ждала, когда я подойду ближе. Выражение лица неприветливое, но, странное дело, на сумасшедшую она совсем не походила. Лицо измученного, доведенного до отчаяния человека, а вовсе не сумасшедшей. — Вы хотели со мной поговорить? — неуверенно спросила я, хотя еще минуту назад намеревалась действовать решительно. Женщина покачала головой, а потом спросила:

— Ты кто?

— Мы встречались сегодня возле офиса Басова, — напомнила я.

— Не знаешь, где моя дочь? — вновь спросила она.

«Сумасшедшая», — разочарованно решила я.

— Вы шли за мной, — сказала я как можно спокойнее. А как она еще смогла бы меня отыскать? Женщина кивнула.

— Шла. Пряталась. Я умею. — Она засмеялась громко и неприятно, но тут же смех оборвала. — Не меня бойся. Дьявола. Он ходит среди нас. Не знаешь кто — не поймешь. Умеет маскироваться. Мне одна старушка рассказывала, она в церкви служит... — Она замолчала, и в глазах появилось недоумение, точно женщина гадала: кто я и откуда взялась. Симулирует сумасшествие? Или наоборот: временами ее сознание проясняется?

— Вы Ольга Павловна? — задала я вопрос. — Бережная Ольга Павловна?

— А ты кто?

— Меня зовут Лена.

— Ты дружила с моей дочкой? Знаешь, где она?

— Вы пришли сюда, значит, хотели со мной поговорить, так? О чем вы хотели поговорить?

Она вдруг схватила меня за руку и прижала к себе, обняв за плечи. Женщина дрожала, точно от холода.

— Мне никто не верит, потому что никто его не видит. А я вижу...

— Кого?

Она отшатнулась и сказала громко:

— Чего ты ко мне пристала? Сумасшедшая какая-то... — и пошла со двора, пока я хлопала глазами.

Через несколько минут я вернулась в кухню с чувством, что меня разыграли. И попыталась детально припомнить свои ощущения, в тот момент, когда находилась рядом с Ольгой Павловной. Она была возбуждена, напугана, но совершенно искренна. Гениальная актриса? Или мои способности дали сбой? Я прошлась по квартире, то и дело поглядывая в окно. Мой двор вдруг стал излишне популярен. Сначала «Жигули», потом сумасшедшая баба. Зачем она пошла за мной? «Она сумасшедшая», — напомнила я себе. А если не сумасшедшая? Она шла за мной от офиса, но я ее не заметила, хотя оглядывалась не раз, проверяя, следует ли за мной машина. И тут вдруг явилась мысль одновременно и бредовая, и очевидная. А если следили не за мной, а за Ольгой Павловной? Кому интересно передвижение по городу чокнутой?

В течение вечера позвонили все трое компаньонов с вопросом «как дела?», причем Дима звонил дважды. «Врагов не наблюдается, следовательно, беспокоиться не о чем», — отвечала я.

Спать я легла рано, оттого, наверное, в семь утра уже была на ногах, сварила кофе и по привычке подошла к кухонному окну. На асфальте мелом огромными буквами кто-то написал: «Берегись». Я так и замерла с чашкой в руке, пытаясь понять, что это было: угроза или предупреждение. В том, что надпись адресовалась мне, я не сомневалась ни минуты. А вот кто ее оставил?

Типы на «Жигулях», сумасшедшая тетка? Или есть еще кто-то?

Допив кофе и еще немного поломав голову, я решила, что надпись оставила Ольга Павловна. Не зря она вертелась во дворе. Придется нам опять встретиться. И на сей раз ей меня не провести. Если надпись оставила она, значит, с головой у тетки не так уж и плохо. По крайней мере, на просветление рассчитывать можно. Я собралась за несколько минут, радуясь, что адрес Бережной хорошо помню и звонить Диме не придется. Позвонить я, в общем-то, была не против, но в глубине моей девичьей души стыла легкая обида, что вчера он у меня не остался.

Я выехала со двора, забив в навигатор нужный адрес. Город между тем готовился к новому трудовому дню. На остановках толпились люди, поток машин растянулся по направлению к центру, а я, безучастно поглядывая в окно, думала о том, как вдруг изменилась моя жизнь. Мне и раньше доводилось принимать участие в расследовании, но тогда все было иначе. А теперь я чувствовала себя героиней триллера, обладательницей некой тайны, поверить в которую никто не в состоянии. Неужто на меня вчерашние слова сумасшедшей так подействовали? Дьявол рядом и все такое... Самый большой враг человека — он сам. Это я знала доподлинно, потому что уже давно и упорно портила себе жизнь.

«Не стоило с ними связываться», — в досаде думала я, имея в виду команду Максимильяна, и вместе с тем понимала: будь у меня второй шанс, я бы вряд ли отказалась от его предложения. Раздражение по этому поводу улеглось довольно быстро, и мыслями я вновь вернулась к Бережной. А если она как-то связана с теми, кто следил за мной на «Жигулях»? Они проводили меня до дома, потом появилась Ольга Павловна... Зачем? Чтобы оставить надпись на асфальте? Могли бы по телефону позвонить, прохрипеть что-нибудь угрожающе. Что-то тут не так...

Нужный мне дом вдруг возник из-за поворота. Надо сказать, улица, где жила Бережная, находилась почти в центре города и выходила к смотровой площадке на одной из самых высоких точек здешнего ландшафта. Внизу за деревьями пустырь, когда-то часть монастырского парка, а теперь просто заболоченный участок, до которого ни у кого из отцов города руки не доходили. Справа река, а слева улица, с чудом сохранившейся деревянной застройкой. Кроме туристов да немногочисленных местных жителей, сюда мало кто забредал. Дорога тоже была плохая, оттого я и оставила машину неподалеку от мини-маркета и дальше пошла пешком. Дома выглядели не лучшим образом, должно быть, жильцы ждали выселения со дня на день и на все махнули рукой.

Тот, что принадлежал Бережной, врос в землю по самые окна. Входная дверь располагалась ниже асфальта. Рядом в автомобильной покрышке цвела мальва. На двери с остатками голубой краски мелом нарисован крест, под ним надпись «Спаси и сохрани». Звонок отсутствовал. Выглядел дом заброшенным. Грязные окна, облупившиеся стены, железо на крыше проржавело и в некоторых местах прикрыто кусками толя, тоже успевшей пообтрепаться. «Бомжатник», — неприязненно решила я. На то, что в доме кто-то мог обитать, указывал разве что куст мальвы да старые кроссовки, выставленные на просушку прямо на подоконник. За забором одинокая яблоня и крапива в человеческий рост. На улице царила тишина, которую нарушил собачий лай в соседнем дворе, но быстро стих. Мое появление пса не особо заинтересовало.

На всякий случай еще раз оглядев стену дома в поисках звонка и так его и не обнаружив, я постучала в дверь довольно настойчиво. Хлипкая дверь от моих ударов чуть приоткрылась, выходит, она не заперта. Оглянувшись по сторонам и не увидев ни одной души, я толкнула дверь, она распахнулась, а я громко позвала:

— Ольга Павловна!

Если хозяйка находилась дома, то ответить не пожелала. Прикидывая, как поступить, я шагнула в узкий коридор, света едва хватало, чтобы разглядеть половик под ногами, да еще одну дверь, на этот раз железную. Она тоже оказалась не запертой. Теперь передо мной была кухня. Старенький гарнитур, холодильник с магнитами и кушетка у противоположной стены. На ней подушка и свернутое одеяло. В кухне было чисто, что немного удивило.

— Ольга Павловна! — вновь позвала я.

Время раннее, хозяйка должна быть дома, если, конечно, не тяготеет к прогулкам по утрам. На плите стоял чайник, дотронувшись до него, я убедилась, что он холодный. Вряд ли сегодня Ольга Павловна завтракала.

— С вами все в порядке? — крикнула я, чтобы как-то оправдать свое вторжение. Из кухни вел коридор, я увидела еще три двери. За первой оказалась душевая и туалет. Здесь все содержалось в образцовой чистоте. Похоже, хозяйка терпеть не могла мыть окна, а в остальном о порядке не забывала. Следующая дверь оказалась заперта. Я ее подергала, потом постучала и даже прислушалась, не там ли хозяйка? Не желает, чтоб ее беспокоили? За дверью тишина, а откуда-то справа шел странный гул. А еще не менее странный запах. Запах гниения.

Я решительно направилась к двери, той, что справа, на мгновение замерла в недобром предчувствии и толкнула ее... Поначалу я даже не поняла, что передо мной, и только через несколько секунд смогла собрать разрозненные фрагменты в более-менее связную картину. Мухи, их было очень много, сбились плотной массой, взлетали, опускались, двигались... «Так вот что за гул я слышала», — успела подумать я, боясь, что меня немедленно стошнит от отвращения. В центре гостиной, а это была гостиная, стоял большой обеденный стол с остатками еды, давно превратившейся в гниющую массу. Стол был празднично накрыт, как бы нелепо это ни звучало. Я видела посеревшие салфетки с кружевом, аккуратно разложенные ножи и вилки, хрустальные фужеры, все в образцовом порядке. Праздник, который так и не начался. И которому хозяйка создала этот жуткий памятник из мух и отбросов.

«Сумасшедшая», — думала я, в очередной попытке справиться с тошнотой. Хотелось бежать отсюда со всех ног, вместо этого, закрыв на мгновение глаза и заставив себя успокоиться, я начала оглядываться с особым вниманием. На комоде рядом с телевизором подарок в красивой упаковке. На плечиках возле зеркала белое платье, на полу туфли, изящные лодочки. Паутина на окнах, на люстре и даже на стульях. Чтобы комната приобрела такой вид, должно пройти несколько лет. Господи, эта несчастная здесь живет? Видит такое каждый день? И я еще сомневалась в ее сумасшествии.

Взгляд мой упал на фотографии в рамках. На одной девушка лет пятнадцати, с длинными светлыми волосами, улыбается краешками губ. На второй та же блондинка с девушкой постарше. Они сидят обнявшись, на обеих венки из ромашек. Изумительная фотография. Обе девушки так хороши в своей бесконечной вере, что мир им непременно улыбнется и вслед за одним счастьем придет другое и будет длиться вечно... А я уже знала, ничего этого не случилось. Все рухнуло в один день и час, и счастье обернулось неутихающей болью, гнилью и гулом мух.

— Что же с тобой произошло? — пробормотала я, глядя на фотографию, там, где девушка была одна. И мгновенно почувствовала боль, точно кто-то ударил кулаком в самое сердце. Мука... долгая... несколько часов, нет, дней. Только через двое суток она перестала чувствовать. Я зажмурилась, пытаясь избавиться от видений, но они становились все яснее, все детальнее. Где-то льется вода, гладкие стены... колодец? И жизнь по капле уходит из истерзанного тела.

Я почувствовала, что сзади кто-то стоит, резко повернулась и едва не закричала, обнаружив за спиной жуткую старуху с перекошенным ртом. И только спустя несколько секунд поняла: ничего особо зловещего в женщине не было. Правую щеку раздуло — флюс, от этого лицо казалось перекошенным. Морщинистая кожа, седые волосы, коротко стриженные, светлые глаза смотрели с сочувствием.

— Напугала я тебя? — спросила женщина, слегка пришепетывая. — Пришла Ольгу проведать. Куда она делась-то?

— Ольга Павловна? — переспросила я, успев прийти в себя.

— Ага. Где хозяйка-то?

— Не знаю. Я стучала, дверь оказалась открытой...

— Вот что, пойдем-ка отсюда. — Женщина распахнула дверь и ждала, когда я выйду. — У меня от этой комнаты мурашки по коже. Давно убрать здесь хотела, но Ольга не дает. Оля! — громко крикнула она. — Ты где? Гости у тебя...

— Если дверь открыта... — начала я, но женщина только рукой махнула.

— Она ее никогда не запирает. Ни днем, ни ночью. С головой-то у моей соседки неважно. Приглядываем за ней, но много ли проку? Одной ей никак нельзя. Ее сестра к себе забирает, Ольга поживет у нее, поживет, а потом опять сюда. Сколько уж та с ней намучилась. В инвалидный дом сдавать жалко. Она бывает совсем нормальной, то есть вроде все понимает и ничего худого не делает. А потом вдруг ни с того ни с сего заговариваться начнет.

Мы успели выйти на улицу, женщина заглянула во двор дома и опять позвала:

— Оля, Оля, ты где? — Потом ко мне вернулась. — Надо сестре звонить. Хотя Веру, сестру-то, тоже понять можно, не веревкой же Ольгу привязывать, да и, если честно, и Вере отдых нужен. Это ведь не с ребенком малым сидеть, тут похуже.

Соседка устроилась на скамейке, оглядывая улицу в ожидании, когда появится Ольга. Я села рядом и просила:

— Давно это у нее?

— Как дочка пропала, так в мозгах и замкнуло, — вздохнула женщина.

— Пропала? Уехала куда-нибудь?

— Да какое там уехала, дитем совсем была. Аккурат в ее день рождения все случилось, пятнадцать лет исполнилось Любочке. Ольга ее одна поднимала, с мужем развелась, когда дочке три года было. Мать парализованная лежала, мужу все это надоело, он и сбежал. Нашел себе зазнобу на работе, а Ольга с больной матерью, с ребенком на зарплату медсестры жила. Тяжелехонько пришлось, потом мать умерла и осталась у соседки моей одна радость — дочка. Очень она ее любила, да и нельзя ее было не любить. Красавица, умница, училась хорошо, добрая, ласковая. Улыбнется — и на душе радостно становится. Не ребенок, а чистый ангел. Никогда о ней никто плохого слова не сказал. Девчонки, когда взрослеть начинают, бывает от рук отбиваются. Курят, бранятся, а то и того хуже. А с Любочкой никаких проблем, и подружки у нее подобрались ей под стать. Скромницы, и в пятнадцать лет все еще дети.

— На фотографии она с подружкой? — спросила я.

— Да, — вздохнула соседка. — Ко дню рождения дочки Оля так старательно готовилась. Сережки золотые ей в подарок купила, дом украсила, всего настряпала, гостей ждала. Люба должна была из музыкальной школы вернуться. Да не вернулась. Сначала Ольга не беспокоилась, думала, задержалась дочка в школе, поздравляют, наверное. С остановки здесь две минуты идти, улица у нас хоть и в сторонке, но тихая. Никогда ничего такого... Но Оля все равно дочку на остановке встречала, когда могла, конечно. Работала много, в трех местах, дочь, считай, невеста, одеть-обуть надо... Ждала она, ждала, потом позвонила. Мобильный не отвечает. Поехала в школу, а там ей сказали, Любочка давно ушла. Она по улицам металась, всех подруг обзвонила. Расстались возле школы, двух девочек Люба на день рождения пригласила, но они к себе домой пошли принарядиться. Оля в милицию, те сначала отругали, мол, зачем панику поднимать, только на следующий день искать начали. Любин мобильный отключен, последний раз она подружке звонила еще из школы. И все... — взглянув на меня, сказала соседка. — С тех пор ни слуху ни духу. Как в воду канула. Ольга-то сначала надеялась, все говорила: «Жива моя девочка». Ждала ее. Нам бы сразу сообразить, что она от горя рехнулась, со стола ничего убирать не дает, говорит, Любочка вернется, а тут и стол накрыт. Уж стухло все, а она ни в какую. Сестра настаивать стала, так она комнату на замок и сестру прогнала. Уж потом в больницу ее определили, но и там поделать ничего не могли. Сестра здесь пожила да к себе уехала, она в районном городке живет, недалеко отсюда.

— В Решетове? — спросила я наудачу.

— Да, там. Оля вам говорила?

Я кивнула и поморщилась, потому что врать не любила, женщина моей гримасы не заметила и продолжила:

— Осуждать сестру язык не поворачивается: поживи-ка в доме со всем этим... Потом она Ольгу к себе взяла. Та вроде успокоилась малость, даже поправилась, а то ведь точно тень ходила. Опять домой вернулась. Я порадоваться не успела, что дело вроде к выздоровлению идет. Помощь предложила, чтоб в доме убрать, а она опять за свое: Любочка вернется, а у меня стол накрыт. Тогда и стало ясно: не вылечить ее. То тут побудет, то сестра ее опять увезет. Беда, одним словом.

— Давно она от сестры вернулась?

— Да уж дня три. Вечером. Я у окна сидела, ужинала. Стол у меня как раз у окна, что на улицу выходит. Смотрю — Оля. Ну я первым делом сестре звоню, та уже ее хватилась. Говорит, приеду, как смогу. Нога совсем отбилась, ходить сил нет. У сестры жизнь тоже не сахар. Сын пьяница, то сойдется с женой, то она его выгонит. А куда идти? К матери. В двух комнатах и сынок-пьяница, и сестра-сумасшедшая. Еще смотри, чтоб друг друга не покалечили. Думаю, не скоро здесь появится. Приходится мне за Ольгой смотреть. Она ведь как ребенок: не накормишь, не поест. В кухне вон вымыла, чтоб хоть было ей где голову приклонить. Куда ж она делась-то? Обычно, когда сюда возвращается, она в доме или вот здесь на скамейке сидит. Дочку ждет. Должно быть, опять ее искать отправилась. До остановки дойти, что ли? Да народ спросить. Она семнадцатым маршрутом ездит. Им Любочка от музыкальной школы добиралась.

— Скажите, а когда Люба исчезла?

— Восемь лет назад, семнадцатого апреля. На всю жизнь этот день запомню. — Женщина тяжело поднялась. — Надо идти. Вечером я ее не видела и сегодня с утра... Батюшки, да ее ведь вчера целый день не было. Не случилось ли чего?

До остановки мы дошли вместе, Ольги там не оказалось. Соседка поспрашивала прохожих и пассажиров троллейбуса, вышедших на остановке. Ольгу никто не видел.

— Надо опять сестре звонить. — Соседка выглядела встревоженной. — Или в полицию? В полицию-то не хочется, заберут в дурку, жалко. Ладно, что сестра скажет, то и сделаю.

Соседка отправилась к своему дому, а я вернулась к машине. Требовалось кое-что обдумать. Прежде всего, совпадение: сестра Ольги живет в Решетове, туда же предположительно едет Егор Басов. Вчера Ольга возле офиса вертелась, а еще раньше пыталась передать письмо. Хотела встретиться с Басовым-старшим? Само собой, охрана бы ее не пропустила. Она видела Егора, встречалась с ним? Именно к ней он приехал в районный город? Люба и сестра Егора исчезли с интервалом в два месяца. Сначала Люба, а потом и Евгения. Егор искал сестру, хотя через восемь лет рассчитывать на удачу глупо. Допустим, не ее он искал, пытался выяснить обстоятельства исчезновения. И кому-то это пришлось не по душе. А теперь и сам Егор исчез, предположительно после того, как появился в Решетове.

Я завела машину, прикидывая, куда отправиться, домой или к Максимильяну? Рассказать о своих догадках и странном поведении сумасшедшей? Нормального поведения ожидать от нее, по меньшей мере, странно, а то, что ее дочь исчезла, а не погибла, как сказал начальник охраны Туманов, Максимильян, вероятно, уже знает. Собирать сведения команда умеет.

Я решила вернуться к себе в надежде, что Ольга опять появится в моем дворе. Вдруг все-таки удастся с ней поговорить? Хотя предыдущая попытка успехом не увенчалась... Позвонить можно и из дома, а если Максимильян скажет, что нам надо встретиться, отправлюсь к нему.

Я уже сворачивала к дому, когда неподалеку от перекрестка увидела толпящихся на тротуаре граждан, и среди них соседку. Выглядели все не столько возбужденными, сколько испуганными. Выходит, дело вовсе не в очередном косяке коммунальщиков: прорвавшейся трубе или открытом колодце, в который влетел какой-то бедолага на своей тачке. Случилось что-то похуже. Бросив машину во дворе, я вернулась к перекрестку.

— По какому поводу демонстрация? — возвысила я голос, ни к кому конкретно не обращаясь.

— Здравствуй, Леночка, — ответила соседка. — Ужас, что творится. Представляешь, между гаражами труп нашли. Просто кошмар. Только что увезли.

Три металлических гаража выходили в переулок, их давно пытались убрать, потому что возвели их здесь в давние времена и совершенно незаконно, хозяевам оставляли гневные послания мелом на воротах «Немедленно освободите...» и прочее в том же духе, однако хозяева выполнять чужие требования не торопились и предъявляли свои. Машины там никто не ставил, опасаясь, что их можно в одночасье лишиться вместе с гаражами, успевшими проржаветь.

— Труп? — переспросила я, уже догадываясь, что услышу.

— Да. Женщину убили и сунули тело между гаражами. Дворник внимание обратил, лежит что-то. Заглянул, а там такое... Хорошо, что дворник — парень молодой, а будь кто постарше, как наш Иваныч, ведь инфаркт хватит. Я вот теперь неделю спать не буду... Из дома лишний раз не выйдешь. Скажи на милость, зачем на пожилого человека нападать? На копейки ее позарились? И за это камнем по голове?

— Камнем? — вновь переспросила я.

— Может, и не камнем, это я так, для примера. Но голову пробили. Такой, говорят, зверский удар. Не оглушить, заметь, хотели, а именно убить. И это за какую-то мелочь, за старенький мобильный. Что у нее еще могло быть? Вот ведь, уроды, прости господи. И как только их земля носит... Наркоманы, небось. С утра трясучка, в мозгах каша... Что угодно сотворят. А Зоя Юрьевна из тридцать восьмого дома говорит, женщина эта, вообще человек больной, с психикой у нее неладно было. И такую обидеть, где же совесть у людей?

Слушая соседку, я не спеша продвигалась к гаражам, она шла рядом, продолжая сокрушаться. Подойти совсем близко нам не удалось. Возле гаражей ограждение — ярко-желтая лента, за которую проход запрещен. За этим зорко следили двое полицейских. В траве у ближайшего гаража валялся ядовито-зеленый сланец. Я и раньше не сомневалась, что нашли именно Ольгу, с той самой минуты, как увидела толпу неподалеку от своего дома, но этот нелепый сланец, брошенный в траве, вызвал такое тягостное чувство, что захотелось завыть в голос. Как легко люди способны отнять чью-то жизнь... Однако философствовать я себе отсоветовала и набрала номер Максимильяна.

— Слушаю, — отозвался он.

А я сказала:

— Помнишь вчерашнюю сумасшедшую? Ее нашли убитой возле моего дома.

— Совпадение? — поинтересовался он деловито, без намека на эмоции.

Мне вдруг стало обидно, и я подумала: «Диме надо было звонить», и попробовала тоже быть предельно сдержанной.

— Вряд ли. Вчера я видела ее в своем дворе. Сестра, у которой Ольга находилась в последнее время, живет в Решетове. Сюда она вернулась примерно три дня назад.

— Есть что обсудить, — подумав, сказал Максимильян. — Приезжай ко мне.

Возле «дома с чертями» стоял «Ленд Крузер» Волошина. Скорее всего, Димка тоже здесь, прибыл на своих двоих. Я вошла в магазин и, точно против воли, принялась с интересом оглядываться, подмечая то, что ускользнуло от внимания в прошлый раз. Любопытство было так велико, что я, пожалуй, могла бы забыть, зачем сюда пожаловала, но появившийся из-за стеллажа Василий Кузьмич мне об этом напомнил.

— Леночка, как замечательно снова вас увидеть, — приветствовал он меня, точно давнюю знакомую. — Позвольте проводить. Максимильян Эдмундович вас ждет. Я вижу, книги не оставляют вас равнодушной, — с улыбкой заметил он, когда мы шли через зал к лестнице.

— Было бы здорово не торопясь все здесь осмотреть.

— Уверен, у вас будет время... Скажу по секрету, — хитро прищурился он, — все самое ценное хранится на втором этаже. Настоящие жемчужины. Максимильян Эдмундович не откажется показать их вам.

Убедившись, что я поднялась на второй этаж, Василий Кузьмич вернулся к своим делам, а я нажала кнопку звонка и вскоре уже была в кабинете Максимильяна. Сам хозяин сидел на подоконнике. Закинув ногу на ногу, Дима что-то вполголоса ему рассказывал, устроившись в кресле неподалеку. Воин бродил по комнате. При моем появлении все трое повернулись.

— Значит, у нас труп нарисовался? — весело произнес Вадим.

— Не разделяю твоей радости, — буркнула я и села рядом с Димой. Тот подмигнул мне, должно быть, желая подбодрить.

— Рассказывай, — произнес Максимильян, направляясь к столу и заняв свое привычное место. — Кстати, Алексей Нестеров вчера явился в отдел полиции с чистосердечным признанием. Котов и Райзман пока прячутся, но, думаю, на днях тоже объявятся. Ты довольна?

— Тебя это действительно волнует? — не удержалась я от язвительности.

— Конечно, — спокойно ответил Максимильян. — Мы же компаньоны. Итак, что там с этой сумасшедшей?

— Вчера она болталась у меня во дворе. Я пробовала с ней поговорить — без толку. Утром обнаружила под своим окном надпись на асфальте «Берегись» и поехала к ней домой.

Максимильян кивнул, вроде бы соглашаясь, Воин и Дима переглянулись.

— Дочь Ольги Бережной — Люба, исчезла восемь лет назад, семнадцатого апреля. Примерно за два месяца до исчезновения Евгении Басовой. О том, что Ольга жила у сестры в Решетове, я уже говорила.

— И ты видишь связь...

— Вижу. Пока у меня нет доказательств, но...

— Взгляни, — обратился ко мне Дима и развернул ноутбук. На экране та самая фотография, которую я видела в доме Ольги: две девушки сидят в обнимку. — Знаешь, кто это? — спросил Дима.

— Блондинка — Люба Бережная.

— Правильно. А брюнетка рядом с ней — Евгения Басова.

— Ты уверен? — нахмурилась я, вглядываясь в фотографию.

— Конечно, фотку напечатали в газете после того, как Басова исчезла.

— Что тебя смутило? — вкрадчиво поинтересовался Максимильян, наблюдая за мной, а я поспешно отмахнулась.

— Ничего. Хотелось бы понять, что мать пропавшей девушки делала возле офиса Басова, почему очутилась в моем дворе и зачем ее понадобилось кому-то убивать.

— А меня куда больше интересует начальник охраны, господин Туманов, — вмешался в разговор Вадим. —

Потому что теперь выходит: дядя злостно пудрил нам мозги. Не знать о том, что девчонки были подружками, он не мог. Хреновый начальник охраны, если такой малости не знает. Следовательно, нагло нам врал...

— Он не врал, — поправил Дима. — Недоговаривал всей правды.

— Да ну? — хмыкнул Воин.

— Конечно. Он сказал, что дочь у чокнутой погибла, а не похищена, и забыл упомянуть, что девушки были подругами.

— И этому должна быть причина, — кивнул Максимильян.

— Ясно, что у Туманова рыльце в пушку. Я из этого типа душу выну... Хотелось бы прямо сейчас. Что скажешь? — Вопрос адресовался Максимильяну. Тот пожал плечами.

— Поговори с ним по-дружески, как ты можешь. И постарайся, чтобы об этом никто не узнал.

— Тогда я пошел, — поднимаясь, сказал Воин и направился к двери, а я перевела взгляд на фотографию, которую Дима вывел на монитор.

— Дочь Басова была старше Любы.

— Да, на три года, — сказал Дима.

— В этом возрасте разница существенная.

— Они играли в одном ансамбле. «Мадригал» назывался. Старинная музыка. Их, кстати, часто приглашали на различные концерты. Талантливые девчонки. По крайней мере, отзывы самые восторженные.

— Они были подругами и обе исчезли по дороге из музыкальной школы. С интервалом в два месяца. Егор через восемь лет вдруг заинтересовался исчезнувшей сестрой, едет в Решетов, где, как выяснилось, живет Бережная, — кивнул Максимильян. — Егор исчезает, а старуха появляется в городе и вертится возле офиса Басова.

— Она не старуха, — буркнула я.

— Потом она зачем-то идет к тебе, — продолжил Максимильян. — А за ней или за тобой отправляется некто на «Жигулях». После чего Бережная оказывается с пробитой головой. О совпадении, по-моему, и речи быть не может. Все события связаны.

— Не спорю, — пожал Дима плечами. — Но как? Кому могла помешать чокнутая? Даже если она что-то видела. Кто ей поверит?

— Не скажи, — возразила я. — В полиции с ней разговаривать вряд ли стали бы. А вот Басов... он ее наверняка знал, это во-первых...

— Он, кстати, на ее появление никак не отреагировал, — напомнил Максимильян. — Могла она измениться до такой степени?

— Вполне. Он видел здоровую молодую женщину, а не побирушку без царя в голове. — Эти слова Димы почему-то задели.

— А что во-вторых? — спросил Максимильян, обращаясь ко мне.

— Во-вторых, Бережная пыталась передать письмо, логично предположить, предназначалось оно Басову, хотя охранник ничего из ее слов не понял. Само собой, в офис ее никто не пропустил, но доложить о ней Туманову должны были. Или нет?

— Ясно, что Туманов не хотел, чтобы эта встреча состоялась. И нашему появлению он тоже не обрадовался. Выходит, начальнику охраны есть что скрывать.

— Что? — усмехнулся Дима. — Он причастен к похищению дочки Басова?

— На первый взгляд бред, — подумав, ответил Максимильян.

— Но если допустить подобное, все остальное легко объяснить. И появление неких лиц у сыщика Петракова с советом забыть об этом деле, и гибель сумасшедшей, которая вдруг увязалась за мной, и даже исчезновение Егора.

В этот момент Максимильяну позвонили на мобильный. Он выслушал невидимого собеседника и кивнул Диме:

— Включи местные новости.

Тот застучал по клавишам в поисках новостной программы. На экране появилась девушка с микрофоном в руке. За ее спиной была видна машина, кажется, «Мицубиси», девушка торопливо произносила свой текст: «Сегодня, около восьми часов утра, неподалеку от микрорайона Бондарево была обнаружена машина «Мицубиси Паджеро». На нее обратили внимание сотрудники ГИБДД и решили проверить. В кабине находился гражданин Туманов Михаил Валерьевич с двумя огнестрельными ранениями, от которых он скончался. По предварительным сведениям, убийство произошло вчера вечером. Туманов работал начальником охраны...»

— Неожиданный поворот, — хмыкнул Дима, когда сюжет закончился.

— Вполне предсказуемый, — возразил Максимильян, поднялся и сказал мне: — Поехали к Басову. Может, повезет, и полиция там побывать не успела. А ты займись сбором сведений о Туманове, что он делал восемь лет назад, кто был в друзьях и прочее.

— Сделаю, — ответил Дима. — Что сказать Воину?

— Пусть отправляется на квартиру Туманова, его задача разговорить вдову и проверить жилье, вдруг найдет что-то интересное.

— Маловероятно. Туманов профессионал.

— Иногда и профессионалы делают глупости. Главное, чтобы нас полиция не опередила. Информация, Дима, информация. Мы до сих пор плутаем в потемках. — Максимильян вновь кивнул мне и направился к двери.

Возле офиса Басова мы были уже через двадцать минут. Приехали на моей машине. Бросать ее возле дома Максимильяна я не хотела, а задействовать сразу две машины и ему, и мне показалось глупым. Хотя, может, Бергман и пожалел об этом. Чувствовалось, что на месте пассажира ему неуютно, возможно потому, что за рулем женщина? Он скрестил руки на груди, точно не знал, куда их деть, и смотрел прямо перед собой.

В самом офисе напряженная обстановка ощущалась почти физически. Охранник долго проверял наши документы, несколько раз куда-то звонил. Максимильян, наблюдая все это без всякого удовольствия, быстро лишился терпения и набрал номер Басова, после чего нас мгновенно пропустили и поспешили проводить до его кабинета. Басов казался растерянным, хотя и пытался это скрыть под маской привычной деловитости.

— Мне уже звонили из полиции, — коротко сообщил он.

— Мы бы хотели осмотреть его кабинет, — сказал Максимильян. Басов нахмурился.

— Но... если они узнают... Мне придется объяснять.

— Постарайтесь, чтобы не узнали. И давайте не терять время.

Должно быть, тон Басову не понравился, я видела, каким гневом полыхнули его глаза, и допускать нас в кабинет начальника охраны ему не хотелось, но он лишь нахмурился и сказал:

— Хорошо. Вас проводят.

— Главное, пусть не забудут предупредить о появлении полиции.

В приемной нас ждал охранник и, не говоря ни слова, повел по коридору. Мы замерли перед дверью с табличкой «Туманов Михаил Валерьевич». Дверь оказалась заперта, однако у охранника были с собой ключи. Входить с нами он не стал, открыл дверь, отступил в сторону и, убедившись, что нам более ничего не надо, поспешно удалился.

Кабинет выглядел обыкновенно. Не похоже, что до нас тут кто-то рылся. Михаил Валерьевич аккуратист по натуре, папочки в шкафах стоят ровненько, на каждой соответствующая надпись. На столе идеальный порядок, карандаши заточены, бумаги убраны, ноутбук закрыт. Им Максимильян заинтересовался в первую очередь. Устроился за столом, придвинув кресло на колесиках, а я продолжала оглядываться. Никаких личных вещей, даже фотографии семьи не было. Хотя это считается хорошим тоном, люди видят, что начальник тоже человек. Ожидать, что с такой любовью к аккуратности Туманов забудет важную улику, все равно что ждать в наших краях тридцатиградусную жару на Рождество.

— Проверь корзину для мусора, — буркнул Максимильян, поглощенный компьютером. Наверное, решил, я не знаю, чем себя занять.

Я достала из-под стола корзину. В нее был вставлен пакет для мусора, что значительно упрощало жизнь уборщице. Поменяла один пакет на другой и пошла себе с миром. В первый момент я решила, что корзина, то есть пакет, совершенно пуст, но все-таки, вынув его, я была вознаграждена. На дне, скрытые многочисленными складками (пакет никто особенно не расправлял), завалялись клочки бумаги. Я села на пол и попробовала собрать их воедино. Сразу стало ясно: это листок перекидного календаря. Сам календарь красовался на столе, основание — мельхиор, перекидной механизм позолочен, но вряд ли им особо пользовались, если верить дате, сейчас восьмое марта. Обрывки сложились легко, и я прочитала надпись, сделанную шариковой ручкой «Подготовить отчет к 15.00». Ценная находка. Аккуратно перевернула страницу, потратив на это не меньше минуты, и присвистнула. Тем же почерком два слова без кавычек: Жар-птица.

— Что? — услышала я и, подняв голову, убедилась, что Максимильян наблюдает за мной с большим интересом.

— Найдется клей или скотч? — спросила я. Максимильян выдвинул ящик стола и протянул мне тюбик с клеем.

Я вырвала из настольного календаря еще один листок, смазала его клеем и собрала обрывки, после чего протянула бумагу Бергману.

— Жар-птица, — прочитал он и взглянул на меня из-под очков. — Тебе это о чем-то говорит?

— Еще бы. В Решетове, рядом с заправкой, есть мотель с таким названием.

— Значит, все сходится на Решетове? — произнес Максимильян. Скорее, подумал вслух и вновь уткнулся в компьютер, сказав: — Узнай, когда уборщица выносила мусор.

Задание на деле оказалось не таким уж и простым. Разыскать уборщицу удалось, но только после того, как я пригрозила позвонить Басову. Женщина нервничала и путалась в показаниях. Корзина, по ее словам, уже несколько дней выглядела пустой, и менять пакет не было никакого смысла. Сколько она в пакет не заглядывала: день, два, неделю? В ответ уборщица пожимала плечами. Оставив попытки вернуть ей память, я добросовестно обыскала кабинет, не очень-то веря в еще одну удачу. Заглянула на всякий случай в многочисленные папки. Исследовала мусорную корзину в туалетной комнате, куда вела дверь из кабинета, и даже проверила сливной бачок.

К этому моменту Бергман поднялся из-за стола, успев переписать кое-какие материалы на свою флешку.

— Ничего стоящего, — сказал, поморщившись. — Если б не этот клочок бумаги, Туманов не оставил бы нам никакой зацепки.

— Профессионал, — пожала я плечами, с намерением поддержать разговор. В этот момент в кабинет вошел Басов.

— Полиция будет здесь с минуты на минуту, — сказал он, с беспокойством поглядывая на нас. Свою находку я успела сунуть в карман, вряд ли он обратил на это внимание.

— Мы уходим, — порадовал Бергман, не пожелав сообщить о ней.

— Что-нибудь обнаружили? — задал вопрос Басов.

— К сожалению, ваш сотрудник отличался исключительной аккуратностью.

— То есть никаких улик... я хотел сказать, никаких намеков, которые могли бы привести к убийце?

— Пока ничего. Сомневаюсь, что полицейским повезет больше.

— Черт, — выругался Басов, но скорее с облегчением.

— Кстати, Геннадий Львович, нам стоит заняться поисками убийцы господина Туманова или прискорбный факт его внезапной кончины должен интересовать нас лишь в том случае, если он имеет отношение к исчезновению вашего сына?

— Вы думаете, это как-то связано?

— Не сомневаюсь. Зачем бы нам в противном случае проверять его кабинет?

— Да-да... конечно. Но... они даже не были знакомы как следует. И я сомневаюсь, что мой сын мог доверить что-то Туманову, ничего не сообщив мне. Это даже противоестественно, вы не находите? У нас с сыном не было взаимопонимания по всем вопросам, но он мой сын, я люблю его, он знает об этом и знает так же, что во всех важных ситуациях я поддержу его. Даже если буду не согласен. Черт возьми, он всегда доверял мне...

— Боюсь, что дело здесь вовсе не в доверии, — прервал Максимильян обиженного отца. — Господин Туманов мог принимать участие в его судьбе совсем по другой причине.

— Что вы хотите сказать? — растерялся Басов. — Туманов причастен к исчезновению моего сына?

— Давайте не будем спешить. Как только у нас появятся факты, вы узнаете об этом первым. — И, не дожидаясь ответа, Максимильян покинул кабинет.

С полицией мы разминулись на входе. До дверей оставалось несколько метров, когда в здание вошли двое мужчин, предъявили удостоверение охране и задали вопрос, как пройти в кабинет Басова. Один из них мазнул нас взглядом и легонько толкнул локтем своего товарища. Тот посмотрел на Бергмана и нахмурился. Максимильян, подхватив меня под руку, поспешил на улицу.

— Доводилось встречаться? — спросила я, имея в виду явное неудовольствие слуг закона при виде Бергмана.

— К сожалению, — усмехнулся он. — Еще большее сожаление вызывает тот факт, что на поиски убийцы Туманова брошены лучшие силы.

— Боишься, что они быстро раскроют убийство и ты лишишься гонорара?

— Мы лишимся, милая. Это во-первых. Во-вторых, я ничего не боюсь. Ничего такого, о чем бы тебе следовало знать. А гонорар мы непременно получим, их лучшие силы не идут ни в какое сравнение с нами. — Тут он весело подмигнул, и я решила, что это шутка, дабы не заподозрить у компаньона манию величия.

Сев в машину, Бергман тут же позвонил Вадиму.

— Как дела? — и включил громкую связь, чтобы я слышала их разговор.

— Менты в квартире успели побывать, но ничего не нашли. Я, к сожалению, тоже. От вдовы толку никакого, обильно слезы льет и соображает плохо, что в нашем случае скорее хорошо. Я сказал, что мы большие друзья с покойным, он мне не раз помогал на ниве частного сыска. И теперь дело чести для меня изобличить убийц верного друга. Она очень старалась припомнить хоть что-то интересное из жизни Туманова, но голова у нее и впрямь дырявая, надеюсь, только сейчас. Зато она позвонила дочке. Так вот, девица смотрит сериалы, о мужской дружбе наслышана и жаждет со мной встретиться. Надеюсь, не просто так, и ей действительно есть что рассказать.

— Убийством Туманова занимается Кудрин.

— Блин, — выругался Вадим. — Только не говори, что он тебя видел. Как некстати. Теперь начнет палки в колеса вставлять.

— И это еще мягко сказано. Мне теперь придется симулировать безмятежный покой. Ты занят, значит, в Решетов отправится Поэт с Девушкой.

— Подождать с этим нельзя?

— Нет. Туманова чем-то заинтересовал мотель под названием «Жар-птица».

— Что ж, будем на связи. Если им понадобится моя помощь, сразу подключусь.

— Цель вашей экспедиции, надеюсь, объяснять не надо, — сказал Бергман, поворачиваясь ко мне.

— Не надо, — ответила я.

— Тогда забирай Диму, и вперед.

Когда мы подъехали к букинистическому магазину, Соколов уже ждал нас на улице, Максимильян успел ему позвонить. Они поменялись местами, пожелав друг другу удачи.

— Отчет на твоем столе, — крикнул ему вдогонку Дима и сказал весело, на этот раз адресуясь ко мне: — Обожаю такие моменты.

— Недолгое прощание?

Он засмеялся:

— Нет. Момент, когда в деле появляется настоящая зацепка. И все вдруг приходит в движение.

— Кто такой Кудрин? — спросила я, прикидывая, как выехать из города в нужном направлении и не угодить в пробку.

— Следователь? — Дима пожал плечами. — Нормальный мужик. Но с большим самолюбием. Оттого не жалует Джокера.

— Джокера? А к вам у него претензий нет?

— Джокер — фигура заметная, а мы так, на подхвате. Это Кудрин так считает, а вовсе не я. Хотя, если честно, и я тоже. Нам удалось дважды раскрыть преступление, на котором Кудрин и его коллеги поставили крест. И вдруг появляется какой-то продавец книг и щелкает тайны, как орехи. А с ним два придурка больные на всю голову: бывший вояка и бывший семинарист.

— Серьезно? — вытаращила я глаза. — Ты учился в семинарии?

— Всего-то полгода, но мне об этом постоянно напоминают. Когда Кудрин узнает, что в нашем полку прибыло и четвертым членом коллектива стала девушка-экстрасенс... язву желудка он наживет гарантированно. Профессионалы не терпят дилетантов, и мы для него команда проходимцев, которым несправедливо везет.

— Спасибо, что предупредил. Я начала предаваться фантазиям, за что вас менты не жалуют. На Максимильяна Кудрин смотрел с большим неудовольствием.

— Это потому, что рядом с Джокером многие начинают чувствовать себя... как бы помягче... в случае с Кудриным, не таким уж крутым мужиком, как хотелось бы.

— Беда с вами, — хмыкнула я.

— Значит, Туманова интересовал мотель в Решетове, — сменил Дмитрий тему. — Занятно. Тянет людей в этот городишко. После чего их либо убивают, либо они исчезают.

Я свернула к автозаправке. Прежде чем ехать в мотель, мы хотели еще раз поговорить с девушкой-барменом, а заодно перекусить. Дима заявил, что умирает с голоду, да и мне поесть бы не мешало.

Завидев меня, девушка сначала расплылась в улыбке, но, обнаружив вместо Воина Диму, заметно охладела и к моей особе. Я же, расточая любезности, обращалась к ней, как к старой знакомой, не реагируя на некоторую холодность.

— Девушку не нашли? — задала я вопрос, когда мы получили заказ и устроились тут же, за стойкой, поближе к Татьяне.

— Нет, — покачала она головой. — Болтают, что она то ли с дальнобойщиками укатила, и вроде даже смс матери прислала, то ли Тесак ее убил, потому что она за наркоту сильно задолжала, а расплачиваться не хотела. Тесак из города куда-то смылся. Я всем этим не особо интересуюсь, просто слышу, что люди говорят. Мамаша ее опять приходила. У нашего хозяина деньги требовала.

— За что? — не поняла я.

— За то, что дочь пропала, тут, на заправке. Ну что с дуры взять? Она который день пьет не просыхая. Может, и знает, где ее дочурка, но помалкивает: люди ей сочувствуют, кто денег даст, кто водки нальет. Такая пьянь, совсем без совести. А вы, значит, опять к нам? — спросила она и, немного смущаясь, добавила: — А Вадим что, не приехал?

— Вадим обязательно приедет, — заверила я. — Сегодня к вечеру или завтра. Кстати, он о вас вспоминал. Радовался, что опять увидит.

Мое желание подольститься вышло боком, девушка нахмурилась и ответила:

— У него мой телефон есть, но он не позвонил.

— Хотел сюрприз сделать, — нашлась я. Дима в продолжение всего разговора сидел, уткнувшись в ноутбук, не забывая жевать, и вилкой орудовал ловко, но вряд ли особо понимал, что ест. Понаблюдав за ним, девушка сказала с обидой:

— Парни совсем на играх помешались. Ничего их больше не интересует.

— Это он по работе, — вступилась я за Диму, он сам на наш разговор никакого внимания не обратил. Когда с трапезой покончили, расплатился и, кивнув девушке на прощание, пошел к двери.

— Посмотрел на сайте отзывы о мотеле, ничего интересного.

— Но Туманову он зачем-то понадобился, — сказала я.

— Давай узнаем зачем.

И мы отправились в мотель. От автозаправки до него рукой подать. Двухэтажное строение из бревен, резные наличники, слева парковка, на которой сейчас стояло штук пять фур с номерами других областей. Мы поднялись на крыльцо, здесь было две двери, на одной табличка «Кафе», на другой — «Гостиница». В кафе оказалось довольно многолюдно, но с девушками-официантками все же удалось поговорить. К сожалению, ни Егора Басова, ни Туманова на фотографиях они не узнали. Фотографии лежали на столе, и мой взгляд против воли то и дело возвращался к ним.

— Егора нет в живых, — сказала я. Дима согласно кивнул:

— Я тоже так думаю.

— Я не думаю, я знаю, — резче, чем хотелось бы, ответила я.

— Ошибки быть не может? — теперь Дима улыбался, в глазах и голосе насмешка, не обидная, он вроде бы меня подзадоривал.

— Ошибка всегда возможна, — пошла я на попятный. — Оттого я молчала все это время. Его нет в живых, и погиб он где-то здесь.

— Волошин бы наверняка сказал, что ты делаешь вполне логичное заключение на основании того, что уже известно.

— Волошин сомневается в моих способностях, но при этом готов верить любой глупости, если ее произнес Максимильян. Убеждал меня, что, по мнению Бергмана, мы с тобой друг другу не подходим, — с излишней запальчивостью заявила я.

— Джокер так сказал? — нахмурился Дима. — Жаль, я имел на тебя виды. — И тут же рассмеялся.

— Надеюсь, я когда-нибудь пойму, почему вы дурака валяете.

— Зато с нами не соскучишься, с этим ты спорить не станешь. Что ж, потопали в гостиницу.

Поначалу в гостинице нам тоже не повезло. Никто из служащих не мог припомнить ни Туманова, ни Егора, хотя на фотографии с готовностью взглянули и помочь вроде были не прочь.

— Нас вопросами замучили, — подходя к стойке администратора, где мы обретались уже длительное время, сказала одна из горничных. — Слышали, что у нас тут за беда? Девушка пропала, второй случай за полгода. В марте тоже девушка из клуба пошла домой, и все — ни слуху ни духу. И в соседнем районе случаи были. Мне следователь сказал. Как человек может исчезнуть? По-моему, так не бывает. Жуть берет, когда об этом думаю. Мы тут, можно сказать, на отшибе, с работы уходить страшно. Раньше я пешком или с кем-нибудь из дальнобойщиков домой добиралась, а теперь какое там: такси приходится вызывать, и с таксистом едешь — зубами клацаешь, вдруг маньяк?

— Оксана у нас фантазерка, — усмехнулась администратор. — Но, после того как девушка исчезла, обстановка в городе действительно нервозная.

— Мы считаем, молодой человек, которого мы ищем, мог что-то видеть, — вздохнула я. — Потому и исчез.

— Видел маньяка? — ахнула Оксана.

— Нам известно, что первого июля он был здесь, заправлял машину на автозаправке по соседству, девушку видели там же. После этого ни о нем, ни о ней ничего не известно.

— Ужас. Дайте я еще раз фотографию посмотрю. — Девушка разглядывала фото очень внимательно, однако отрицательно покачала головой. — Не видела. Парень-то симпатичный. Жалко его. И родители, бедные, переживают, наверное.

Мы с Димой переглянулись, он пожал плечами, словно желал сказать «с невезением приходится мириться», а я подумала о Туманове. Неужели название «Жар-птица» не более чем совпадение и он имел в виду что-то другое? Например, конфеты, которые хотел купить жене. Есть конфеты с таким названием? Или это кафе в городе? Надо проверить по Интернету. Увидев надпись на листе календаря, я сразу вспомнила об этом мотеле, потому что в Решетове жила Ольга и сюда зачем-то приезжал Егор. Логичное умозаключение... но обманчивое. Если бы Туманов имел в виду этот мотель, то непременно заглянул бы сюда. Получив информацию, он был обязан ее проверить. Послал кого-то другого? Позвонил? А если просто не успел?

— А не было звонков с вопросами? — обратилась я к администратору. — Может, кто-то пытался получить сведения о постояльцах?

— Нет. Да и сведения такие мы не даем, с какой стати?

— Но хоть что-то у вас за эти дни произошло? Звонки, постояльцы, показавшиеся странными, драка, в конце концов? Может, кто-то машину разбил?

— Машина была, — вдруг сказала администратор. — Не разбитая, нормальная. Стояла за гостиницей, во дворе. Хотя двора вообще-то нет, сами увидите. Бывает, и там машины ставят, когда парковка занята, но эту за мусоркой поставили, точно спрятали. В среду утром, как раз за баками приехали, а машина стоит, шофер не мог баки забрать. Он к нам зашел и спрашивает, чья техника, а мы знать не знаем. Сведения о машинах постояльцев мы в журнал заносим, у нас все строго. А про эту машину никто ничего не знал, я даже сменщице звонила на всякий случай. Она сказала, в понедельник днем машины точно не было. Она мусор выносила. Шофер укатил, так баки и не забрав, а нам пришлось разбираться. Позвонили в ГАИ, они только к вечеру приехали. Мы им про машину, а они нам — стоит и стоит, мы вам что сделаем? Говорим, хозяина найдите. Какое там! Моя сменщица сама знакомому гаишнику в областной центр звонила. Он и выяснил, чья это тачка, и мобильный хозяина дал.

— Вы имя помните? — спросила я, боясь спугнуть удачу.

— Сейчас скажу, в журнале записывала.

Женщина открыла журнал, на последней странице карандашом была сделана запись.

— Лисин Олег Петрович, — прочитала она. Я записала номер его мобильного, а Дима спросил:

— Какой марки машина?

— «Жигули», плохонькая такая. Я еще подумала, наверное, пацаны угнали покататься да бросили. У нас, бывает, шалят.

— «Жигули» какого цвета?

— Темно-бордовые. И номер есть. Нужен?

Номер мы, конечно, тоже записали, простились с женщиной и вышли на улицу.

— Татьяна из кафе на автозаправке не смогла определить марку машины, которую она видела на дороге рядом с пропавшей девушкой. Но цвет однозначно темный.

— Кого мы ищем: девушку или Егора? — хмыкнул Дима. — Кстати, что тебе чутье подсказывает: девушка жива?

— Нет.

— Н-да, — вздохнул он. — Наверное, не просто жить с таким даром?

— Я стараюсь об этом особенно не размышлять. А что касается твоего вопроса о том, кого мы ищем... ты ведь в совпадения тоже не веришь? Что-то произошло здесь вечером первого июля и это что-то имеет отношение к исчезновению Егора.

— Убийству, — поправил Дима.

— Несчастный случай ты исключаешь? — спросила я.

— Тебе лучше знать.

— Я не господь бог и могу ошибаться.

— Да-да, ты уже говорила, и я принял к сведению. Что будем делать? Звонить Олегу Петровичу? Или попытаемся с ним встретиться? — тут Дима засмеялся и головой покачал. — Вот будет потеха, если мужик просто выпил лишнего и оставил тачку.

— Давай убедимся в этом.

Я набрала номер Лисина и стала ждать.

— Да, — ответил мужской голос, чувствовалось, что его обладатель слегка запыхался.

— Я по поводу вашей машины, которую вы забрали из Решетова. Мы могли бы встретиться и поговорить?

— А вы кто? Извините, что я спрашиваю, возможно, это звучит невежливо, но я не ожидал, что позвонит девушка.

— Давайте я вам все объясню при встрече, — нашлась я.

— Хорошо. Я сейчас занят, думаю, освобожусь часа через три. Я вам позвоню.

— Спасибо. — Я убрала мобильный, а Дима обнял меня за плечи.

— Кажется, нам опять повезло. Махнем в город или здесь еще немного оглядимся?

— Время есть. Я бы встретилась с матерью пропавшей девушки.

— Ты упорно называешь ее так, зная, что ее нет в живых.

— А вдруг я все-таки ошибаюсь? Пока мы не нашли тело, есть надежда.

— А ты можешь определить, когда она умерла?

— Несколько дней назад. Думаю, в ночь с понедельника на вторник.

— А при каких обстоятельствах?

— Иногда я это вижу, чаще — нет. Я говорила Джокеру, что не умею этим управлять.

— Даже если так, все равно круто. Взглянула на фото, и сразу ясно...

— Ничего не ясно, — буркнула я, а Дима привлек меня к себе и поцеловал в лоб. Вполне дружески, глаза его искрились от смеха, он точно желал сказать «и что тут такого», а я была совсем не против, чтобы он поцеловал меня еще раз и по-настоящему. Я влюбилась? Наверное. Сама толком не знаю. Он мне нравится, а там посмотрим. Дима устроился в машине и открыл ноутбук.

— Сейчас отыщем адрес мамаши. Много времени это не займет. Можешь потихоньку ехать в сторону города.

Я завела мотор и аккуратно вырулила с парковки. Через пять минут Дима назвал адрес, забил его в навигатор, и я увеличила скорость. Впрочем, ненадолго. Здешние дороги этому не способствовали. Показались первые дома, в основном двухэтажные, старые, мы двигались в центр, но на третьем светофоре свернули. За высокими липами прятались фабричные казармы, построенные еще при царе Горохе, около одной из них наш маршрут закончился.

Я тормозила возле низкого заборчика, за которым не росло ничего, кроме крапивы, когда из ближайшего к нам подъезда вышел коренастый мужчина в ветровке и кепке, надвинутой на самые глаза. Руки держал в карманах и смотрел себе под ноги. Двигался он быстро, в походке что-то нервное.

— Занятный тип, — словно читая мои мысли, заметил Дима. — Предмет нашего интереса живет в этом подъезде?

— Судя по табличке над дверью — да.

— Тогда так. Я на всякий случай провожу мужика, а ты навести мамашу. Если она в состоянии гостей принять.

— Ты думаешь... — нахмурилась я.

— Парень мало похож на здешних обитателей.

Дима вышел из машины и направился вслед за мужчиной, а я не очень уверенно заглянула в подъезд. После его слов на душе было неспокойно. Третья квартира оказалась на втором этаже. Я поднялась по шаткой лестнице. Рядом с дверью с нарисованной цифрой три несколько звонков, но дверь прикрыта не плотно. Я толкнула ее, и она распахнулась.

Длинный темный коридор заканчивался окном, только это и не позволило свернуть шею, налетев на таз, висевший на стене, детские санки и прочее добро, место которому давно на помойке. Со скрипом открылась дверь, едва не задев меня по носу, и я увидела пожилую женщину в цветастом халате с чайником в руках.

— Вы к кому? — спросила она с подозрением.

— Мельниковы где живут? — вопросом на вопрос ответила я.

— Вон их комната, — ткнула женщина пальцем в соседнюю дверь. — Вы из газеты, что ли? Замучили ходимши. Ходят и ходят. Ксюха с хахалем укатила, непутевая она. А весь город на уши поставили. От такой-то мамаши убежишь за тридевять земель.

— Я действительно из газеты. Губернской. Хотела задать несколько вопросов...

— Вот это вряд ли, — хмыкнула женщина. — Катька пьет которые сутки, лыка не вяжет и ничего не соображает. Если и наплетет чего, так вряд ли это напечатают. У нее что ни слово, то мат. Господи, как же эти алкаши надоели, — пробормотала женщина и захлопнула дверь.

В комнату Мельниковой я входила с опаской. Выглядело жилище не так скверно, как ожидалось. Тесно, не прибрано, но все как у людей: комод с телевизором, шифоньер, стол, диван и кресло. На диване, свесив голову, лежала женщина. Ночная рубашка задралась, обнажив худые ноги с выпирающими венами, на пятке болтался лейкопластырь. Лица женщины я не видела, но вздохнула с облегчением: она спала, о чем свидетельствовало негромкое похрапывание. После слов Димы я ожидала обнаружить покойника, и теперь расслабилась, подошла к женщине и приподняла ее голову.

Мутно взглянув на меня, тетка опять всхрапнула, глаза закрыла и более на мое присутствие не реагировала, хотя я звала ее и даже пару раз тряхнула за плечи довольно сильно.

— Что я говорила? — заявила соседка, возникнув в дверях. — Это она из-за дочери переживает. Тьфу, срам-то какой.

— К ней никто не заходил? — спросила я. — Несколько минут назад?

— Может, и заходил. Я телевизор смотрела, не слышала. Здесь вечно проходной двор, раньше только пьянь шастала, теперь еще и журналисты.

Соседка удалилась, мне оставалось сделать то же самое. Воздух в квартире стоял тяжелый, правда, и на лестничной клетке немногим лучше: пахло щами и кошками. Я заторопилась на улицу, написав на ходу смс Диме. Звонить не рискнула, чтобы не выдать его присутствия, если он в засаде. Через полминуты Дима сам мне позвонил.

— Давай на улицу Гоголя, это тут неподалеку. Увидишь недостроенный дом за кирпичным забором. Проезжай чуть дальше и жди.

Забивать адрес в навигатор не понадобилось. Улица Гоголя начиналась всего в двух кварталах от жилища Мельниковой, на табличку с названием я обратила внимание, когда мы ехали сюда. Недостроенный дом за кирпичным забором возвышался над скромными деревянными, я проехала до конца улицы, как сказал Дима, и приткнула машину возле небольшого магазинчика. Вышла из своего «Форда» и почти сразу увидела Диму, он шел мне навстречу.

— В доме он один, — заговорил, поравнявшись со мной. — По крайней мере, не похоже, что есть еще кто-то. Дом не достроен, но окна и входная дверь на месте, ее он открыл своим ключом. Парень здесь прячется, это ясно.

— Что будем делать?

— Побеседуем, — пожал Дима плечами. — Пригрозим в полицию сообщить, если заартачится.

— Думаю, мне лучше идти одной.

— Не лучше, — усмехнулся он. — Этот парень, скорее всего, тот самый Тесак, опасный тип.

— Наверное. Но он оказался в трудном положении, иначе бы не прятался. Ты будешь рядом и всегда сможешь вмешаться.

— Ладно, — поморщился Дима и с сомнением посмотрел на меня. — Сигнал опасности?

— Буду орать погромче.

— А если не позволит? У тебя пятнадцать минут. Через пятнадцать минут либо ты выходишь на связь, либо я захожу в дом.

Калитка не доставала до земли на полметра и оказалась не заперта. Я поднялась на крыльцо и постучала в железную дверь, предварительно подергав ее за ручку. В доме царила тишина, на мой стук внимания никто не обращал. Я решила обойти дом по кругу и вскоре обнаружила открытое окно. Должно быть, Тесак, если прятался здесь именно он, страдал от отсутствия свежего воздуха. Пододвинув валявшийся неподалеку ящик, я ухватилась рукой за раму и полезла внутрь. Мне это блестяще удалось.

Я спрыгнула с подоконника и оказалась в цепких объятиях. На самом деле, никто меня не обнимал, ухватил здоровенной ручищей за шею и больно сжал.

— Ты кто? — жарко шепнули мне в ухо, но хватку ослабили.

— Меня зовут Лена, я хочу с вами поговорить.

— Какого хрена? Чего тебе здесь нужно? — Однако мою шею он все-таки отпустил, сорвал сумку с моего плеча и вытряхнул содержимое на подоконник. Ничего интересного не обнаружил и на меня уставился. — Ну? Чего молчишь?

— Я хочу поговорить о Ксении Мельниковой.

Мужчина грязно выругался и головой покачал.

— Ты журналистка, что ли?

— Нет. Работаю в частном сыскном агентстве.

— Где? — не понял он.

— Частные расследования. Мы ищем молодого человека, Егора Басова. Он исчез первого июля.

— И что? Ты сюда одна притащилась? — насторожился он.

— Мой друг ждет на улице. В полицию он звонить не будет. Мы просто хотели с вами поговорить.

— Я вашего Басова не знаю и никогда о нем не слышал.

— Верю. Но он исчез в тот же день, что и Ксения. Мы можем быть полезны друг другу.

— Полезны?

— У вас проблемы из-за исчезновения девушки, я правильно поняла?

— Шлюха подлая, — буркнул он и с чувством пнул лежавшие на полу доски. — Я знать не знаю, куда она смылась... Ладно, идем, — вдруг кивнул он и пошел вперед, указывая мне путь. Я быстро собрала свои вещи в сумку и спросила:

— Могу я позвонить своему коллеге, чтобы он не беспокоился? У нас договор...

— Звони, — обреченно махнул рукой Тесак.

Теперь не было никаких сомнений, что это именно он. Мы между тем оказались в небольшой комнате. Окно здесь было завешано старым покрывалом. Наверное, тут жили строители. На полу два матраса, в углу стол и стул. Там же плитка и электрочайник.

— «Джамшутом» заделался, — усмехнулся Тесак, наблюдая за тем, как я оглядываюсь.

— Почему вы прячетесь? — спросила я, садясь на стул.

Тесак включил чайник, в две чашки бросил по одноразовому пакетику с чаем и, подтащив ближе к столу ящик, устроился на нем. Не спеша разлил кипяток в чашки и только после этого ответил:

— Посадят меня. За старые грехи. Хотя и новые тоже есть. Пришьют убийство этой малолетки и запрут лет на семь. Был бы повод.

— Вы уверены, что ее убили? Ведь труп не найден.

— Да ни в чем я не уверен. По мне, так эта кошка драная укатила куда-нибудь... хотя, если честно, вряд ли. Сбежать она могла лишь в том случае, если нашла человечка, который ее дурью будет снабжать. Без дури ей хана. Трех дней не протянет.

— Она наркоманка со стажем?

— Конченая. С двенадцати лет колется. Мамашин сожитель ее на иглу посадил. Мамаша ее водяру уважает, а наркотой ни-ни. А сожитель моложе был лет на десять, только освободился. Мамашка в отключке, а он с девчонкой развлекается, она ж за дозу что угодно. Потом его посадили, и она ко мне пришла. Типа, натурой отработаю. Оно мне надо? Я ее в шею, но наркоши такой народ...

— Ксения занималась проституцией?

— А чем еще? Полы, что ли, мыть пойдет? Как же... Только я к ее занятиям никакого отношения не имею. На фига мне заморочки с малолетками? Девки, что на трассе работают, ее гоняли. Кому неприятности нужны? Накроют какого-нибудь шоферюгу с этой пигалицей, и что? Ему тюрьма, нам убыток. Есть в городе уроды, кому малолетки в радость, вот их и обслуживала. Но я тут ни при чем. У нее свои друзья-приятели, и работала она за дозу. С кем попало пойдет, лишь бы ширнуться. Удивляться надо, что ей так долго везло, психов немерено и, по идее, давно должна была нарваться, если без сутенера работает и заступиться за нее некому.

— Она ведь еще в школе училась? — спросила я.

— Из школы ее еще в прошлом году выгнали. Мамашка ее, чуть что, хай поднимала: оставьте ребенка в покое. Ребенок... Она у нее, видишь ли, здоровьем слабая, и в школу ей нельзя. То ли в самом деле ничего не понимала, то ли ей все по барабану, лишь бы пить не мешали.

— Но... почему вы прячетесь? — осторожно спросила я.

— Ты мне лучше скажи, что это за тип, которого вы ищете, и почему вас девчонка заинтересовала?

Не вдаваясь в подробности, я объяснила, что некий богатый бизнесмен нанял нас, чтобы найти своего сына, который первого июля расплатился кредитной картой на местной автозаправке, и с тех пор его никто не видел и не слышал. На всякий случай я показала фото Тесаку, он долго его разглядывал и головой покачал:

— Не видел.

— Мы решили, исчезновения могут быть связаны, — добавила я. Тесак задумался и кивнул:

— Это, типа, одного мочканули, а другой свидетель? Когда ваш богатый щенок картой расплатился?

— В 22.13.

Он вновь кивнул:

— Примерно в это время Ксюха там паслась. Я видел. От дружка ехал, с рыбалки. Смотрю, она на дороге семафорит, хотел встать и напомнить шалаве о долге, но добрый был, мимо проехал. Нелегкая занесла в бар, что на въезде в город. Ну потом менты и склеили: девку кто-то видел на дороге, я мимо проезжал. Короче, понял, дело состряпают как пить дать, и залег на дно, не дожидаясь, когда за мной придут. Вы как меня нашли?

— Хотели поговорить с матерью Ксении и вас увидели, — честно ответила я.

— Я тоже с ней хотел поговорить. Может, знает, где ее дочурка-наркоманка, а кипеж подняла, чтоб все решили — каюк девчонке, и долги не спрашивали. Но мамашка натурально в беспамятстве. Зря рисковал. Вас сюда притащил.

— Нас вам опасаться не стоит. Когда вы проезжали мимо, Ксения была одна? Может, видели, что какая-то машина остановилась?

— Нет, не видел. Дорога вообще пустая была. Две тачки только и обогнал, «Жигули» да «Рено». В «Рено» дядя пенсионер сидел, такой весь интеллигентный, а в «Жигулях» стекла тонированные. Встречняк, правда, был. На них я внимание не обращал, а эти запомнил, потому что «жигуль» еле плелся, дистанцию с километр до «Рено» держал, а когда я его обогнал, вдруг ускорился и у меня на хвосте повис. Есть же такие бараны. Я даже хотел остановиться и потолковать, чего, мол, неймется. Но лень из машины выходить.

— Номера не запомнили?

— Смеешься? Обе тачки темные, «жигуль» вроде бордовый, а «Рено» синего цвета.

— У меня еще вопрос.

— Валяй, — хмыкнул Тесак. — Делать тут все равно нечего. Побазарим.

— В вашем городе живет одна женщина. У нее восемь лет назад пропала дочь, и она на этой почве помешалась. Возможно, вы видели ее в тот вечер. Ходит во всем черном...

— Нет. Никакой чокнутой я не знаю. И не видел. Тут самому бы не чокнуться...

— Жаль, — сказала я, поднимаясь. — Тогда я пойду. Спасибо вам.

— За что? — удивился Тесак.

— За то, что не отказались поговорить со мной.

— Твой дружок точно ментам не стукнет?

— Точно. Вы не могли бы выпустить меня через дверь?

Он проводил меня, дверь открыл, воровато огляделся и кивнул. Я поспешно покинула дом, выбралась на улицу. Дима бродил вдоль забора, держа в руках мобильный.

— Ну как? — спросил, подходя ко мне.

Я коротко пересказала разговор с Тесаком, пока мы шли до машины.

— А ты отчаянная, — заявил Дима и засмеялся.

— Верила, что ты меня спасешь, — в тон ему ответила я.

— Можешь не сомневаться, приложу все усилия. Пора возвращаться. Лисин может позвонить в любой момент.

Лисин позвонил, когда мы уже въезжали в город.

— Простите, не знаю вашего имени...

— Лена.

— Олег. Жду в офисе на улице Добровольского, 75. Сможете подъехать?

Я заверила, что смогу, и мы заспешили на Добровольского. Двухэтажное здание занимала фирма «Гарант», о чем и сообщалось на табличке у входа. Перед зданием парковка, на которой стояли несколько машин, в том числе интересующие нас «Жигули». Из здания вышли трое мужчин, двое в рабочей одежде, третий в джинсах и футболке с длинными рукавами. Заметив нас, мужчина спросил:

— Это вы мне звонили?

Я ответила утвердительно, он повернулся к рабочим и сказал:

— Ну, вы все поняли?

— Конечно, Олег Петрович.

— Тогда вперед.

Мужчины загрузились в одну из припаркованных машин, а Олег Петрович с улыбкой сказал:

— Теперь я полностью в вашем распоряжении. Если не против, поговорим здесь. Целый день в кабинете, голова пухнет. Я правильно понял, вы от Михаила Валерьевича?

— Вы Туманова имеете в виду? — нашелся Дима.

— Ну да... Мы с ним встречались. Точнее будет сказать, я ему звонил, когда все произошло.

— Давайте поподробнее, что произошло, когда...

— Так вы от Туманова? — насторожился Олег.

— От господина Басова. Вы новости сегодня смотрели?

— Шутите? У меня работы по горло. Поесть некогда. А что случилось? Егора нашли? Живой?

— Вы его друг? — вмешалась я, считая, что сообщать о гибели Туманова пока не стоит, Олег, чего доброго, испугается и не захочет говорить.

— Друг — сильно сказано. Хорошие знакомые. Не раз встречались. В основном в клубах. Егор приятный парень, девушке моей подарок привез из Милана. Она какую-то крутую сумку заказывала. Он купил и денег не взял, сказал, что подарок. Но я вовсе не поэтому... просто действительно хороший человек.

— Давайте вернемся к машине, — вежливо напомнила я.

— Ага, к машине. Егор позвонил мне в понедельник и попросил одолжить тачку. Сказал, что его в ремонте. Я, конечно, очень удивился. Во-первых, мне без машины никуда, во-вторых, у его отца наверняка есть разъездная машина, и не одна. Конечно, я не стал этого говорить, чтоб его не обидеть, а он торопливо так: «Мне любую колымагу, на которой у тебя работяги ездят». У нас четыре бригады, и машины, конечно, недорогие, в основном «Жигули». Я согласился, потому что неудобно отказать. Хотя это еще тогда показалось странным. Что вдруг с его «Мерседесом» случилось и с какой стати такой парень, как Егор, на «Жигулях» поедет. Нонсенс. Тачку можно напрокат взять, да и не верил я, что у него могут быть подобные проблемы. Если б «Мерседес» и вправду сломался, то отец ему запросто бы новую машину купил... Через час он сюда приехал, тачку взял, документы, обещал вернуть на следующий день.

— Но не вернул, — подсказал Дима.

— Не вернул, — вздохнул Олег. — Я позвонил, мобильный выключен. Ну, думаю, сам объявится. А то еще решит, что я из-за стареньких «Жигулей» так переживаю. А машина, между прочим, понадобилась... Ладно, не в этом дело. Два дня прошло, от него ни слуху ни духу, а потом мне звонят из какого-то Решетова и про машину спрашивают. Я с одним из своих рабочих туда. Точно, стоит наша тачка. В офисе дубликат ключей был, мы его с собой взяли на всякий случай. Машина не помята, все нормально, мотор исправен, документы в бардачке. Менеджер гостиницы, на чьей парковке «Жигули» стояли, сказала, что они сами толком не знают, когда машина там появилась. На самом деле, она не на парковке, а чуть подальше стояла. Вроде как ее спрятали. Я салон тщательно осмотрел... ничего подозрительного. Стал опять Егору звонить. Мобильный по-прежнему отключен. Машину мы сюда пригнали, а у меня, само собой, на душе кошки скребут. Где Егор? Почему машину бросил? Почему на звонки не отвечает? Короче, я решил его отцу позвонить. Но его мобильного у меня, конечно, нет, пришлось звонить на рабочий, его я в Интернете нашел. Нарвался на секретаря, такая... о женщине плохо не говорят, но эта полная идиотка. Кончилось тем, что она меня с начальником охраны соединила. Думаю, пусть будет начальник охраны, все лучше, чем ничего. Он к моему рассказу отнесся очень серьезно, через полчаса мы встретились, поговорили, он сказал, что непременно все передаст Басову. Вот, собственно, и все.

— Он вам звонил после этого? — спросил Дима.

— Нет. Я подумал, это он вас прислал. Верно?

— А когда вы с ним встречались? — не обратил внимания на вопрос мой спутник.

— Три дня назад. У нас какой-то странный разговор, вы не находите?

— В новостях сообщили, что вчера вечером Туманов был убит. А господин Басов до сих пор не знает, где его сын.

— О господи! — пробормотал Олег.

— В последнее время вы часто с Егором виделись? — влезла я.

— Что? А... нет. Пару раз в прошлом месяце. На дне рождения у общего знакомого, а потом в кафе, случайно. Вместе обедали...

— Он не показался вам странным, чем-то озабоченным?

— Ну... как сказать... Вы же знаете, что с его сестрой случилось? Из-за этого он был на взводе. Я хочу сказать, он... было видно, что его это беспокоит, хотя он ничего не говорил. Слушайте, я вам честно скажу, когда он взял у меня тачку, я подумал... про поломанный «Мерседес» Егор соврал, и машина ему нужна по другой причине. Неприметная машина, понимаете? В фирме отца такой точно нет, да отец бы ему и не позволил... И когда мне позвонили из мотеля, я очень испугался за Егора, поэтому и хотел связаться с его отцом.

— И для чего ему понадобилась неприметная машина? — вздохнула я.

— Не знаю. Но... можно ведь предположить. Он хотел найти убийцу сестры и за кем-то следил? Это ведь очевидно, правда?

— Но те, за кем предположительно следил Егор, слежку засекли, и в результате он исчез.

— Надеюсь, что все не так скверно, — пожал плечами Олег. — Но если Туманов погиб... Господи, да это просто заговор какой-то...

— А какие у Егора были отношения с отцом? — поспешно спросила я.

— Нормальные. На отца он никогда не жаловался. Хотя тетку, наверное, любил больше, это потому, что матери рано лишился. Отец очень занят, но о Егоре беспокоился, я сам слышал не раз, как он звонит, и разговаривали они дружески.

— Тот же Туманов утверждал, у Басова-старшего был повод для недовольства сыном.

— Этого я знать не могу. Может, и был. Егор ведь не работал, а такому человеку, как Басов, подобного не понять. Для него бизнес — дело жизни. В любом случае, Егор — его сын, и этим все сказано. Разве нет?

— Наверное, — кивнул Дима. — Спасибо, что встретились с нами.

От офиса Лисина мы сразу отправились к Бергману, где, кстати, застали Вадима. Мужчины пили кофе в кабинете Максимильяна. Вид имели расслабленный и довольный, не похоже, что сильно перетрудились.

— А мне кофе? — проворчал Дима. — И к нему желательно бутерброд.

— А ты на него заработал? — усмехнулся Воин.

— Сейчас о своих успехах расскажешь, — не остался в долгу Дима.

Кофе приготовил Максимильян, сам позвонил в кафе, и вскоре нам доставили пиццу. За это время Воин успел рассказать о своих подвигах.

— Дочь Туманова милая девушка, но пользы от нее не так много, как хотелось бы. О делах отца ничего не знает, рассказывать о них он не любил. В последние дни казался задумчивым и чем-то обеспокоенным. Но это, возможно, ее фантазии. В вечер убийства Туманову позвонили где-то около девяти. Он собрался и уехал, сказал, что срочное дело. Ночевать не пришел. Такое и раньше бывало, но обычно он предупреждал, что не придет. Звонили Туманову на домашний телефон, и воспользовались таксофоном, это менты уже успели установить. Вот, собственно, и все.

Дима поведал о наших достижениях. Принесли пиццу, после чего все сгрудились вокруг стола, жевали и наблюдали за тем, как Джокер рисует схему на листе бумаги.

— Итак, — начал он. — Что мы имеем. Егор Басов пытается выяснить обстоятельства исчезновения своей старшей сестры. Он обращается к детективу. Тут же появляются некие личности, и детектив от работы отказывается. Тридцатого июня Егор обедает у своей тетки, ничего необычного она не замечает. Первого июля Егор встречается с отцом, тот обеспокоен поступающими угрозами от неизвестных лиц и решает отправить сына за границу. Билеты и гостиница уже заказаны, виза у парня открыта. Через несколько часов он должен отправиться в аэропорт. Однако вместо этого Егор берет у приятеля неприметную машину и едет в Решетов, где проживает Ольга Бережная, мать девочки, которая была подругой Жени Басовой и исчезла двумя месяцами раньше, чем сама Женя. Басов получает от сына смс и успокаивается, считая, что тот за границей в полной безопасности. Мы не знаем, сам Егор отправил смс отцу или за него это сделал кто-то другой, одно несомненно: его следы обрываются в Решетове, где в тот же вечер исчезает пятнадцатилетняя Ксения Мельникова. Утром третьего июля работники гостиницы «Жар-птица» обращают внимание на оставленную машину. Оставленную не на парковке, что было бы логично, а чуть дальше, за мусорными баками, в надежде, что там она в глаза бросаться не будет. Администрация гостиницы сообщает о машине сотрудникам ДПС, а когда те никаких действий не предпринимают, через знакомого в областном ГАИ находят хозяина «Жигулей» и связываются с ним. Тот забирает машину и пытается дозвониться другу. Безрезультатно. Тогда обеспокоенный его отсутствием, Лисин пытается связаться с Басовым-старшим, но дозвониться ему удается лишь до Туманова. Начальник охраны встречается с ним, Лисин уверен, что тот обо всем непременно доложит Басову. Однако Басов об исчезновении сына узнает только от нас. То есть Туманов ему об этом не сообщил. При встрече с нами начальник охраны явно чего-то недоговаривает и даже угрожает, или, если угодно, предупреждает о том, что это дело может для нас стать опасным. В городе появляется Бережная и крутится возле офиса Басова, возможно, с целью встретиться с ним. Туманов ее видит, но когда Лена задает вопрос о женщине, заявляет: это просто городская сумасшедшая, скрыв тот факт, что дочь женщины была подругой Евгении Басовой и тоже исчезла. Вряд ли начальник охраны этого не знал. Логично предположить: Туманов не хотел, чтобы мы связали Бережную и Басова. Название мотеля, где нашли машину Егора, он, видимо, записал во время разговора с Лисиным по телефону. Вопрос, почему он тут же не сообщил о разговоре Басову? Ответ: затеял собственную игру. О ней мы можем лишь догадываться, но результат ее уже знаем. Некто вчера вечером позвонил Туманову и назначил встречу. Туманов на нее отправился и был застрелен неизвестным. Примерно в это же время погибает Бережная, правда, сумасшедшую не застрелили, а проломили голову. Перед своей гибелью она следует за нашей Девушкой от самого офиса Басова и даже пытается ее предупредить, оставив надпись на асфальте. Хотя надпись можно понять и как угрозу и сделать ее могли с таким же успехом неизвестные, устроившие слежку за Леной. — Максимильян обвел всех взглядом и бодро закончил: — Ваши соображения.

— Уверена, что неизвестные следили именно за Бережной и таким образом оказались в моем дворе. Я ее по дороге не видела, потому что все мое внимание занимала машина. Те, кто был в ней, решили: Бережная может рассказать мне что-то важное, и от нее поспешили избавиться.

— Или просто ждали удобного случая проломить тетке голову, — пожал плечами Воин. — Потому что им очень не нравилось, что она болтается возле офиса. Басов, в конце концов, мог обратить на нее внимание. Ясно, что у Туманова рыльце в пушку, потому он и не сообщил хозяину о звонке Лисина, и с нами сведениями не поделился. Но в схему кое-что не укладывается. Во-первых, Лисин мог проявить настойчивость и с Басовым все-таки связаться; во-вторых, Туманов должен был понимать, что, взявшись за это дело, мы в конце концов выйдем на гостиницу и машину.

— Если бы не записка, — сказал Дима, — мы могли потратить на это несколько дней, а то и вовсе о них не узнать. Ты же проверил: Егор ни в одной из гостиниц города не останавливался. А на машину вышли по чистой случайности. У Туманова были веские основания считать, что этот факт удастся скрыть.

— Я думаю, он рассчитывал на фору во времени, — поправив очки, кивнул Бергман. — Вопрос, что он собирался сделать?

— Бабло срубить, — хмыкнул Вадим. — Что же еще? Но вместо бабла схлопотал пулю. Совершенно справедливо, кстати. Терпеть не могу шантажистов.

— То есть Туманов догадывался, где Егор, и хотел на этом заработать?

— Лена считает, Егора нет в живых, — заявил Дима, и взгляды мужчин устремились на меня.

— Покойник вышел на связь? — серьезно спросил Воин, но ясно было, что насмехается.

— Я видела фотографию. Энергетика мертвых и живых различна...

— Мы телик смотрим, так что не трудись, — фыркнул он.

— Твое право мне не верить, — пожала плечами.

— У тебя не было ошибок? — съязвил он, и мне пришлось согласно кивнуть.

— В конце концов, какая в настоящий момент разница? — проворчала я.

— Разница огромная, — посуровел Воин. — Если парень мертв, мы можем не торопиться, а если еще жив...

— Тогда давайте исходить из того, что он жив, — поспешно согласилась я.

— Хотя факты этому противоречат, — произнес Бергман.

— Можно мне еще сказать? — в ответ на мой вопрос мужчины дружно кивнули. — Я думаю, в Решетов Егор поехал, чтобы встретиться с Бережной. Возможно, эта встреча состоялась. Они о чем-то договорились, а когда Егор не вышел на связь, Бережная отправилась к его отцу.

— Допустим. В отличие от нас ты с ней разговаривала...

— Пыталась, — поправила я Максимильяна. — Но... никакого разговора не вышло. Она вела себя как сумасшедшая, и мое собственное утверждение вызывает сомнение. Но другого нет. Если она не притворялась, конечно.

— А смысл? Она идет за тобой, чтобы поговорить. Так? — задал вопрос Воин. — Потому что Егор, с которым они что-то затеяли, исчез. А вместо этого несет всякую чушь. Одно с другим не стыкуется.

— Как и многое в этом деле, — заметил Бергман, а я сказала:

— Из слов Тесака можно заключить, что водитель «Жигулей» следил за мужчиной в «Рено». Сначала держался от него на расстоянии, а когда Тесак его обогнал, повис у него на хвосте, не боясь, что тип в «Рено» его заметит. С большой долей вероятности в «Жигулях» находился Егор. Цвет машины тот же, тонированные стекла ... И время совпадает. Считаю, мы с Димой должны вернуться в Решетов и все еще раз проверить.

Стоило мне произнести «мы с Димой», как Волошин и Бергман обменялись красноречивыми взглядами и дружно усмехнулись. Мне это очень не понравилось, но их ухмылки я решила не принимать близко к сердцу.

— Согласен, — сказал Бергман, а Воин кивнул.

— Начинать нужно с сестры Бережной, — продолжила я. — Возможно, ей что-то известно.

— Сестра сейчас здесь, ей сообщили об убийстве еще утром. Она остановилась в доме Ольги. Логично предположить, что убийство Егора, а я уверен: он убит, связано с исчезновением его сестры восемь лет назад. Вопрос: кто так упорно заинтересован в сохранении этой тайны?

— Конкуренты Басова, которые все это и затеяли, а теперь боятся, что их выведут на чистую воду...

— И усугубляют одно давнее преступление тремя новыми?

— В тюрьму неохота, вот и пошли вразнос. Такое сплошь и рядом. Замочат кого-нибудь, потом начинают следы заметать и убивают всех подряд налево и направо. Ты о таком не слышал?

— Много раз, — насмешливо улыбнулся Бергман. — Но в качестве альтернативной версии выдвигаю следующую: в исчезновении Евгении Басовой виновен близкий к ее отцу человек, который очень боится, что правда откроется.

— Твоя версия куда интереснее, — сказал Дима, который все больше молчал, предпочитая, чтобы высказывались другие. — Тогда и поведение Туманова понятно. Он догадывался, кто этот человек, либо даже работал на него, но в какой-то момент показался опасным. Шантаж я тоже не исключаю.

— И кто это может быть? — нахмурилась я.

— Ты-то уж должна знать, — сказал Воин. — Вызови дух Туманова и спроси.

В другое время я, наверное, разозлилась бы, ответила резкостью, кому приятны подобные издевки? Но вместо этого покачала головой и бросила беззлобно:

— Придурок.

Вадим весело фыркнул и сказал:

— Потопали деньги зарабатывать.

В Решетов мы приехали уже вечером и первым делом заглянули на автозаправку. На этот раз нас интересовал мужчина на «Рено» интеллигентного вида, в очках и с бородкой. Такое описание дал Тесак человеку, которого обогнал на дороге. Заправщик подобного мужчину не припомнил и даже не мог сказать, видел в тот вечер «Рено» или нет. Что совсем не удивило, таких машин много, а времени уже прошло достаточно. Татьяна нам не обрадовалась, и я очень пожалела, что с нами нет Вадима, она была бы куда любезнее. Однако понемногу мне удалось ее разговорить. За час мы выпили шесть чашек кофе, съели по два пирога, но сведениями не разжились. Татьяна видела девушку на дороге и рядом с ней остановившуюся неподалеку машину. «Рено» или нет, не знает и с цветом никакой определенности. Темная. Отвлеклась ненадолго, а когда посмотрела в окно, ни Ксении, ни машины уже не было. Теперь мой вопрос звучал так: не заходил ли вскоре после этого в кафе посетитель или посетители? Вдруг кто-то из водителей, проезжавших мимо, заметил мужчину в «Рено» ? А если б еще и номер запомнил... впрочем, на такую удачу я не надеялась... В кафе действительно после этого заглянули дальнобойщики, но раньше она их никогда не встречала, ни лиц, ни имен не запомнила, а на их машины внимания не обратила. Только я подумала, что капризная удача повернулась к нам спиной, как девушка вдруг заявила:

— Я слышала, как менты разговаривали и один из них сказал, если какой-то псих ее здесь подобрал, то, скорее всего, отправился к карьеру. Это на самом деле бывшая ракетная точка. Шахту, говорят, взорвали, а еще говорят, радиация там до сих пор зашкаливает. Километров пятнадцать отсюда, и дорога есть, правда, по ней давно никто не ездит, радиации боятся. Ни местные, ни дачники туда ни ногой.

— И что, менты туда поехали? — спросил Дима.

— Вроде да. Но вернулись быстро, и главный их начальству доложил по телефону, что там дерево упало, лежит как раз на дороге, не проедешь. И не объедешь его, потому что болотина. Понимаете? Мент сказал, только на тракторе.

— То есть проверять карьер они не стали?

— Я об этом ничего не знаю. Дерево до сих пор лежит. Ребята знакомые хотели проехать, посмотреть... Получается, что никто не мог туда попасть, дорога на карьер одна... — в голосе девушки было сомнение.

Я согласно кивнула.

— Вроде получается. Но вас что-то смущает?

— Я просто подумала... — вздохнула она. — Во вторник рано утром был сильный ветер. От березы здоровенную ветку отломило, провода замкнуло. Автозаправка не работала, пока аварийщики не приехали. Так может, дерево во вторник и упало? А накануне вечером по дороге проехать было можно?

— Где эта дорога? — спросила я.

— Совсем рядом. От заправки метров восемьсот к городу и налево. Указателя нет, но мимо не проскочите, там сосна кривая, ее издалека видать.

Само собой, я решила на дорогу взглянуть, но Дима для начала предложил проверить мотель «Гуси-лебеди», находился он фактически напротив «Жар-птицы». Центральное здание было бревенчатым, вывеску украшали деревянные лебеди. На втором этаже располагалась администрация, а на первом — кафе. Почти вплотную к этому зданию стояло другое: одноэтажное, длинное, тоже из бревен, здесь, собственно, и были номера для постояльцев. У каждого отдельный вход и место для машины под окном. Причем окна выходили на парковку, то есть на внешнюю сторону, а вот двери номеров во двор. «Не очень-то удобно», — подумала я, пока не увидела, объезжая мотель по кругу, что выход на парковку из номеров тоже есть. Через небольшой балкончик, который имелся у каждого номера. Сразу за мотелем начинался лес. Рядом проселочная дорога, но куда она вела — неизвестно. Еще одна особенность мотеля: большая парковка перед кафе, сейчас здесь стояло штук десять фур. Что-то меня насторожило. Не фуры на парковке, конечно.

— О чем задумалась? — спросил Дима, когда я делала уже второй круг.

— Идеальное место, — пробормотала я.

— Идеальное для чего?

— Для того, чтобы не привлекать к себе внимание.

На ресепшен девушка-администратор, подперев щеку рукой, смотрела телевизор, убавив громкость.

— Свободные номера есть? — спросил Дима.

— Все свободные, — зевнула девушка. — Выбирайте, какой понравится.

— Отлично. А ужином накормите?

— В кафе можно отсюда пройти. По коридору, дверь направо.

— Тогда мы поужинаем, а потом номер выберем. И еще вопрос: не согласитесь нам помочь?

— А в чем дело? — насторожилась девушка.

— Вот этот человек к вам не обращался? — Дима показал фотографию Туманова.

— Симпатичный дядька, — разглядывая фото, заметила девушка, судя по бейджику на платье, звали ее Надеждой. — Что натворил?

— Застрелили его, вчера вечером.

— Ужас... — девушка вернула фотографию, отдернув руку, точно от огня. — Вы из полиции?

— Частные сыщики. Перед полицией у нас есть одно преимущество: за сведения мы готовы заплатить.

— Я его никогда не видела. Честно. Скоро Артем придет, это наш администратор. Он по ночам дежурит.

Студент, вот и подрабатывает. Жутковато здесь ночью сидеть, народ-то разный по дорогам шляется. Охранник один, на парковке. Так и работаем в сменах, женщины — днем, а мужчины — ночью.

— Разумно, — кивнул Дима. — Во сколько его смена начинается?

Надежда перевела взгляд на часы.

— Через сорок минут.

— А вот этого молодого человека не припомните? — он выложил на стойку фотографию Егора.

— Так ведь спрашивали уже про него. Парня что, тоже убили? — ахнула девушка.

— Надеюсь, он жив и здоров. Значит, не видели? Он был в ваших краях первого июля, в понедельник.

— Моя смена, но я его не видела. Приходил до вас здоровяк, симпатичный такой, тоже им интересовался. — Мы, конечно, поняли, что речь идет о Вадиме. — У меня память на лица хорошая...

— У вас многолюдно, — заметил Дима.

— У нас? Да что вы... два-три номера сдадим, уже хорошо. В кафе народу действительно весь день полно, а у нас... Дальнобойщики поели и дальше поехали. Ну, в душ еще сходят. Он у нас отдельно, рядом с туалетом. В городе гостиницы, туристы все больше там, наш хозяин на дальнобойщиков рассчитывал, а они деньги экономят. Многие в машине спят, заплатят за парковку — и все. Или вообще возле заправки встают. Не сомневайтесь, — закончила она, — если б ваш парень был здесь, я бы его запомнила.

— А ничего странного в тот вечер не происходило? Или необычного? — задала я вопрос.

— Необычного? — девушка пожала плечами. — А что вы имеете в виду?

— Может, кто-то не расплатился и уехал или, наоборот, машину оставил.

— Ну, вы сказали, — засмеялась она. — Кто ж машину оставит... хотя постойте. Точно, оставили машину, но не у нас, у соседей напротив. Они потом хозяина разыскивали.

— Об этом нам известно, — кивнула я. — Тогда еще вопрос. Не заезжал ли в тот вечер мужчина интеллигентного вида, в очках и с бородкой? Машина у него «Рено».

— Да у нас в тот понедельник вообще и была-то одна пара. Из Москвы. В первом номере остановились. Хотите, я вам журнал покажу? — Девушка раскрыла журнал, нашла запись за первое июля и развернула к нам. — Видите? Ковальчук, муж и жена. И были они на «Мицубиси».

— А паспорта вы у обоих смотрели? — насторожилась я. — Или достаточно одного документа, чтобы номер оформить?

— Ну... положено, конечно, оба паспорта смотреть, хотя... если честно, мы не всегда это делаем. Разные бывают ситуации. Кто-то документ в машине оставил, идти за ним не хочется... Эти точно были муж с женой, уже в возрасте, лет шестидесяти, не меньше, и он и она. Она даже старше выглядела.

— Домашний адрес сохранился?

— Нет, — смутилась Надежда. — Мы не записывали, а вот номер машины есть. В них точно ничего подозрительного не было, — с некоторой обидой продолжила девушка. — Обычные люди. Попросили ужин в номер, очень устали. Уехали часов в десять, я уже на смене была, позавтракали и уехали. И никакой бородки у мужчины не было. Лысина была. А жена в шляпе. Здоровенная такая, с розой. Ей совсем не шла.

— А ночью никто не приезжал? Это ведь было уже не первое, а второе июля.

— Никого, — начала терять терпение девушка. — Видите в журнале: первый постоялец в 19.30 вечера. Днем-то кому надо останавливаться? У нас же не гостиница в городе и не пансионат. Ночлежка на дороге. Только вы не думайте, номера приличные, белье чистое. И ужин можно в номер заказать. Шампанское есть, — переведя взгляд с меня на Диму, добавила она.

— Спасибо, мы на службе, — ответил он, выкладывая на стол купюры, и ко мне повернулся. — Что ж, идем ужинать, а то без нас все съедят.

Девушка хихикнула, поспешно убирая деньги, и еще раз напомнила, как пройти в кафе.

— Ковальчук... проверим, — заметил по дороге Дима. — Но чует мое сердце, тянем пустышку. Пожилая пара. Девушка права, что в ней может быть подозрительного.

— Могли видеть что-то по дороге, — предположила я и буркнула: — Черт... не спросила ее про Бережную. Вдруг она была здесь в тот вечер?

Мы вошли в кафе, ничем особо не примечательное. За тяжелыми столами темного дерева сидели человек двадцать мужчин, судя по всему, дальнобойщики. Пересмеивались с официантками и друг над другом подшучивали. Создавалось впечатление, что здесь все хорошо знакомы.

Мы устроились за небольшим столом возле прохода в кухню, подальше от остальных. Тут же появилась официантка. Сделав заказ, мы вернулись к разговору.

— Ты по-прежнему уверена, что Бережная стала свидетелем некоего происшествия, оттого и подалась в город? — спросил Дима.

— Не уверена, — ответила я. — На меня она произвела впечатление невменяемой.

— А когда у человека проблемы с головой, сорваться с места он может и без причины, — покивал мой спутник. — Хотя твоя версия мне нравится. Тогда понятно, почему Бережная хотела встретиться с Басовым и почему ее убили. Вот только что она могла видеть, если на автозаправке и в двух мотелях все твердят, что Егора здесь не было?

— Здешних официантов мы не опрашивали, — напомнила я.

— Это давно сделал Вадим. Уж можешь мне поверить, он вытряс из них душу своими вопросами. К работе он относится серьезно и найти подход умеет.

— Да, я видела, — вообще-то я не имела в виду ничего конкретного, но тут мы дружно усмехнулись, одновременно подумав, что далеко не все опрашиваемые были особо счастливы после встречи с ним.

— Про Бережную спросим после ужина, — утешил меня Дима. — Опять же, Вадим должен встретиться с ее сестрой, надеюсь, ему повезет, и мы узнаем что-то путное. А сейчас, если не возражаешь, сменим тему, — улыбнулся он.

— О чем будем говорить? — в ответ улыбнулась я.

— Ну... — Он засмеялся. — Так сразу в голову ничего не приходит. А тебе?

— Я бы послушала истории из жизни. Твоей.

— А свои рассказать не хочешь?

— В моей жизни не было ничего особенно интересного.

— Так же, как и в моей. А какую музыку ты слушаешь? — точно спохватившись, спросил он.

Мы немного поговорили о музыке, но разговор не клеился, и мы, стараясь скрыть неловкость, налегли на еду. На счастье, кухня здесь была хорошая. Дима расплатился, и мы вскоре вернулись в гостиницу, где застали вот какую картину: Надежда уже собралась уходить после смены, ее место за стойкой занял молодой человек.

— Пока, — сказала она ему, закидывая сумочку на плечо, и рукой махнула. Тут девушка заметила нас и сделала шаг назад.

— Вот они, — воскликнула обрадованно, обращаясь к парню, и добавила уже нам: — Он вам все раскажет.

— Здравствуйте, — буркнул молодой человек и нацепил бейджик на карман красной рубашки. Теперь он мог не представляться, имя мы уже знали: Артем, но к рассказам он явно не был склонен.

— Здравствуй, — ответил Дима и привалился к стойке. Я последовала его примеру, всем своим видом давая понять, что с нетерпением жду откровений.

— Номер брать будете? — сглотнув, спросил Артем.

— Зависит от того, что ты нам расскажешь, — пожал плечами Дима.

— Да нечего рассказывать. Вы спрашивали, не останавливался ли здесь мужчина с бородой и в очках. Не останавливался. И никаких молодых парней я тут не видел. У нас ночью вообще редко кто появляется. Я прихожу поздно, ухожу рано. Короче, я здесь вместо сторожа. — Он говорил, а я чувствовала, как возрастает его беспокойство, и пыталась понять причину. Слишком много говорит... и чего-то боится.

— А что Надя имела в виду? — спросила я. — О чем вы должны рассказать?

— А, это так, ерунда, — вдруг повеселел он. — Вы вроде про необычное спрашивали. Уж не знаю, необычно это или нет, короче, дворничиха наша вроде как спятила. Хотели «Скорую» вызывать, но тетка сбежала.

— А как ее имя? — чувствуя, как замирает сердце, задала я вопрос.

— Вроде Ольга. Если хотите, я у охранника на парковке узнаю, он ее устраивал. — Мы кивнули, Артем снял трубку и стал набирать номер, продолжая рассказ: — Дворничиха всегда рано утром приходит. Во вторник влетает сюда, глаза вытаращены... Андрей, — позвал он, когда на другом конце сняли трубку, — как дворничихи фамилия? Бережная? Ну вот, слышали? —

и вновь вернулся к рассказу. — Короче, входит, вроде как не в себе, и бубнит: я его видела. Кого видела, где? Непонятно, и трясет ее. Я, если честно, даже испугался. Принес ей воды, девчонки с кухни прибежали. А она какую-то пургу гонит...

— Что конкретно она говорила? — перебила я.

— Да ничего конкретного она не говорила. Всякую чушь. Жди беды, он здесь и прочее в том же духе. Совершенно чокнутая. Она мне и раньше казалась странной, но таких припадков точно не было. Она еще Любочку звала, где моя Любочка, раз сто повторила. Ну, я вызвал «Скорую», а тетка то ли услышала, как я по телефону разговариваю, то ли у нее опять чего переклинило, вскочила и бегом отсюда. Врачи приехали, ее нет, мне же еще и попало. Потом охранник мне рассказал, что у нее с головой давно беда, но вообще-то она тихая. Говорит, наверное, обострение. Когда все в порядке, ее от нормальной не отличишь. Правда, молчит все больше, но для женщины это даже хорошо. Вот сестра и попросила охранника ее на работу устроить, они соседи. Дочь у нее пропала, та самая Любочка. Сестра, кстати, пришла, написала заявление на отпуск, говорит, Ольге просто отдохнуть надо. А сегодня мне охранник сказал, что дворничиху убили, не у нас, в областном центре. Она вроде из дома сбежала, сестра проворонила. Сестра, само собой, теперь там, опознание и все такое...

— А с охранником можно поговорить? — спросила я.

— Конечно, — кивнул Артем. — Он в будке у въезда на парковку. Зовут Андрей.

По неведомой причине Артем очень радовался, что мы переключились на охранника.

— Иди, — сказала я Диме. — А я здесь подожду.

Дима ушел, я устроилась на диване, взяла журнал, который лежал здесь года два, не меньше, и принялась листать. Артем развил бурную деятельность, перекладывая бумаги, дважды выходил на улицу, то и дело с беспокойством поглядывая на меня. Теперь я была абсолютно уверена: самого главного он нам не сказал. Вот только я понятия не имела, что это.

Вернулся Соколов минут через двадцать, плюхнулся на диван рядом со мной, а я спросила:

— Чем порадуешь?

Он пожал плечами:

— Ничего нового. С сестрой Бережной они хоть и соседи, но не особо общаются. Она спросила, нет ли для сестры какой работы, он помог. С самой Ольгой почти не разговаривал. Но припадок его очень напугал.

— Припадок что-то спровоцировало. Или кто-то, — сказала я. — Значит, утром здесь произошло событие, о котором никто не знает или говорить не хотят.

— Или просто не обратили на него внимания.

— Понимаю, о чем ты. Ольга увидела нечто, напомнившее о ее трагедии. Похожую ситуацию или...

— Человека, — подсказал Дима, — который ей кого-то напомнил. И этот кто-то имел отношение к исчезновению ее девочки.

— Артем что-то скрывает, — помолчав немного, тихо сказала я.

— Что ж, давай останемся на ночлег, вдруг позднее он будет сговорчивее. — Не дожидаясь моего ответа, Дима прошел к стойке и заговорил с Артемом. Я тоже за ним отправилась.

— Два номера? — уточнил Артем, с сомнением глядя на нас.

— Мы работаем в солидной фирме, — усмехнулся Дима. — Можем не экономить.

— Я просто подумал... — смутился парень, а Дима засмеялся:

— Мы коллеги, а не любовники. И, кстати, очень щедро оплачиваем сведения.

— Я вам все рассказал, — торопливо произнес Артем.

— Это я на всякий случай. Вдруг что-то вспомнишь? Артем выдал нам ключи от двух номеров.

— Машину, где поставите? — заботливо поинтересовался он.

— Там ведь парковка под окнами, разве нет?

— Да, но обычно ставят на парковке перед кафе, там охрана, фонари...

— Значит, возле номера оставлять тачку не советуешь?

— Я этого не говорил. Где нравится, там и ставьте. Взяв ключи, мы отправились взглянуть на номера.

— Парень темнит, — кивнул Дима, лишь только мы вышли на улицу.

— Попытаем счастье еще раз.

У нас оказались второй и третий номера. Стоя на крылечке, я внимательно огляделась, до дороги довольно далеко, свет фонарей сюда не доходит. Стена административного здания с этой стороны без окон. Мотель строили с тем расчетом, чтобы шум от дороги постояльцам не мешал. Похвально. Видеокамер я не заметила, над каждым крылечком лампочка, я щелкнула выключателем, зажегся свет. Дима сразу прошел в свой номер, дверь оставил открытой и вскоре вновь появился на крыльце.

— Вполне прилично, — сообщил он, опираясь руками на перила и глядя на дорогу. — Душ, даже одноразовые тапочки есть. И местечко тихое. Клиент в мотель валом не валит.

— А те, кто забредают, предоставлены самим себе.

— Вот ты о чем. Идеальное место преступления? Сомневаюсь, что похищенную девушку привезли сюда, слишком рискованно: а если вдруг именно этой ночью здесь случится аншлаг?

— Что-то Ольга увидела, — упрямо повторила я.

— Мы об этом узнаем. Если парень откажется беседовать с нами, то Вадиму непременно все выложит. Он ведь мастер убеждать.

Мы дружно усмехнулись и вновь направились в административное здание. Артема наше появление совсем не обрадовало.

— Что-то не так? — спросил он.

— Все в порядке, — заверила я. — А бар у вас работает? — кивнула я в сторону барной стойки, где все это время не было ни души.

— Да, но здесь только чай и кофе, если хотите чего-то покрепче, обратитесь в кафе, могут в номер принести.

— Мы выпьем чаю, — расплылась я в улыбке.

Заметно нервничая, Артем направился к барной стойке, включил электрочайник. В этот момент хлопнула дверь, и в холле появился молодой мужчина под руку с девушкой. Пока та с любопытством оглядывалась, мужчина направился к Артему и принялся с ним шептаться. Артем, косясь в нашу сторону, дважды покачал головой. Мужчина продолжал его убеждать, но консенсуса они не достигли, потому что, выругавшись сквозь зубы, он, кивнув девушке, поспешил покинуть гостиницу. Мы с Димой понимающе переглянулись, и тут же присоединились к Артему, который в это время разливал чай. Рука его слегка дрожала.

— Устроил свой маленький бизнес? — заметил Дима. — Сдаешь номера, а выручку к себе в карман?

Чайник в руке Артема дрогнул, он поспешно поставил его и спросил зло:

— Андрюха настучал, да?

— Андрей в доле?

— Нет. Я только иногда... Пару раз в месяц. Ну, может, не пару, а раза четыре. Не наглею, чтоб хозяин ни о чем не догадался. В основном приятели заезжают, часа на два. Я всегда предупреждаю, чтоб белье не трогали, а то спалимся. Ну и туристов иногда пускаю, если собираются рано уезжать, еще до того, как все на работу выходят.

— И кто здесь был в ночь с понедельника на вторник? — спросила я. Артем вздохнул.

— Мужик. Интеллигентный. С бородкой и в очках. Я почему и струхнул, когда мне Надька сказала...

— Во сколько он здесь появился?

— Примерно в час, может, чуть позже. Говорил, что надеялся до областного центра дотянуть, но сил уже нет, глаза слипаются. Посплю, говорит, часов до шести, и поеду. Ну, я и подумал...

— Какой номер он занимал?

— Последний, двенадцатый.

— Можно на него взглянуть?

— Пожалуйста. Только там уже пять раз убирались. Мне уборщице откидывать приходится, чтоб не проболталась... Она еще сказала, что дядька аккуратный, некоторые так насвинячат...

— Его документы ты видел?

— Водительское удостоверение. Но я же в журнал ничего записывать не собирался, оттого только глазом мазнул... фамилия какая-то простая, Федотов или Федоров. Вроде так... Хотя, может, наоборот, звать Федором... не запомнил. Я бы сказал, честно...

— И номер машины...

— И номер машины не помню, — покаянно произнес он. — Сами подумайте, зачем мне номер?

— Где он машину оставил?

— На той парковке, что под окном его комнаты, чтоб Андрюха не видел.

— Описать этого типа сможешь?

— Мужик как мужик. Ничего запоминающегося. Волосы вроде длинные, в шляпе, белая такая, с дырочками. Бородка клинышком, очки немного затемненные. Такой вежливый, видно, что интеллигент. Еще спросил, нет ли книжки какой, почитать. После дороги, говорит, сразу не усну. Я сказал, телевизор в номере есть, правда, показывает четыре программы. Телевизоры не во всех номерах. Он сказал телевизор без надобности и выбрал двенадцатый номер, от дороги подальше. Хотя ночью движения почти нет. Короче, обычный мужик.

— А возраст?

— Лет шестьдесят, может и больше. Волосы седые. И борода. Безобидный такой дядька. Я от него худого не ждал.

— Но что-то произошло? — спросила я.

— Нет, — покачал он головой. — Все нормально было. В половине седьмого он уехал. — Артем отвел взгляд, а я попросила:

— Рассказывай.

— Да я вам говорю... — всплеснул он руками, но под моим взглядом быстро сник.

— Дружок ко мне заезжал. Они тут неподалеку гонки устраивали. Вышли покурить. Он уехал, а я пройтись решил, в сон клонило, в общем, я до двенадцатого номера дошел и слышу, кто-то разговаривает. Сначала подумал, телевизор работает, но вспомнил, что телика там нет.

— Сколько голосов слышал? Женские, мужские?

— Два, наверное. Мужские. Вроде отношения выясняли, но точно не скажу. Говорили довольно громко, так что я на улице слышал, но слов не разобрать. Я удивился, что мужик не один, но дело не мое. Обошел мотель, тачка его под окном стояла. Вернулся сюда, ну а утром беспокоиться начал. Вдруг мужик проспит? Хозяин явится, а у меня в журнале пусто. Хозяин может и в семь явиться. Ну и пошел взглянуть. А этот как раз мне навстречу, ключ несет. Сел в машину и поехал. Я машинально на номера посмотрел, а они грязью замазаны, и вся машина в грязи. Понимаете?

— А когда ты видел ее в первый раз, грязной она не была?

— У мужика свет в окне горел, и машину я видел хорошо. Темно-синий «Рено», чистотой не блистал, но комьев грязи, как утром, точно не было.

— То есть под утро он куда-то уезжал? — спросил Дима.

— А как еще? Разговор я слышал часа в два ночи. А после этого дождь пошел. Под утро вообще ветер поднялся, ураган, короче. Дорога, что в лес ведет, песчаная, там такой грязи не бывает даже осенью, где-то он в другом месте лазил.

— И ты не рассказал об этом в полиции, хотя знал, что девушка пропала?

— Она-то здесь при чем? — обиделся Артем. — Никакой девушки тут точно не было.

— А когда бородатый уезжал, Бережная уже находилась на работе?

— Ну да. Она всегда ни свет ни заря приходит.

— И мужчину видела?

— Откуда мне знать? Припадок начался позднее, хотя... минут пятнадцать прошло, наверное. Вы в полиции все расскажете? — нахмурился он.

— Мы с ними скорее конкуренты, — усмехнулся Дима. — Но я бы на твоем месте сам все рассказал.

— Ага, расскажу и работы лишусь.

— Дело твое.

— Я знаю, куда он ездил, — когда мы вышли из здания, сказала я.

— К бывшей ракетной точке?

— Думаю, туда он проехал нормально, а когда возвращался, порывом ветра опрокинуло дерево на дорогу. Ему пришлось его объезжать и помучиться.

— А зачем он туда отправился, ты тоже знаешь?

— Догадаться нетрудно.

— И кого мы там найдем, если хорошо поищем? Егора?

— Найдем, тогда и узнаем, — вздохнула я. — Джокеру будешь звонить?

— Конечно. У нас правило, о своих намерениях сообщи товарищам, чтобы знали, где искать в случае чего.

— Спокойной ночи. Разбужу тебя пораньше.

— Придется ждать открытия магазинов, чтобы пилу купить. Дерево вряд ли убрали, и на твоей машине мы не проедем.

— Тогда спим до девяти, — махнула я рукой на прощание, вошла в номер и включила свет.

Комната совсем маленькая, кровать, тумбочка, возле окна кресло и телевизор на кронштейне. В углу стол и телефон на нем. Рядом ламинированный листок бумаги с номерами телефонов администрации, кафе и охраны парковки. Телефон предназначался исключительно для внутреннего пользования. Я села в кресло, прислушиваясь к шагам Димы за стеной. Усталость пришла мгновенно, надо бы принять душ, но сил на это не было.

Я перебралась на кровать, повалилась поверх покрывала, достала подушку и увидела, что она без наволочки. Поднявшись с большой неохотой, я сняла покрывало и убедилась: кровать не застелена. Чертыхнувшись, подошла к телефону и набрала цифру один. Артем ответил незамедлительно.

— Я извиняюсь, но здесь нет постельного белья.

Теперь он чертыхнулся, тихо, но вполне отчетливо.

— Горничная уже ушла, знаете что, если вы не против, переселяйтесь в двенадцатый номер. Ваш ключ подходит. Там точно все в порядке.

Предложение я охотно приняла, вспомнив, что в двенадцатом номере ночевал интеллигент с бородкой. Застелила постель покрывалом, взяла свою сумку и ключ. Заперла за собой дверь и постучала в соседний номер. Дима стоял на пороге босиком, на голой груди капельки воды после душа, волосы влажные. Он вроде бы удивился, обнаружив меня, но тут же широко улыбнулся.

— Проходи.

— Я только предупредить, что переселяюсь. В двенадцатый номер.

— Ожидаешь озарения? — спросил он серьезно.

— Нет. В моей комнате постель не заправлена. Спокойной ночи.

Я припустилась к двенадцатому номеру, чувствуя, что Дима смотрит мне вслед.

Комната ничем не отличалась от предыдущей, только телевизора здесь не было. Решив, что если снова устроюсь на кровати, то наверняка засну, я тут же отправилась в ванную, крошечную каморку с маленьким окном. Сюда умудрились втиснуть душевую кабину с расшатанной дверцей, унитаз и раковину. Оставшегося места едва хватало, чтобы раздеться.

Постояв под душем, я вспомнила о зубной щетке, которую сразу не догадалась купить в магазинчике, что находится в административном здании. Вряд ли он еще работает. Да и возвращаться туда просто лень. Прихватив полотенце, я прошла в комнату, села в кресло, закрыла глаза и постаралась освободиться от мыслей. Концентрируемся на дыхании. Вдох-выдох... Иногда удавалось что-то почувствовать, реже — даже увидеть. Смутные тени, эхо чужих разговоров. Почти сразу пришло ощущение беды, воздух вдруг показался тяжелым, а еще был отчетливый запах гари. Здесь что-то жгли? Одно несомненно: в этом месте произошло нечто очень скверное. Преступление. Убийство? Чужой испуг, боль, ужас... К этому примешивались тоска, раздражение, злость...

Тут я поняла: в комнате ночевали разные люди, и каждый оставил свой след. А воздух, казалось, становится все тяжелее, насыщеннее, и я подумала, что вряд ли смогу здесь уснуть. Распахнула окно и полной грудью вдохнула вечернюю прохладу. Легла в кровать, закуталась в одеяло, но вскоре мне опять пришлось подняться: надоедливо жужжал комар, москитной сетки на окне не было, наверное, решили сэкономить. Захлопнув окно, я накрыла голову подушкой. По спине вдруг пробежал холодок, словно кто-то стоял в глубине комнаты и таращился на меня. Не один, не двое. Множество глаз. «Кошмарное место, — с тоской подумала я. — И они еще удивляются, что постояльцев мало». Я бы точно ночевать здесь не стала.

Отбросив в сторону одеяло, я села, потерла лицо руками, а потом потянулась к мобильному. Дима ответил после второго звонка.

— Не могу уснуть, — пожаловалась я.

— Я сейчас приду, — голос хрипловатый.

«Наверняка спал человек...» — виновато подумала я, поспешно одеваясь. Извинюсь и предложу перебраться в гостиницу в Решетове. Или еще проще: уеду одна, завтра вернусь за Димой. В этот момент в дверь постучали. Распахнув ее, я увидела Соколова с бутылкой шампанского под мышкой.

— Лучшее средство от бессонницы, — сказал он с улыбкой, а я почувствовала неловкость, должно быть, он решил, что я рассчитываю на ночь любви. Может, так и есть?

— Стаканы здесь найдутся? — с преувеличенной бодростью спросила я и засновала по комнате, успев забыть о своем намерении ехать в Решетов.

— Будем пить по-гусарски, из горлышка, — засмеялся Дима, пробка полетела вверх, я едва успела подставить два стакана, мы подождали, когда осядет пена, и наполнили их до краев. — За что пьем? — спросил Дима, поставив бутылку на стол, я протянула ему стакан и ответила:

— За то, чтобы найти всех злодеев.

— Всех не найдешь. Никакой жизни не хватит. Давай лучше за нас с тобой.

— Хорошо, — ответила я, не зная, как следует отнестись к его словам.

Мы выпили по глотку, а потом Дима взял стакан из моих рук и вместе со своим поставил на стол. А потом обнял меня. И поцеловал. Я вдруг испугалась, до паники, и отступила назад, но он вновь привлек меня к груди, и стало неважно, почему он это делает и почему это делаю я. Все перестало иметь значение, кроме его и моего желания, и чувство было такое, что вот-вот откроется что-то важное, значительное, что навсегда изменит нашу жизнь.

Ноздри щекотал легкий солоноватый запах, аромат любивших друг друга тел. Я подумала, окно все-таки придется открыть, и приподнялась. Дима, лежавший рядом, пошевелился и спросил тихо:

— Ты куда?

— Хотела открыть окно.

— Я сам открою.

Но вместо этого обнял меня, и моя голова оказалась на его груди. Я слушала, как бьется его сердце, и улыбнулась, целуя его плечо. Мы молчали, глядя в темноту, все было так спокойно, умиротворяюще, точно мы шли к этому мигу всю жизнь, и счастье вдруг лишило нас сил. Просто лежать, обнявшись, и смотреть в темноту.

— Ты очень красивая, — шепнул Дима, и голос его тихий, хрипловатый, словно напитался ночным сумраком.

А потом все вдруг в один момент рухнуло, и на смену умиротворению пришла тревога. Я покосилась на дверь, ожидая, что сейчас, в эту секунду кто-то войдет. Я знала, что это невозможно, дверь заперта, но это чувство не отпускало. Дима, вероятно, задремал, дыхание ровное, едва ощутимое, мне было жаль его беспокоить и вместе с тем хотелось встать и проверить дверь.

Некоторое время я лежала, борясь с этим желанием, но оно становилось все настойчивее, а тревога росла, крепла, едва слышный колокол теперь гремел набатом, заставляя меня покинуть постель. Я поднялась, а Дима, что-то бормоча, повернулся на другой бок. Проверив дверь, я подошла к окну приподняла занавеску. Над кромкой леса плавала луна, освещая пустую площадку по эту сторону мотеля. Свою машину я оставила на общей стоянке перед кафе. В картине за окном не было ничего такого, что могло бы насторожить, но тревога не проходила. Я посмотрела на Диму и даже подумала, не разбудить ли его? Уехать из этого места...

Я собралась позвать его, когда за окном мелькнула тень. В первую секунду я решила: это обман зрения, но сомнения вскоре меня оставили. Двое мужчин вышли из темноты, у одного из них в руках была канистра. Я не сразу поняла, что они делают, догадка пришла через мгновение. Скользнув к кровати, я потрясла Диму за плечо, он открыл глаза, а я приложила палец к губам и зашептала ему в ухо:

— Двое с канистрой возле наших номеров.

— Каких номеров? — Тут он вспомнил, где мы находимся, поднялся, подошел к окну и осторожно выглянул. — Никого не вижу.

Теперь мужчин и я не видела, но не сомневалась, они где-то здесь.

— Где ключ? Посмотрю с другой стороны.

— Тебя могут заметить. Пока они думают, что мы занимаем второй и третий номера, мы в относительной безопасности.

— Если не идиоты, быстро поймут, что нас там нет, — возразил Дима. — И проверят остальные номера. Одевайся, чем скорее мы уберемся отсюда, тем лучше.

Дважды повторять не пришлось, через несколько минут мы были уже готовы, Дима приоткрыл дверь и осторожно выглянул наружу.

— Бегом в лес, — шепнул он и легонько подтолкнул меня в плечо. — Как только окажешься там, звони в полицию. Давай.

До ближайших кустов было всего с десяток метров. Пригнувшись, я бросилась туда, повалилась в траву и только после этого решилась взглянуть, что происходит в мотеле. Внутренний двор был пуст, и я вздохнула с облегчением. Дима запер дверь и сбежал с крыльца, в этот момент из-за угла с той стороны здания появился мужчина, одетый во все черное. Я едва не заорала от ужаса, уверенная, что Диму он заметит, но тот рухнул на землю, должно быть за секунду до мгновения, когда мог попасть в поле зрения убийцы. В намерениях этого типа я теперь не сомневалась. Он приблизился к номерам, которые должны были занимать мы, в руках его вспыхнула зажигалка, сверкнула в темноте огненной дугой, когда он бросил ее в сторону здания, стена тут же полыхнула, озарив ночное небо яркой вспышкой. Судя по зареву, мотель подожгли с двух сторон одновременно. Вряд ли у нас были шансы спастись, и окно и дверь заблокировал огонь. Я попыталась разглядеть мужчину, но лицо его скрывала маска с прорезями для рта и глаз.

Однако куда больше меня беспокоило, где Дима. Пожар разгорался, и в всполохах огня разглядеть беглеца будет нетрудно. В этот момент из-за угла появились еще двое типов и заспешили к лесу, должно быть, где-то там они спрятали машину. А что, если они столкнутся с Димой? И тут совершенно неожиданно он оказался рядом.

— Лена, — услышала я настойчивый шепот, повернула голову и увидела темную тень, появившуюся из-за куста.

— Я здесь, — ответила пересохшими губами, вместо голоса едва слышимое шипение. Дима лег рядом, прижимая меня к себе. Топот ног, но довольно далеко от того места, где мы находились, шум ветвей, которые бились о тела бегущих, и внезапная тишина.

— В полицию звонила? — спросил Дима.

— Не успела.

— Может, и к лучшему. Надо сообщить обо всем Джокеру.

Он набрал номер, Максимильян ответил сразу, как будто держал мобильный в руке, ожидая нашего звонка. По-военному четко и быстро Дима рассказал, что с нами произошло.

— Как Девушка? — спросил Максимильян.

— Нормально. Немного напугана, но держится молодцом. Если б не она... В общем, вполне вероятно, что сегодня ты бы лишился друга.

— Сомневаюсь, что с тобой так просто справиться, — засмеялся Максимильян.

Я слышала его слова, потому что мобильный был совсем рядом с моим ухом. На самом деле меня не очень-то занимал их разговор, а вот быть поближе к Диме хотелось, а еще хотелось обнять его, убедиться, что жив-здоров, как будто на расстоянии у меня все еще остаются сомнения.

— Ты спасла нам жизнь, — сказал он с улыбкой и меня поцеловал. Слава богу, в этом поцелуе страсти было куда больше, чем благодарности. А я подумала, когда смерть проходит мимо, едва разминувшись с тобой, хочется заняться любовью назло ей. Однако мысль о том, что трое типов, устроивших пожар, по-прежнему где-то рядом (хотя я считала, они уже успели уехать), так вот, эта мысль заставила подумать о собственной безопасности.

— Идем. — Дима взял меня за руку, и мы направились к мотелю.

К тому моменту там уже собралась толпа. Дальнобойщики, служащие отеля напротив и просто зеваки, проезжавшие мимо.

— Пожарных вызвали? — спросил Дима стоявшего рядом мужчину.

— Само собой, — ответил тот и добавил: — И пожарную. И «Скорую».

— А «Скорую» зачем?

— Парню, что здесь работал, голову проломили. Вот уроды... Из-за бабла на все готовы. С конкурентами не церемонятся.

— Вы думаете, это конкуренты постарались?

— А кто еще? Помешал им мотель, взяли и сожгли.

— Оставайся здесь, — шепнул мне Дима, я кивнула, а он быстро выбрался из толпы, о его намерениях я не догадывалась, но надеялась, что он не очень рискует.

Ночной воздух разорвали звуки сирен, и на шоссе, ведущем из города, появились пожарные машины.

— Наконец-то, — недовольно буркнул кто-то.

Машины свернули во двор, а вслед за ними появились полицейские и «Скорая». На носилках вынесли Артема, он был без сознания. Я пробилась сквозь толпу к врачу и спросила, как обстоят дела. Он только плечами пожал. На душе кошки скребли, потому что я прекрасно понимала: своим несчастьем Артем обязан нам.

Дима долго не возвращался, и я начала беспокоиться, вертела головой, высматривая его. Наконец, он появился, вывернул из-за угла административного здания.

— Где ты был? — спросила я.

— По дороге расскажу. Мы уезжаем.

— Шутишь? — нахмурилась я. — Полицейские захотят поговорить с нами.

— Надеюсь, что нет. Идем, — позвал он настойчиво.

Мою машину, стоявшую на парковке неподалеку от кафе, блокировал чей-то «Опель». Дима сам сел за руль, перемахнул через довольно высокий бордюр, и мы смогли выехать на шоссе.

— Артем решил на нас подзаработать, — сообщил он. — Я проверил, в журнале никаких данных. Ключи от номеров я повесил на место. Версию о происках конкурентов ничто не нарушит.

— А сам Артем?

— Он без сознания, ударили по голове сзади, нападавших он мог и не видеть. Уверен, они его не допрашивали, иначе бы знали о двенадцатом номере. Вырубили парня и проверили ключи. Отсутствовали только два. Записей в журнале никаких.

— А если бы один из номеров занимал еще кто-то? Не имеющий к нам отношение?

— Вряд ли это особенно их заботило. Надеюсь, с Артемом все будет в порядке. Однако сомневаюсь, что в ближайшее время он сможет дать показания. А когда сможет, сомнительно, что расскажет о нас, тогда неприятностей ему не избежать.

— А если парень решит: это мы на него напали и сожгли мотель?

— Надеюсь, ничего подобное не придет ему в голову.

— Надейся, потому что найти нас будет легче легкого.

— По опыту знаю: людей куда больше заботит собственное благополучие, чем желание помочь следствию.

Вот тогда я и обратила внимание на машину, которая двигалась за нами, то есть огни фар мы заметили уже давно, но они вдруг начали быстро приближаться. Салон озарило ярким светом, а в следующий момент грохнул выстрел. Никогда ранее слышать выстрелов мне не доводилось, однако догадка не заставила себя ждать.

— Ложись, — крикнул Дима, но я немного замешкалась, отстегивая ремень безопасности. Пуля пробила заднее, потом лобовое стекло, просвистев так близко от моей головы, что, кажется, задела волосы. Следующая впилась в сиденье Димы, и оно чмокнуло, как боксерская груша под ударом руки в перчатке. Я сползла вниз, обхватив голову руками. Машину кидало из стороны в сторону, а стрельба не прекращалась. Время тянулось бесконечно медленно, секунды растягивались в минуты, а я вздрагивала от каждого нового выстрела. И очень боялась за Диму. В отличие от меня он не мог укрыться и рисковал куда больше.

«Форд» в очередной раз занесло, Дима выругался сквозь зубы, с трудом удерживая его на дороге, а я, несмотря на его протесты, приподняла голову. Нас прижимали к обочине, машина преследователей вырвалась вперед, преграждая нам путь, а я зажмурилась, выхода у Димы не было, либо тормозить и останавливаться, либо лететь в кювет. И то и другое, скорее всего, закончится плачевно.

Когда я уже перестала надеяться на удачу, впереди сверкнули фары и надежда появилась вновь, вряд ли при свидетелях преследователи буду вести себя так нахально, хотя особой боязни я у них до сих пор не замечала. И все же стрелять прекратили, уже хорошо. Дима затормозил, едва не влетев в бампер «Жигулей», из которых вели охоту, но враги не спешили их покинуть и разделаться с нами, а потом и вовсе началось что-то непонятное. Машина, чьи фары мы заметили, вдруг выскочила на встречку, в тот же момент «Жигули» сорвались с места и рванули вперед, они чудом разминулись. А я поняла, что это машина Вадима, то есть, скорее, догадалась, увидев черный «Ленд Крузер».

Я была уверена, Воин бросится в погоню за «Жигулями», но он пожелал убедиться, что с нами все в порядке. Затормозил рядом, открылось окно, и Максимильян крикнул:

— Целы?

«Выходит, и Бергман здесь», — подумала я. Услышав ответ Димы, они развернулись, вознамерившись догнать стрелявших в нас типов, мы поехали за ними, стараясь не отставать.

Погоня вышла исключительно короткой. Вскоре мы увидели брошенные посреди дороги «Жигули» с открытыми дверцами. Дорога здесь делала резкий поворот, вокруг темной стеной возвышался лес. Наши враги рассудили, что от «Ленд Крузера» на их машине не уйти, и предпочли скрыться в лесу. Искать их там ночью дело безнадежное, а, учитывая, что они вооружены, еще и очень опасное.

Мы прижались к обочине, Максимильян и Вадим направились к «Жигулям», не спеша осмотрели машину. Вряд ли этот осмотр что-либо дал. Я откинула голову на подголовник сиденья и закрыла глаза. Дима решил присоединиться к друзьям, а у меня было лишь одно желание: поскорее уснуть.

По стеклу постучали, я поспешно открыла окно. Рядом стоял Максимильян и смотрел на меня с беспокойством.

— Здорово досталось? — спросил он, а я головой покачала.

— Здорово испугалась. Наверное, я не гожусь в сыщики.

— Еще как годишься, — усмехнулся он и добавил мягче: — Потерпи, скоро будем дома.

— Я хочу осмотреть дорогу к старому карьеру, — взглянув на часы, сказала я. — Скоро рассветет.

— Хорошо, — кивнул он, но уходить вроде бы не собирался.

— По номеру «Жигулей» легко установить владельца, — заметила я.

— Машину наверняка угнали.

— Получается, все наши усилия впустую?

— Так не бывает, — засмеялся он. — Иногда победа складывается из множества маленьких поражений.

— Никогда о таком не слышала.

— Впереди еще много открытий...

Прозвучало это слегка двусмысленно. Он махнул мне рукой и направился к «Ленд Крузеру», возле которого стояли Вадим и Дмитрий. Дима вскоре вернулся ко мне.

— Ты считаешь, от этого может быть польза? — заведя мотор, спросил он, и, видя, как я нахмурилась, пытаясь понять, о чем речь, пояснил: — Я об этой дороге.

— Мы ведь все равно собирались это сделать, — уклончиво ответила я.

— Лично я завалился бы спать.

— Я тоже. Но тогда придется возвращаться сюда.

— Хорошо. Джокер сказал, к твоим словам стоит прислушаться.

— А ты так не считаешь?

Он покачал головой:

— Еще как считаю. Эй, а ты уже видишь меня насквозь?

— Есть что скрывать? — в тон ему задала я вопрос.

— Да вроде нет... Хотя... я влюбился в одну девчонку, стоит это держать в секрете?

— Другим помалкивай, а ей обязательно скажи.

— А вдруг она ответит, что я ей совсем не нравлюсь?

— Уверена, все девушки в тебя влюбляются.

— Она особенная.

— Очень красивая?

— Да. Но не только. Она видит людей насквозь.

— Ужас. Ей не позавидуешь.

— А мне-то каково?

Мы дружно засмеялись, и в тот момент я была абсолютно счастлива.

...Шея затекла от неудобной позы, я открыла глаза, в первое мгновение не до конца понимая, где нахожусь. Моя машина... Мы свернули на дорогу, ведущую в карьер, и остановились здесь, чтобы дождаться рассвета. Я устроилась на заднем сиденье и вскоре уснула, вконец измотанная событиями этой ночи. Позевывая, я терла шею рукой и смотрела в окно. Рассвет только-только занимался, кусты вдоль дороги окутывал туман. Я приоткрыла окно, чтобы впустить свежий воздух, и увидела, что Дима вместе с Максимильяном и Вадимом стоят совсем рядом, привалившись к «Ленд Крузеру». Вадим курил и, не глядя на Дмитрия, произнес сердито:

— Может, объяснишь, с какой стати ты среди ночи оказался в ее номере?

— А ты догадайся, — хмыкнул Дима, я нахмурилась и начала прислушиваться к разговору.

— Забыл, что сказал Джокер?

— Помню.

— Тогда какого черта?

— В конце концов, это не твое дело.

— Вот тут ты ошибаешься. Это наше дело.

— Иди ты... — не выдержал Дима.

Тут заговорил Максимильян:

— Что было, то было. И этого не исправишь. Посмотрим, куда нас это приведет. Пора работой заняться. — Он посмотрел в мою сторону и улыбнулся: — Тем более что наша Девушка проснулась.

Он направился к моей машине, а я распахнула дверь и выбралась наружу.

Туман придавал обыденным предметам какой-то фантастический вид.

— Отдохнула? — спросил Максимильян, снял очки и взглянул на меня. Холодный огонь его глаз был далеко не так дружелюбен, как мягкий тон. Темное пламя манило, затягивало, заставляя путаться мысли.

«Он гипнотизер», — вдруг подумала я и поспешно отвернулась, зябко ежась. Утро выдалось холодным.

— Если включим фары, я смогу приступить, — крикнул Вадим, направляясь к нам, подмигнул мне весело и добавил: — Рад, что с тобой все в порядке.

Дима точно нехотя открыл багажник «Ленд Крузера», достал оттуда бензопилу, передал ее Воину, потом включил фары. Максимильян привалился к крылу моей машины, как видно решив, что с поваленным деревом справятся и без него. О препятствии на дороге и нашем желании проверить карьер Дима сообщил Максимильяну еще до ночных приключений, вот Вадим и позаботился о том, чтобы явиться сюда не с пустыми руками.

Пила заработала, и ее звук, визгливый и резкий, вызвал странные ассоциации. Вдруг показалось, что рядом кто-то плачет. Я повернула голову и впереди у кромки леса увидела девушку с распущенными по плечам волосами. В них набилась земля, и теперь они не казались светлыми, лицо и руки тоже были в грязи. Она мало походила на девчонку с фотографии. Смерть не делает человека ни старше, ни моложе, ни даже спокойнее. Смерть опустошает. Она превращает тело в неодушевленный предмет. И оно, словно дом, навсегда покинутый обитателями, медленно разрушается в одиночестве и становится прахом. Девушка махнула мне рукой, предлагая следовать за ней, а потом я услышала голос:

— Колодец возле шлагбаума, бетонные блоки...

— Что? — нахмурившись, спросил Дима, а я вздрогнула от неожиданности.

Упавшее дерево успели распилить и растащили в разные стороны. Дима стоял рядом со мной, а до меня, наконец, дошло, что последние слова девушки я повторила вслух.

— Искать тело надо в канализационном колодце, — сказала я, Джокер согласно кивнул, взгляд его был устремлен туда, где еще секунду назад я видела девушку.

— Нам лучше идти пешком, — произнес он. — Я успел посмотреть карту, до шлагбаума совсем недалеко.

И сердце ухнуло вниз, он сказал «шлагбаум», а я говорила только о колодце. Из тумана вновь возник силуэт девушки, она нетерпеливо махнула рукой, точно досадуя на нашу медлительность.

— Ты ее видишь? — спросила я Максимильяна, он усмехнулся.

— Может, кто-нибудь объяснит дурню вроде меня что происходит? — подал голос Вадим.

— Мы не зря тратили время, друг мой, — засмеялся Максимильян, обнимая его за плечи. — Нашей Девушке было откровение. Убиенная указала место, где ее искать.

— Без дураков? — нахмурился Вадим. — Ты, типа, с ней разговаривала?

— Вон она стоит, — хмыкнула я, ткнув пальцем в фигуру возле кустов.

Он долго вглядывался, потом спросил с обидой:

— Издеваешься?

— Это легко проверить, — пожал плечами Максимильян. — Идемте.

И мы пошли, оставив машины, хотя дорога вполне позволяла проехать, рытвин и ухабов сколько угодно, но в здешних краях встречаются места и похуже. Девушку я больше не видела, но облегчения от этого не почувствовала. Ее присутствие все равно угадывалось, она наблюдала за нами, возможно, находясь даже ближе, чем я думала.

Очень скоро мы увидели бетонный забор. Впереди показалась будка с выбитыми стеклами, дверь вырвали, железо с крыши содрали. Тут же были остатки шлагбаума: два металлических столба, так прочно вмурованных, что вытащить их и сдать в металлолом не смогли.

— Ну и местечко, — оглядываясь, сказал Вадим. — Просто мороз по коже.

— И где искать этот колодец? — спросил Дмитрий.

— Где-то слева, — ответила я. — Под бетонными блоками.

Вадим сошел с дороги, через пару метров остановился, присвистнул и взглянул на меня с уважением.

— Кто-нибудь помогите мне, — сказал он.

Вместе с мужчинами я направилась к нему. В траве два бетонных блока едва были видны, вокруг заросли иван-чая, поднимавшиеся выше моей груди. Блоки были небольшие, и не такие уж тяжелые, несмотря на просьбу о помощи, Вадим сдвинул их один и открыл люк. От резкого запаха мы дружно отступили в сторону, прикрывая ладонями лица.

— Лезть туда, конечно, мне, — проворчал Вадим, заглядывая в колодец, чертыхнулся и спросил: — Платок у кого-нибудь найдется?

Максимильян протянул ему платок из тончайшего батиста с вышитой монограммой. Волошин презрительно фыркнул, снял пиджак, перебросил его Диме, потом стащил футболку и замотал ею рот и нос, и теперь походил на чокнутого хирурга из фильма ужасов.

Он начал медленно спускаться в колодец, вскоре голова его исчезла под землей, но довольно быстро мы увидели его вновь. Он выбрался из колодца, стащил импровизированную маску и сделал несколько глубоких вдохов.

— Ну? — поторопил Дима.

— Гну, — передразнил Волошин. — Сам слазить не хочешь? Короче, мы имеем целое кладбище.

Он достал из кармана айфон и протянул нам, вызвав на экран фотографию.

— Два относительно свежих трупа, верхний — сто процентов Егор Басов. На шее характерный след, парня задушили. Второй труп — девчонка. Та самая Ксения Мельникова, описание одежды соответствует. Переворачивать их я не стал, чтоб не вводить ментов в смущение. Под ними еще труп, могу сказать одно: она была блондинкой. Не удивлюсь, если там их окажется даже больше. Звоним ментам и сматываемся?

— Только в обратной последовательности, — ответил Максимильян. — Сматываемся и звоним ментам.

— Мне и это подходит, — натягивая футболку, сказал Вадим.

Мужчины закрыли крышку колодца и даже вернули блоки на место, после чего направились к машинам.

— Я так понимаю, у нас маньяк, который охотится на блондинок, — шагая рядом со мной, заметил Дима.

— Повезло, — кивнул Вадим. — Плюнуть некуда, чтоб не попасть в маньяка. И хоть бы раз встретить психа, который мочил бы не девиц, а чиновников-крючкотворов. Вот бы облегчил жизнь человечеству. Я б его даже ловить не стал, а помогал в меру сил.

— Чем тебе чиновники не угодили? — серьезно спросил Максимильян.

— Потом расскажу. У нас маньяк, вы поняли? Терпеть не могу маньяков. У меня от них изжога.

— Маньяк, который безнаказанно убивает уже восемь лет? — сказала я.

А Вадим кивнул:

— Вот-вот. Интересно, где сейчас это серийное приключение на мою задницу? По статистике, на поимку одного психа уходит пять лет. Может, тебе духи подскажут, где этот гад окопался?

— Может, подскажут, — буркнула я.

— На самом деле я впечатлен. Мы б там замучились все обшаривать, и не факт, что колодец заметили бы. А с тобой потратили пять минут. Джокер, предлагаю бабло делить на четверых, девчонка заслужила.

Добравшись до машин, мы вновь разделились, Дима поехал со мной, а Максимильян отправился с Вадимом. Они двигались следом, из вида нас не теряя. Возле автозаправки сделали короткую остановку. Максимильян сообщил в полицию о находке, позвонив по телефону-автомату и не называя своего имени.

А через полчаса мы были уже в доме Бергмана, в его кабинете.

— Ситуация не простая, — заявил он, устраиваясь в кресле. — Давайте подумаем, кем могут быть напавшие на вас люди и как они связаны с убийством Егора.

— Вот-вот, — сказал Вадим. — Насколько мне известно, маньяки не сбиваются в стаи. Сколько человек было в мотеле? — повернулся он ко мне.

— Я видела троих.

Дима согласно кивнул, а Вадим хмыкнул:

— И все маньяки?

— Егор искал исчезнувшую сестру, — заговорил Максимильян. — Это факт. По какой причине он оказался в Решетове, мы не знаем, но можем предположить: собирался поговорить с Бережной и стал свидетелем похищения, а может, и убийства Ксении Мельниковой. И тоже погиб. На то, что обоих убил один и тот же человек, указывает местонахождение трупов, а наличие там еще одного тела предполагает, что мы имеем дело с серийным убийцей. Я вполне допустил бы мысль, что смерть Егора случайна, как и гибель его младшей сестры, он — тот самый ненужный свидетель. Но... — тут Максимильян сделал паузу, — само его присутствие в Решетове говорит об обратном. Он отправился туда, вместо того чтобы улететь за границу, как настаивал отец, о своих планах ничего ему не сообщив. Отправился на чужой машине, потому что его собственная чересчур заметна. Вывод?

— Парень вышел на след маньяка, — кивнул Вадим. — Как, не спрашивайте, понятия не имею. Он за ним следил, но был неосторожен и в результате оказался в колодце.

— Из подозреваемых у нас интеллигентного вида мужчина лет шестидесяти на «Рено» темно-синего цвета, который мог подобрать девушку неподалеку от заправки. Егор это видел и отправился за ним. Итог нам известен.

— Ты забыл про Бережную, — впервые вмешался в разговор Дима. — Она тоже что-то видела?

— Выходит, так... — пожал Вадим плечами.

— Несчастная догадывалась, кто был убийцей ее дочери, и в то утро столкнулась с ним, — сказала я.

— Догадывалась? А чего тогда молчала? У тетки с мозгами проблемы и приступ мог спровоцировать любой пустяк. Я разговаривал с ее сестрой. В понедельник вечером Бережная была дома. Спать, как всегда, легла рано. Живут они с сестрой в одной комнате, и на ее уход та бы внимание обратила. Утром Ольга ушла на работу, откуда вскоре позвонили и рассказали о припадке. До приезда «Скорой» Бережная сбежала, сестра нашла ее на вокзале и привела домой, врач приехал, вколол успокоительное, но держать ее в больнице счел излишним. Вера Павловна малость отвлеклась, и наша чокнутая опять сбежала. Выяснив, что она здесь, в городе, сестрица успокоилась. Говорит, опасности Бережная не представляла. На мой вопрос, почему вдруг случился припадок, заявила: такое, мол, не редкость, Ольга жила в двух мирах, реальном и выдуманном, часто их путала. По мне, так тетка малость темнит. Может, ей стыдно, что сестру без присмотра оставила, а может, причина в другом. Но стояла насмерть: ничего не знаю, и прочее в том же духе.

— Если никаких подозрений у Бережной не было, — вновь заговорил Максимильян, — и опасности она, таким образом, не представляла, с какой стати кому-то следить за ней, а потом и за нашей Девушкой.

— Какой-то информацией она все-таки располагала, — сказала я. — И, по их мнению, могла сообщить мне.

— После чего и ты, и Поэт оказались в числе тех, от кого стоило избавиться. Прибавьте раннюю кончину Туманова, и встречу того самого интеллигента с бородкой в мотеле с неизвестным: их разговор на повышенных тонах слышал Артем. И очень грязную машину, на которую Артем тоже внимание обратил.

— Допустим, с тачкой ясно, — кивнул Вадим. — По грязи пришлось лезть, когда прятал трупы. Но с кем маньяк разговаривал, если бородач наш маньяк? И зачем ему убивать Туманова, а вместе с ним наших Девушку с Поэтом? История чересчур заковыристая.

— А если мы имеем две истории? — вмешалась я. — Есть маньяк, а есть конкуренты Басова, которые разыгрывают свою карту, используя все того же маньяка.

— И Егора на самом деле убили они, после чего бросили в колодец, который оказался тайником серийного психа? — фыркнул Вадим.

— Гениально, — сказал Максимильян, трижды хлопнув в ладоши.

— Рад, что тебе понравилось. А между тем, — продолжил Воин, — теперь у Басова нет наследников, не считая сестры, которая старше его. Здоровье подорвано лишениями, и если он скончается, например, на днях, кому отойдет прибыльный бизнес? Старухе, у которой отнять его — раз плюнуть.

— В этом что-то есть, — кивнул Дима, он, как обычно, больше слушал, чем говорил.

— Вдруг все-таки есть тайный наследник? — сказала я.

— Тогда он слишком глубоко законспирирован, — усмехнулся Бергман. — Дима, займись этим. И ты, конечно, тоже, — повернулся он к Воину. — Что ж, будем искать интеллигентного дядю на «Рено». Если он тот самый маньяк, значит, был в Решетове, по крайней мере дважды, раз в колодце две блондинки. А если он там был...

— Значит, его кто-то видел, — в два голоса закончили Вадим и Дмитрий.

— И еще, — вздохнул Максимильян. — Расследование оказалось куда опаснее, чем я предполагал вначале. Чтобы зря не рисковать, предлагаю на время перебраться ко мне. Это в первую очередь касается Девушки. Дима, проводи ее, пусть соберет вещи, а я распоряжусь, чтобы комнаты подготовили.

— Ну уж нет, — выставив вперед руки, сказал Воин. — У меня в твоем доме видения, точно у курильщика опиума. Это похуже любых врагов.

— Я, пожалуй, тоже у себя останусь, — кивнул Дима и добавил, глядя на меня: — А Лене, конечно, лучше переехать сюда.

«А почему не к тебе? — очень хотелось задать вопрос. — И в моей квартире для тебя место бы точно нашлось». Но я промолчала.

— Отлично, — сказал Максимильян, поднимаясь. — Вы оба знаете, чем заняться, Девушка отдохнет, а я отправлюсь к Басову. Придется сообщить ему о гибели сына лично, хотя я предпочел бы смс.

По дороге к моему дому Дима сидел сзади, уткнувшись в компьютер. Если он был моей охраной, то самой оригинальной. Оказавшись в квартире, я быстро собрала вещи в спортивную сумку, ожидая, что он хоть что-то скажет. Дима молчал, я не выдержала и заговорила сама:

— У нас что-то не так?

Он поднял голову от компьютера и посмотрел с удивлением, точно успел забыть о моем существовании.

— В расследовании часто наступает момент, когда кажется, что разобраться невозможно.

— Черт с ним, с расследованием, — разозлилась я. — Я имею в виду нас с тобой.

— По-моему, все отлично. Нет? — нахмурился он.

— Я слышала ваш разговор утром. Они недовольны, что мы вместе?

— Естественно, недовольны. Когда в мужской компании появляется девушка...

— У вас что, договор не влюбляться, не жениться и не бриться в придачу?

— Что-то вроде этого.

— Не пудри мне мозги. Это здорово бесит, я чувствую вранье за версту.

— Господи, я ж забыл, ты девушка-рентген, — засмеялся он и попытался меня обнять, но я отстранилась.

Улыбка мгновенно исчезла с его лица, уступив место озабоченности. — Это трудно объяснить, — вздохнул он.

— Попытайся.

— Подожди немного, и ты сама все поймешь.

— Максимильян указывает, с кем ты должен быть?

— Нет. Конечно, нет. Все не так просто, милая. Вещи собрала?

— Я должна жить в его доме, чтобы мы с тобой не могли видеться наедине?

Дима поспешно отвел взгляд.

— Это совсем не то, что ты думаешь. Потерпи. Очень прошу.

— Сам черт не поймет, что у вас за компашка, — пробормотала я и направилась к двери. Дима шел сзади с моей сумкой в руках.

Оказалось, что в «доме с чертями» есть еще и мансарда. Окна выходили во двор, и с улицы их не увидишь. Там мне и отвели комнату. Она оказалась совсем небольшой, но уютной. Здесь же была ванная, выложенная белой плиткой. Между делом выяснилось, что в доме живет домработница, бабуля с редким именем Лионелла и с вполне обычным отчеством Викторовна. Было ей лет семьдесят, и как она управлялась с таким большим хозяйством, оставалось лишь гадать. Но управлялась неплохо. В доме царил образцовый порядок. Первым делом меня накормили. Обедали в кухне, хотя сам хозяин предпочитал столовую. Ее я тоже смогла увидеть: большая комната с камином, двумя зеркалами по углам, шкафом, забитым антикварной посудой, массивным столом, за которым при желании могли разместиться человек двадцать, и энным количеством стульев с позолотой.

Само собой, я попыталась разговорить Лионеллу Викторовну, оттого и предпочла демократичный обед в кухне. Однако мое любопытство мгновенно пресекли.

— Максимильян Эдмундович не любит, когда прислуга много болтает.

— Прислуга? — брякнула я, но если меня от этого слова покоробило, то ее, судя по всему, нисколько. — Вы давно у него работаете?

— Двадцать лет.

— То есть вы помните его еще ребенком?

— Он несколько старше, чем выглядит. Если у вас возникнут вопросы, лучше обратиться к хозяину.

— А вы... вы родились в этом городе? — решила схитрить я.

— Я родилась довольно далеко отсюда и не раз меняла место жительства. Вместе с хозяином.

— Очень хорошо платит?

— Он мне как сын. Своей семьи у меня никогда не было. И у него тоже.

По тону женщины было ясно, откровенничать со мной она не собирается, пока держится в рамках приличий, но, если я начну докучать, запросто нарвусь на грубость. С едой она быстро покончила, сложила тарелки в посудомоечную машину и ушла. На ее присутствие в доме намекал пылесос, звук которого я время от времени слышала. Мне ничего не оставалось, как бродить по дому и, разглядывая предметы интерьера, пытаться понять, чем живет хозяин. Но и с этим все не так гладко. Большинство комнат оказались заперты, ключи в замках, само собой, не торчали, возбуждая фантазию: чего Максимильян там прячет? В том, что прячет, я не сомневалась, хоть и было это чистым ребячеством. И воображала себя в замке Синей Бороды, только запертых дверей не одна, а целых пять (столько я насчитала). Я даже пробовала заглянуть в замочную скважину, сама над собой посмеиваясь, сердце вдруг начинало биться учащенно, и я всякий раз вместе с раздражением испытывала тайное удовлетворение, ничего, кроме темноты, не обнаружив. Ближе к вечеру Лионелла застукала меня за этим занятием, неслышно подойдя сзади в своих войлочных тапках, а когда я, пискнув: «Ой!» — поднялась с пылающей физиономией, достала из кармана фартука связку ключей, открыла дверь, распахнула ее, щелкнула выключателем и сделала приглашающий жест. Сама осталась в коридоре.

Комната оказалась самой обыкновенной, хотя... в стоявших до потолка шкафах с глухими створками могло храниться что угодно. К шкафам прилагался диван, покрытый персидским ковром, кальян на низком столике и рисунок, изображавший женщину-кошку. Мастерская работа. Я почему-то сразу решила, что рисовал ее Максимильян.

— Он не прячет здесь монстров, — с легким намеком на презрительную усмешку заявила старушенция.

А я в отместку спросила:

— А где он их прячет?

Выражение ее лица изменилось, став суровым, я бы даже сказала непреклонным.

— Вам лучше не знать, — после короткого раздумья заявила она.

— Как же, как же... — засмеялась я. — Имейте в виду, запугать меня не так легко, и вашего Максимильяна я совсем не боюсь.

— А зря, — заявила старуха и степенно удалилась, не забыв запереть дверь.

В магазин я тоже заглянула и немного поболтала с милейшим Василием Кузьмичом. Одна беда, беседы он вел исключительно о книгах, на мои вопросы, касательно обитателей дома, снисходительно улыбался и спешил перевести разговор на очередной манускрипт. Даже что-то выразительно прочитал мне на старославянском, запрокидывая голову и выставив вперед руку, как актер в провинциальном театре времен Александра Островского.

— Здесь все слегка с приветом, — вынесла я вердикт, прихватила книжку, судя по обложке, что-то приключенческое, изданное в 1959 году, и отправилась в мансарду. Вообще-то ничто не мешало уйти отсюда, то есть никто не мешал. Хотя и тут наверняка не скажешь. Может, не мешал, потому что не пробовала. Воображение рисовало картины, одну забавнее другой. Лионелла превращалась в ведьму с огромной бородавкой на носу, а милый старичок в вампира. Впрочем, роль Дракулы очень подошла бы самому Максимильяну. Весь день его в доме не было, или он хотел, чтобы я так считала. Появился вечером, после того, как, поужинав в одиночестве, я завалилась спать, в основном от безделья. В комнате был телевизор, но мне и в голову не пришло его включить, в этом доме он воспринимался чем-то чужеродным и абсолютно ненужным.

Я лежала, прислушиваясь к тишине дома, и вскоре до меня донесся голос Бергмана. Шаги по шаткой лестнице — и вновь тишина. С полчаса я уговаривала себя уснуть, но точно против воли повинуясь мощному притяжению (книжка, благородные герои которой искали приключений во времена Кромвеля, как видно, повлияла на мой словарь)... короче, я встала, оделась и спустилась этажом ниже, где были личные покои Максимильяна. В коридоре горела лишь одна лампочка, и сам он подозрительно напоминал переходы какого-нибудь средневекового замка. Я потянула на себя ближайшую дверь, решив обойтись без стука. И тут же услышала:

— Заходи. Я ждал тебя еще минут двадцать назад.

В тот вечер Максимильян электричеством пренебрег. А может, это был какой-то ритуал? Он сидел за столом без привычных очков, в черной рубашке с распахнутым воротом. На шее, под самым горлом виднелся медальон на серебряной цепочке. Круглый, с неровными краями и странными насечками, вроде пиктограммы. Слева стоял подсвечник с двумя свечами, их пламя освещало стол, но сама комната тонула в полумраке. И фигура Максимильяна точно выступала из темноты, постепенно проявляясь. Лицо его казалось бледнее, а глаза ярче. И я растерянно подумала: какого они на самом деле цвета?

Он не спеша раскладывал карты, я успела заметить мечи и чаши — карты Таро. Села в кресло и спросила, стараясь, чтобы голос звучал как можно спокойнее, без эмоций. А они у меня, конечно, были.

— Что нового?

— Был у Басова, — ответил он, продолжая раскладывать карты. — Рассказал о находке.

— Как он это воспринял?

— Мужественно. Но когда я отъехал от офиса, навстречу мне попалась машина «Скорой помощи». В общем, сейчас Басов в больнице.

— Неудивительно. Надеюсь, фотографию ты ему не показал?

— Я милосерден.

— Вот уж не думаю, — не удержалась я.

— Милосердие бывает разным. Хирург отрезает ногу, пораженную гангреной, чтобы спасти больного.

— Ага. Ты вроде санитара леса, жрешь только слабых зайчиков, которым и так недолго осталось.

— Странные тебя посещают идеи, — хмыкнул он и продолжил: — Воин и Поэт заняты поисками...

— А ты?

— А я размышляю.

— Хочу поговорить с тобой, — решительно произнесла я. — О Диме, то есть о нас с ним.

— Вас с ним не существует, — сказал он. — По крайней мере, я в этом уверен.

— А не пойти бы тебе... — нараспев начала я и со злостью продолжила: — Только попробуй вмешаться.

— И что будет? — поднял он брови и тут же улыбнулся. — На самом деле я не собираюсь вмешиваться. Я могу предупредить или дать совет... Вы сами поймете, что не созданы друг для друга, угробив на это много нервов и сил.

— Откуда тебе знать? — рявкнула я.

Он встал и прошелся по комнате, остановился где-то позади меня. Мне хотелось повернуться, но я запретила себе делать это, хотя его присутствие за спиной очень беспокоило, даже пугало. Легкий шорох и дыхание на моей щеке. Он стоял почти вплотную. Шепнул в ухо:

— Я знаю твои сны... — А я вздрогнула, резко повернула голову и встретилась с ним взглядом. — Те самые сны, что ты безуспешно пытаешься вспомнить. Хочешь, я помогу?

— Обойдусь, — отрезала я.

— Как знаешь, — засмеялся он, отходя на шаг. — Ты поторопилась, девочка. То, что простительно тебе, непростительно Поэту. Он был предупрежден.

— Если Димка не дурак, он быстро поймет: ты — чокнутый манипулятор...

— Смотри, — перебил он, садясь за стол, достал из шкатулки слоновой кости колоду карт и начал раскладывать. — Девушка, — произнес он. — Она ключевая фигура. Рядом трое мужчин. Лучший друг, возлюбленный и злейший враг. Все карты собраны, но мы не знаем, кто есть кто. Ты сделала выбор и ошиблась.

Я увидела брошенную сверху карту: костлявая старуха с фонарем в руке.

— Что это за карты? — насторожилась я, в тот момент даже его предсказания не интересовали меня так, как это.

— Взгляни, — усмехнулся он.

Я подошла ближе. Если это карты Таро, то какие-то странные. Джокер. Я уставилась на его лицо, хмурясь и недоумевая. Сердце ухало в груди, у Джокера лицо Максимильяна. Слева от центральной карты Валет с лицом Димы, и Король, у него физиономия Вадима. А в центре, прикрытая картой смерти, лежала Дама червей с моим лицом. Но вовсе не это поразило. Карты были старыми. И даже не их вид, изображение и бумага убеждали в этом. Я просто знала, что это так.

— Кто ты, черт тебя дери? — прошептала я, не в силах отвести взгляда от карт.

— Заблудившаяся душа. Как и ты, — со смешком ответил он.

— Думаешь произвести впечатление дешевыми фокусами? — точно очнувшись, спросила я. — Эти карты ты сам состряпал? Чтобы морочить голову дурачкам?

— Это ты так о возлюбленном? — Он широко улыбнулся и продолжил: — Карты появились у меня много лет назад. Я даже толком не знаю, откуда они взялись, возможно, принес кто-то из клиентов, когда меня не было в магазине. Я вынул их из шкатулки, и с тех пор моя жизнь изменилась. Твоя тоже изменится. — Он замолчал, продолжая разглядывать меня, точно надеялся отыскать перемены уже сейчас, а я сказала:

— Я хочу, чтобы ты знал. Как только мы закончим это дело — я уйду. И Дима тоже уйдет.

Он криво усмехнулся и покачал головой:

— Это не в твоей власти.

И в голосе мне почудилось сожаление. Я торопливо покинула комнату, в досаде хлопнув дверью.

Утром мы встретились в столовой, куда я спустилась, чтобы выпить кофе. Оказалось, что все трое уже завтракают. Лионелла поставила огромный кофейник на стол и с достоинством удалилась. Вадим приподнялся, разлил кофе в чашки и одну подал мне.

— С добрым утром, красотка.

— Привет, — буркнула я, устраиваясь за столом.

Дима, как всегда, уткнулся в компьютер, но на меня все же обратил внимание, улыбнулся и кивнул. Максимильян на мое появление никак не отреагировал, и это неожиданно задело.

— Есть успехи? — обратилась я к Воину, чтобы молчание за столом не вышло тягостным. Он скроил забавную физиономию, которая должна была означать: успехи в перспективе.

— Вчера в вечерних новостях сообщили о находке возле карьера, — сказал он. — Егора и Мельникову опознали сразу, личность второй блондинки тоже быстро установили. Девчонка жила в поселке неподалеку от Решетова. Девятого марта поссорилась со своим парнем, когда они оттягивались в ночном клубе, и домой отправилась одна. Больше ее никто не видел. Сначала подозревали ее парня, потом была версия, что кто-то сбил ее на дороге, а тело спрятал. В общем, девушка числилась пропавшей без вести.

— Сколько ей было лет?

— Пятнадцать.

— Пятнадцать лет — подходящий возраст для ночных клубов? — подал голос Максимильян.

— Паспорта на входе не спрашивают, если ты не выглядишь младенцем, — отозвался Дима. — А девчонки так красятся, что возраст навскидку не определишь. За последний год в области четыре подобных случая, два в районе Решетова и два в соседних районах. Потеряшек наберется три десятка, но меня интересовали блондинки пятнадцати-шестнадцати лет. Примите мои поздравления. У нас в самом деле серийный маньяк.

— Эка невидаль, — фыркнул Вадим. — Мы об этом знали с самого начала, как только занялись старшей дочкой Басова. Она исчезла, ее подружки тоже, еще одну девчонку нашли мертвой. Все учились с ней в музыкальной школе. За восемь лет маньяк несколько поменял охотничьи угодья. Девчонка, которую мы нашли в колодце, исчезла девятого марта. Придется еще раз прочесать всю округу, вдруг в одной из гостиниц останавливался наш маньяк, интеллигентный дядя с бородкой на «Рено». Хотя бородку можно сбрить, а машину поменять. Но пошарить надо. Кто со мной? Ясно, добровольцев нет. Дима, друг мой, не хочешь составить компанию?

— Не хочу, — покачал он головой. — У меня тоже кое-что есть. Я поинтересовался финансами госпожи Басовой и выяснил кое-что интересное. Больше семи лет она перечисляет деньги некоему фонду.

— Что за фонд? — проявил интерес Максимильян.

— Что-то лошадиное.

— Что?

— То ли конноспортивная секция для слаборазвитых детей, то ли санаторий для лошадок, оказавшихся не у дел. То и другое умудряются совмещать, но не это главное. У богатых, как известно, свои причуды, могут жертвовать на покупку новой шубы суслику. Любопытно, что часть денег фонд переводит на счет некой Лопаткиной Софьи Александровны, двадцати семи лет. Чем занимается и за что ей такое счастье — не ясно. Деньги не сказать чтобы огромные, однако вполне приличные. Часть остается у фонда, но большую часть получает Лопаткина.

— Знаешь, где ее найти? — спросил Максимильян.

— Само собой. Далековато отсюда, километров четыреста.

— Тогда бери Девушку и немедленно отправляйся.

Это, признаться, удивило, я-то думала, Максимильян постарается, чтобы мы держались друг от друга на расстоянии. Это вчерашний разговор подействовал?

— У меня тоже кое-что есть, — сказала я, и мужчины дружно посмотрели в мою сторону. — Кое-какие умозаключения.

— Валяй, — поторопил Вадим, намазывая черную икру на булку с маслом, завтраки здесь были королевские.

— Девушки, похищенные или погибшие до Жени Басовой, и те, что мы нашли в колодце, блондинки пятнадцати-шестнадцати лет. Сама Женя старше. На момент исчезновения ей исполнилось восемнадцать. Правда, буквально за неделю. Она уже закончила и общеобразовательную, и музыкальную школы. Собралась поступать в университет, музыкальную школу продолжала посещать, потому что играла в ансамбле, участницей которого была и Люба Бережная. Жене восемнадцать, и она, судя по фотографии, брюнетка.

Вадим присвистнул, а Максимильян удовлетворенно кивнул:

— Я тоже подумал об этом.

— И еще, — добавила я. — Я видела ее фотографию, держала в руках. Девушка жива.

— Что ж ты раньше молчала? — выругавшись сквозь зубы, задал вопрос Вадим.

— А ты не спрашивал. И вряд ли бы поверил.

— Это да, — кивнул он. — Братья и сестры, это существенно меняет дело. Предлагаю фантастическую версию: Басов сам спрятал дочь, испугавшись, что маньяк и до нее доберется. Деньги переводит девчонке, чтоб жилось веселей, причем не сам Басов, а сестра, в целях конспирации. А что, мне нравится.

— А если девица решила: много денег не бывает? Как раз после того, как Егор попытался ее разыскать. А он пытался, верно? То есть догадывался, что все не так просто. И наезжали на папу не конкуренты, а родная дочурка, которая притомилась ждать наследства, — Дима обвел нас взглядом и закончил: — Она не исчезла, она сбежала. И теперь стала единственной наследницей сразу двух состояний: отцовского и теткиного.

— Круто, — хмыкнул Вадим. — Твоя фантазия богаче моей. Так мы маньяка ловим или беглую стерву?

— Одно другому не мешает, — усмехнулся Дима.

— Смею напомнить, — заговорил Максимильян. — По условиям соглашения с Басовым, мы должны найти убийцу его дочери Анастасии. Мы это сделали. Виновные уже дали показания в полиции. По договору с его сестрой мы обязались найти ее племянника, что тоже сделали. Об этом она уже наверняка знает. Не от нас, а от брата, если он решился ей рассказать, либо из вечерних новостей, что куда хуже. Старушка, вероятно, согласится продлить с нами контракт, чтобы выяснить, кто лишил жизни ее любимца. Здесь все безупречно. Но если Басов действительно спрятал старшую дочь, наши действия ему не понравятся. И это еще мягко сказано.

— А если мочилово в самом деле она устроила? — сказал Вадим. — И это ее дружки мотель спалили?

— Мы должны предупредить клиента о своих намерениях. Но сейчас он в больнице, и я не уверен, что наш разговор принесет пользу его здоровью.

— И что прикажешь делать? — скривился Вадим.

— Работать аккуратно. Поэт и Девушка выяснят, кто получает деньги от фонда, но на связь с объектом не выходят.

В город, где жила Лопаткина Софья Александровна, мы прибыли уже после обеда. Пришлось воспользоваться машиной Димы, мою Вадим отогнал приятелю, который обещал ее отремонтировать и при этом не задавал лишних вопросов. Машину вела я, а Дима хоть и просидел всю дорогу, уткнувшись в компьютер, новыми сведениями о Лопаткиной похвастаться не мог. Где работает — не ясно, с кем живет — тоже.

Дом оказался обычной девятиэтажкой в спальном районе.

— В контакт входить не велено. Спрашивается, зачем мы сюда приперлись? — паркуясь неподалеку от нужного дома, ворчала я.

— Удостовериться, что Лопаткина на самом деле Басова, или убедиться в обратном, — ответил Дима.

— И как мы это сделаем? Будем ее во дворе караулить?

— Тоже, кстати, выход. Предлагаю самое простое решение: берем стопку бланков и отправляемся по квартирам с вопросом: как вы оцениваете работу вашего ЖЭКа... Нет, так мы здесь на неделю зависнем. Довольны ли вы кабельным телевидением, и какие каналы вам больше нравятся. Сгодится. Сейчас найду фирму, которая обслуживает этот дом...

— Тогда мне лучше идти одной, — сказала я. — Парни вроде тебя не занимаются опросами населения.

— Это комплимент или мне стоит задуматься?

— Это комплимент. Надеюсь, я произвожу впечатление студентки, решившей подработать?

— В этом сарафанчике тебя можно принять за школьницу.

— Разве что с перепоя или с катарактой на глазу.

— Вообще-то это был комплимент.

— Спасибо, я оценила.

Домофон явился непреодолимым препятствием на пути в подъезд. Я набрала номер квартиры, которая по прикидкам находилась под квартирой Лопаткиной, но мне не ответили, только с четвертой попытки повезло, и меня без особой охоты впустили в подъезд. Нужная квартира была на третьем этаже, я решила не терять время и начать опрос с ближайших соседей. И вновь разочарование. В одной квартире разговаривать со мной не пожелали, в другой обреталась глуховатая старушка, которая не могла взять в толк, что от нее хотят. Не желая более тратить время впустую, я подошла к тридцать пятой квартире и надавила кнопку звонка. Ожидание казалось томительным, хотя длилось не больше минуты. Я уже подумала: невезение прилипло ко мне основательно, но тут дверь распахнулась. На пороге я увидела женщину лет сорока, в легинсах, старенькой футболке и пестрой косынке. «Домработница», — решила я и оказалась не права.

— Ты к Соньке, что ли? — спросила женщина.

Голос у нее был до того низкий, что вполне подошел бы мужчине.

— Да... Она дома?

— Она здесь больше не живет.

— А вы?

— Я хозяйка квартиры. Чего стоишь, проходи, — вдруг предложила женщина, и я, не веря в свое счастье, вошла.

— Мы договаривались по поводу работы... — промямлила нерешительно.

— Работы? Вот уж не знала, что ее работа интересует.

— Вы не поняли, это она мне с работой помочь обещала.

— Чудеса. Насколько я знаю, она нигде не работала.

— Правда? А мне сказала, что она топ-менеджер в крупной фирме.

— «Топ» чего? — хмыкнула женщина. — Сонька год у меня квартиру снимала, и сомневаюсь, что хоть раз за это время о работе подумала.

— Но на что же она тогда жила?

— А черт ее знает. Видела один раз письмо из какого-то фонда, Соньке адресованное. Сама из почтового ящика вынимала, но в конверт не заглядывала, а должно быть, зря. Может, папаша богатый, хотя вряд ли, богатые папаши деток за границу отправляют. В Англию или еще куда. Может, любовник при деньгах... За квартиру она всегда исправно платила. Мужики к ней захаживали, но соседи на шум не жаловались, хотя в друзьях у нее — форменная шпана.

— Вы их видели?

— Пару раз, когда проверить пришла, как тут вообще... Сидит на кухне хмырь с мерзкой мордой и мне заявляет: тебе деньги платят не для того, чтоб ты тут без дела шныряла. Я хотела ответить, но веришь, так взглянул, что меня из собственной квартиры как ветром сдуло. Грешным делом хотела к участковому сходить, пусть проверит, что за люди. А ну как террористы?

Я достала фотографию Евгении Басовой и протянула женщине:

— Это Софья?

Она долго вертела фотографию в руках.

— Волосы у нее сейчас короткие, и железа на лице с полкило. Смотрит так, точно вот-вот кинется. Но вообще-то похожа. Откуда фотокарточка и кто ты такая? Врать не вздумай, а то полицию вызову.

— Полиции я не боюсь, а фотографию эту дал мне отец Софьи, он ее разыскивает. Я работаю в частном детективном агентстве.

— Документ какой есть?

— Нам не положено. Зато мы платим за сведения.

— Сколько?

— Зависит от того, насколько интересными фактами вы располагаете.

— Ладно, пошли на кухню. Мне окно домыть надо, после Соньки убираюсь.

Тетка взгромоздилась на подоконник, где ее дожидались ведро и тряпка, я взяла стул и села поближе к окну.

— Когда вы сдали квартиру?

— В июне прошлого года. Сонька мне не приглянулась из-за железа на морде, но когда я цену назвала, согласилась сразу и заплатила за три месяца вперед.

— Паспорт ее видели?

— А то. И ксерокопия у меня есть. Договор заключили, все как положено. Если честно, хлопот с ней не было. Ни шумных пьянок, ни скандалов. Так, музыка иногда орет, но днем. О ее делах я ничего не знаю, про работу спрашивала, но она сказала, что уволилась, место ищет. Так весь год, видать, и проискала. Вчера вдруг позвонила и говорит: «С квартиры съезжаю», хотя до конца месяца заплачено. Люди так делают? Предупреждать надо. Я б на ее место нашла кого-нибудь... Теперь квартира простаивать будет. В общем, разозлилась я на нее. К вечеру опять позвонила. Ключи на кухонном столе, дверь захлопнула, нормально, а? Я сюда. Все на своих местах, слава богу. Еще и деньги за коммуналку оставила. Вещей у нее немного было, только одежда. Ложки, чашки — все мое. В общем, упорхнула птичка. Она что ж, из дома сбежала?

— Да. Софья ничего не рассказывала, о том, где раньше жила?

— Мы с ней задушевных бесед не вели. По паспорту она с Дальнего Востока, я спросила, как же ее к нам занесло? Сказала, что училась в Питере, а сюда к подруге приехала. Вот так.

— Вчера вам не показалось, что она чем-то расстроена или напугана?

— Это я расстроилась, и даже очень. Опять квартирантов искать. Хороший квартирант сейчас на вес золота. А она... да нет, говорила спокойно... Я, правда, спросила, чего съезжаешь-то? А она мне: с парнем сошлась, у него своя квартира. Только вранье это.

— Почему? — насторожилась я.

— Потому что такси вызвала, и соседка слышала, как она сказала, когда в машину садилась: «В аэропорт». Жара, окна в машине открыты...

— В котором часу она уехала?

— Где-то около семи, сразу после того, как мне позвонила. Ну что, стоят мои сведения денег или зря с тобой болтала?

— Если верить квартирной хозяйке, наша девушка очень изменилась, но узнать ее можно, — сказала я Димке, вернувшись в машину. — Вчера вечером она взяла такси до аэропорта, с квартиры съехала, то есть, судя по всему, возвращаться в этот город не собирается.

— Давай посмотрим, куда она отправилась.

Он уткнулся в компьютер и через несколько минут удовлетворенно кивнул.

— В 20:25 рейс в наш город. Как тебе? Девушка решила вернуться?

— Вот только не ясно зачем.

Обратная дорога заняла куда больше времени, на выезде из города ремонтировали мост, и мы угодили в пробку. Дима успел несколько раз позвонить Максимильяну, доложил о том, что мы узнали, и осведомился о новостях. Новостей не оказалось. Вадим все еще в Решетове, Максимильян собирался навестить сестру Басова.

Поздним вечером мы наконец-то затормозили возле «дома с чертями». Я бы предпочла свою квартиру или квартиру Димы, но на вопрос «куда?», он ответил с некоторым удивлением, точно не допускал саму возможность другого ответа:

— К Джокеру, конечно.

И я, стиснув зубы от тихого бешенства, направила свой «Форд» к магазину на площади Победы. Свет горел только в столовой. Поднявшись туда, мы увидели, что Максимильян ужинает в одиночестве. Он аккуратно намазывал тост джемом, а я подумала, что у него очень красивые руки. Пальцы длинные, тонкие, но сильные. Такие руки могли принадлежать пианисту, а могли и воину. И весьма органично смотрелись бы на эфесе шпаги, а его запястье вместо часов «Картье» украшало бы фламандское кружево.

— Садитесь, — махнул он рукой, жест был изящным и вместе с тем властным.

«Тренируется перед зеркалом?» — с неприязнью подумала я. Меня в нем раздражало все, даже гостеприимство. Появилась Лионелла, точно ждала под дверью, и поставила дополнительные приборы.

— Ты бы хоть руки вымыл, — буркнула она, обращаясь к Диме.

Тот в ответ улыбнулся и отправился в ванную, я из принципа осталась на месте.

— Значит, Евгения нашлась, — сказал Бергман, когда Дима вернулся, а Лионелла удалилась.

— И, похоже, снова потерялась, — хмыкнула я. — Если не объявилась у тетки или отца.

Максимильян сложил ладони домиком и с интересом посмотрел на меня.

— У отца ее не было. И от мадам Спивак я о племяннице не услышал ни слова.

— Как тебя встретили? — спросил Дима, имея в виду визит к Тамаре Львовне.

— Я бы сказал, сурово.

— А можно поподробнее? — спросила я.

— Можно. Я пришел, меня провели в гостиную, где старуха заявила, что в наших услугах более не нуждается.

Я собрался уходить, но ее, как видно, задело, что я не сказал ни слова, и она довольно желчно принялась выговаривать: ее несчастный племянник найден мертвым в каком-то колодце, и нашли его полицейские, а вовсе не мы, несмотря на свою хваленую репутацию. Она нам более не доверяет, пусть убийство расследуют профессионалы, и прочее в том же духе.

— Выходит, Басов не сообщил ей о нашей находке. Скорее всего, просто не решился.

— Я поинтересовался, чем занят фонд, на счет которого она переводит деньги, и кто такая Софья Лопаткина. Старуха схватилась за сердце, чем здорово напугала, обозвала меня шантажистом и указала на дверь. Я ушел, дабы не стать причиной сердечного приступа. Уверен, племянница сейчас у нее, а вот намерения девицы по-прежнему под вопросом.

— Почему она вдруг решила вернуться? — подумала я вслух.

— Потому что теперь она единственная наследница, — пожал плечами Бергман. — Или потому, что ее брат погиб.

— Но когда зимой погибла сестра, она сюда не спешила.

— Как знать, — вновь пожал он плечами.

— Может, она ждет, что папаша вот-вот скончается? — хмыкнул Дима.

— Ему так плохо? — нахмурилась я.

— Завтра увидим, — ответил Максимильян.

К Басову мы отправились утром. Бергман настоял, чтобы я пошла с ним. Геннадий Львович занимал отдельную палату. Максимильян постучал, мы услышали резкое «да» и поспешили войти. Воображение рисовало убитого горем старика, лежащего на больничной койке и опутанного трубками. Но умирающим Басов не выглядел. Лицо бледное и помятое, в левом глазу лопнул кровеносный сосуд и глаз налился кровью, в остальном никаких особых изменений. Он сидел в кресле и смотрел в окно, одет был в брюки и рубашку, на ногах ботинки — в общем, совсем не по-больничному.

— А, это вы, — сказал устало, увидев нас.

— Как себя чувствуете, Геннадий Львович? — спросил Максимильян, огляделся, нашел стул, придвинул его ко мне, а сам остался стоять, сунув руки в карманы брюк.

— Как, по-вашему, я могу себя чувствовать? — усмехнулся Басов. — Выписываюсь. Надо заниматься похоронами, сейчас это самое главное.

— Я думал, самое главное — найти убийцу вашего сына.

— Это поможет мне его вернуть? — спросил Басов и головой покачал. — Думайте что угодно, но мне безразлично, найдут этих подонков или нет.

— Мы считаем, речь идет о серийном маньяке.

— Вот только этого мне еще не хватало. Я устал, — сказал он обреченно. — Слишком много потерь. У каждого есть запас прочности, у меня он исчерпан. Я прошу вас прекратить расследование. В ближайшее время я ничего не хочу слышать об убийствах... Разумеется, я заплачу. Сколько скажете.

— Тамара Львовна тоже отказалась от наших услуг, — разглядывая носки своих ботинок, в задумчивости сообщил Максимильян.

— Я никак не влиял на ее решение.

— Не сомневаюсь. Что ж, желаю вам поскорее обрести силы. Духовные и телесные. И позвольте напомнить: у вас еще есть человек, ради которого стоит жить.

— Вы имеете в виду мою сестру? — нахмурился Басов.

— Я имею в виду вашу старшую дочь.

Геннадий Львович глубоко вздохнул, закрыв глаза, а потом сказал едва слышно:

— По-видимому, я должен объясниться.

— Нет-нет, — поднял руку Бергман. — Нам вы ничего не должны. А если у нас возникнет желание, мы все узнаем сами.

— Не надо ничего узнавать, — мгновенно посуровел Басов. — У каждой семьи есть тайны, которых больно касаться. Моя дочь сбежала из дома, не оставив даже записки. Учитывая, что не задолго до этого пропала ее подруга... Мы решили, она стала жертвой преступника. Не буду рассказывать, что пережила моя семья... а потом дочь вдруг объявилась. Все это время она бродяжничала и угодила, в конце концов, в полицию. Документов при ней не было, она позвонила, я отправился ее выручать. Дочь так изменилась, что я едва узнал ее. С полицейскими вопрос я, конечно, решил, но уезжать со мной она наотрез отказалась.

— Почему она сбежала из дома? — спросил Максимильян.

— Для меня это до сих пор загадка. Хорошая, добрая девочка... Музыкой занималась. С ней не было никаких проблем. И вдруг в нее точно бес вселился. Она влюбилась в десятом классе, а моя покойная жена запрещала ей встречаться с этим мальчиком. Он из неблагополучной семьи, мы боялись, что он окажет дурное влияние... Возможно, поэтому. Тогда, в полиции, мне вдруг стало ясно: она ненавидит всех нас, и я... я согласился с ее решением: пусть живет одна. Каюсь, я сохранил это в тайне. Грех гордыни. Пусть считают мою дочь погибшей, это лучше, чем все узнают, что она наркоманка и болтается где-то в компании с такими же отбросами.

— Фальшивыми документами вы ее снабдили?

— Обошлась без меня. Думаю, она их попросту украла. Как вы ее нашли?

— Это наша работа.

— С ней все в порядке?

— Надеюсь.

— Что это значит, вы виделись или нет?

— Мы узнали, где она находится, совсем недавно.

— А где она сейчас?

— Хотите, чтобы мы это выяснили?

— Нет, — помедлив, ответил Басов. — Я хочу, чтобы вы оставили мою дочь в покое. И всю мою семью тоже. Никаких расследований.

— Как прикажете, — ответил Бергман и театрально поклонился. — Всего доброго.

Он шагнул к двери, повернулся и спросил с улыбкой, которая так не вязалась с вопросом, который он задал:

— Чего вы боитесь?

Лицо Басова вытянулось и побледнело. Он с трудом втянул воздух, а потом спросил:

— У вас есть дети?

— Бог миловал.

— Тогда вы не поймете.

— Что скажешь? — спускаясь по лестнице, спросил Максимильян.

— Он не лгал, во всяком случае, я этого не почувствовала, но однозначно чего-то недоговаривал. А еще очень напуган, но это ты и без меня понял.

— Чего он так боится? — через полчаса задал нам вопрос Дима, когда мы вернулись и обнаружили его в магазине, пьющим чай в компании Василия Кузьмича. — Вдруг узнать, что дочь причастна к убийству своего брата?

— А такое возможно? — выразил удивление Максимильян.

— Еще как. Личности, что гнались за нами в Решетове, вполне могут быть ее дружками. Как знать, кого она подцепила в годы странствий?

— Егора у нас вроде бы убил маньяк? — напомнила я.

— С маньяками тоже не все ясно. Один раз на одного такого уже повесили убийство старшей дочери, а она оказалась жива-здорова. Может, и очередной маньяк — липа?

— А убитые девушки?

— Этому тоже есть объяснение. Только я его пока не знаю, — Дима засмеялся, тут звякнул дверной колокольчик и в магазин вошел Вадим.

Уже по тому, как он двигался, становилось ясно: сегодня удача у него в спутницах, а еще я подумала: он красивый мужчина. Уверенный, решительный, не знающий сомнений, настоящий Воин.

— Чаи гоняете? — спросил он весело, отобрал у меня чашку, сделал два глотка и назад вернул. — Гадость, я думал, втихаря коньяк хлещете. Кстати, очень бы не помешало. Подвинься, счастье мое, — попросил он, устраиваясь рядом на потертом диване.

— Со счастьем ты погорячился, — съязвила я. — Могу быть головной болью, хочешь?

— Жизненный опыт гласит: это, как правило, совпадает. Язви, счастье мое, сколько влезет, а я продолжу смотреть на тебя с любовью.

— С чего вдруг?

— Вероятность того, что твой возлюбленный не кто иной, как я, стремительно возрастает. Не могу сказать, что в восторге, но в моей жизни случались вещи и похуже. Тебе, кстати, тоже не мешает обнаружить во мне что-то светлое. — Он засмеялся, ткнув меня локтем в бок, точно предлагая оценить его шутку, но смешно мне не было.

И Диме с Максимильяном веселиться тоже не хотелось. Максимильян дернул щекой, а Димка нахмурился и стиснул зубы, так что рот превратился в узкую бледную линию. Воин дураком не был, перемены в нашем облике оценил и поспешно перевел разговор на другую тему.

— Можете меня поздравить, савраской я бегал не напрасно. И отыскал-таки нашего дядю-интеллигента.

— Шутишь? — в тон ему спросил Дима, словно торопясь забыть недавнюю выходку Воина.

— Сам не верю. Короче, в гостиницу «Березка» города Решетова, кстати, гостиница препаршивенькая, в ночь с 9 на 10 марта прибыл некий господин. Никто из персонала его не запомнил, но в книге регистраций на парковке значился «Рено». Марка не такая уж редкая, однако на безрыбье, как известно, и рак рыба. Отдельное спасибо сотрудникам, которые внесли машину в журнал и выписали квитанцию на оплату. Так я узнал номер тачки, а также фамилию и имя постояльца. Богомол Федор Александрович. Дальше пошли непонятки. Богомол у нас гражданин Белоруссии, где и зарегистрирован, а хозяин машины — некто Дмитриев, и живет в нашем городе. Получается, маньяк у дружка тачку взял? Я, само собой, к Дмитриеву. Он мне говорит: машину продал по доверенности еще полтора года назад действительно гражданину Богомолу из Белоруссии. Тот к родне приезжал, увидел объявление. Дмитриеву тачку требовалось срочно продать, быстренько договорились и разошлись. Ничего толкового о покупателе он рассказать не мог. Интеллигентный дядя, вроде бы в очках... даже бороды не запомнил. На редкость невнимательны наши люди. Звоню в Белоруссию и выясняю: по адресу, где Богомол зарегистрирован, проживает его сынок, а папа, оказывается, уже два года как на кладбище. Причем незадолго до кончины приезжал в наш город и по пьяному делу паспорт потерял. Чую, правильной дорогой иду, но где теперь интеллигентного дядю искать? И тут Дмитриев заявляет, что совсем недавно видел свою машину на подземной парковке торгового центра «Октябрьский». Приехал туда с дочкой и на втором ярусе обнаружил бывшую собственность. Даже подошел к ней, видно соскучился.

— Если ты скажешь, что она до сих пор там стоит... — с улыбкой начал Дима.

— Точно, — засмеялся Волошин. — Стоит голубушка. Оказалась машина там второго июля в 07.50 утра. То есть если эта та самая машина, хозяин которой останавливался в ночь с первого на второе в мотеле, то прибыл он прямехонько оттуда. Для тех, кто ставит машины посуточно, предусмотрены скидки, но, учитывая, что стоит она уже несколько дней... Для владельца подержанного «Рено» удовольствие не из дешевых.

— То есть он ее бросил? — спросил Максимильян. — Как минимум дважды он использовал одну и ту же машину и решил, что это опасно?

— Тогда проще бросить ее где-то за городом.

— Не всегда. Тачка на парковке может стоять довольно долго, прежде чем на нее обратят внимание.

— Зато не соврешь, что ее угнали, — вмешался Дима. — А что парковщики говорят?

— Ничего. Пока я про машину не спросил, они ее, похоже, в упор не видели.

— Он может за ней вернуться, — сказал Максимильян, точно подумал вслух. — Если мы имеем дело с маньяком, он не остановится, и пока обзаведется новым транспортным средством... Отправляйтесь на парковку, установите в машине маячок. Вдруг повезет, и он появится в ближайшие дни? Хотя с последнего преступления прошло слишком мало времени...

— А куда мы спешим? Главное, чтобы этот упырь явился. — Воин похлопал по плечу Диму и сказал весело: — Потопали, сделаем злодею подарок.

Они ушли, а я очень жалела, что не отправилась с ними. Находиться в одном доме с Максимильяном было не просто, хотя он и не докучал своим присутствием. Где-то через час уехал, а я тут же почувствовала себя лишней в этой спаянной мужской компании. Явилась мысль, а не уйти ли прямо сейчас, не дожидаясь окончания расследования? Не в свою квартиру вернуться, а проститься с этой странной троицей. Проблема в том, что прощаться с Димой я не хотела, а он вряд ли согласится уйти сейчас. Впрочем, теперь я сомневалась, что он вообще когда-либо это сделает. Как его убедить в том, что Максимильян — жулик, который умело манипулирует ими?

— Ты просто ревнуешь, — сказала я со вздохом. — Боишься, что его чувства к тебе мало что значат и выбор он сделает легко, но не в твою пользу... Ну, это мы еще посмотрим, — закончила я с большим задором, но с куда меньшим оптимизмом.

Чтобы как-то избавиться от тягостных мыслей, я спустилась в магазин и принялась перебирать старые книги, так что присутствовала при моменте, когда там появилась Басова. Василий Кузьмич занимался клиентом, дородным мужчиной в клетчатом пиджаке. Они живо что-то обсуждали, стоя возле стола с разложенными на нем журналами, и на дверной звонок не обратили никакого внимания, хотя звонили настойчиво. Я покосилась на Василия Кузьмича, который продолжал дискуссию, распаляясь все больше, и решила, что забредшего сюда потенциального покупателя следует встретить мне, открыла дверь и увидела девицу, которой тут определенно нечего было делать. Она была в рваных джинсах и майке, из-за крайней худобы ее вполне можно было бы принять за подростка. Тени на веках черные, как и губная помада. Короткие волосы стояли дыбом, точно иглы дикобраза. В целом она походила на полоумного ежика или одного из тех персонажей, что встречаются в фильмах Тима Бертона.

«Как ее сюда занесло! — успела подумать я. — Может, значение слова «букинист» ей неведомо или она вообще читать не умеет?»

Девушка держала руки в карманах джинсов и переминалась с ноги на ногу.

— Привет, — сказала я.

Она вроде бы вздохнула с облегчением.

— Привет. Ты здесь работаешь?

— Можно и так сказать.

— Мне нужен Бергман. Максимильян Бергман, это ведь его магазин?

Только тогда до меня дошло, кто передо мной. Узнать в этой девушке Евгению Басову было практически невозможно. На фотографии она милая, улыбчивая, слегка полноватая, а сейчас при взгляде на нее явилась мысль немедленно ее накормить, а «милым» лицо можно было назвать разве что в припадке великодушия. Если в первую минуту из-за худобы и боевой раскраски я решила, что девушке лет восемнадцать, то при ближайшем рассмотрении становилось понятно: она гораздо старше. Тем нелепее она выглядела.

— Зачем тебе Максимильян? — задала я вопрос, кивком приглашая войти и держась к ней почти вплотную, чтобы попытаться ее остановить, если решит сбежать. С какой стати ей сбегать, она сама пришла...

— Об этом я ему скажу, — отрезала девушка, и стало ясно: характером ее бог не обидел.

— Он уехал, — миролюбиво ответила я.

— Надолго?

— Не знаю. Если у тебя что-то срочное, могу позвонить. Но он обязательно поинтересуется, кто его спрашивает.

Девушка нахмурилась, подумала немного и сказала:

— Можно его здесь подождать?

— Можно. Проходи, вон за тем столом журналы, чаю с сушками хочешь?

— Нет.

Она прошла и села в одно из древних кресел, а я, убедившись, что сбегать она не собирается, укрылась за стеллажом и набрала номер Максимильяна:

— У нас гостья. Женя Басова. Хочет с тобой поговорить.

— Буду минут через двадцать, — заверил Максимильян, но явился даже раньше.

Вошел в магазин и сразу направился к девушке. Она наблюдала за его приближением, меняясь на глазах. Задиристость быстро уступила место неуверенности, а потом и испугу.

— Я — Бергман, — сказал Максимильян с излишней суровостью. — Это вы меня спрашивали?

— Да, — промямлила девушка.

— Идемте. — Он направился к лестнице, успев сказать мне: — А ты чего стоишь?

Расценив это как приглашение, я последовала за ними. Для беседы с девушкой Максимильян выбрал комнату на втором этаже, где мы впервые встретились.

— Слушаю вас, — сказал он, устраиваясь в кресле.

— А ей здесь быть обязательно? — кивнула Евгения в мою сторону.

— Обязательно, — ответил Бергман.

Она нахмурилась и села в кресло напротив.

— Я хочу вас нанять, — сказала она. — Вы ведь занимаетесь расследованиями?

— Допустим. Для начала представьтесь.

— Я... я дочь Геннадия Басова. Он был вашим клиентом, вы расследовали убийство моей сестры.

— Скорее, несчастный случай.

— Чушь. Они ее убили.

— Оставим дискуссию, — поднял руку Бергман. — Насколько я помню, вы до сих пор числитесь в без вести пропавших. Ваш отец знает о вашем возвращении?

— Нет. И, надеюсь, вы ему не сообщите. Не волнуйтесь, деньги у меня есть. Заплачу, сколько скажете.

— Я впечатлен. Что дальше?

— Дальше? Я хочу, чтобы вы нашли убийцу моего брата Егора. Сомневаюсь, что это сделают полицейские.

— Вот как... — Максимильян сложил ладони домиком и посидел в задумчивости некоторое время. — Вам придется кое-что нам объяснить. Например, причину вашего исчезновения.

— А это обязательно? — грубо спросила Евгения.

— Да, обязательно. Терпеть не могу сюрпризы.

— Мне неудобно говорить об этом, — девушка отвернулась и тоже помолчала, вроде бы собираясь с силами, вздохнула и, наконец, произнесла: — Моя мать погибла и... отец... короче, он стал ко мне приставать.

— Вы рассказывали об этом кому-нибудь? — Максимильян исподлобья взглянул на нее, и девушка вновь отвернулась.

— Тетке. Не сразу. Я сбежала из дома, потому что он ко мне приставал, понятно? Сбежала, никому ничего не сказав. У меня не было денег, ни копейки... Я болталась по стране...

— Без денег?

— Прибилась к таким же бродягам, уличным музыкантам. Они играли, я пела. Все лето провели в Крыму, было круто. Ночевали на пляже, прямо под открытым

небом. На еду хватало, даже откладывали помаленьку.
Потом стало холодно, ну а после... короче, ребят забрали полицейские, они сперли бумажник, не знали, что
рядом камера... Я одна осталась. Понятия не имела, что
делать. А тут зима на носу. Я позвонила тетке, попросила
денег прислать. Боялась, она отцу про меня расскажет.
Но когда она узнала, почему я сбежала из дома... короче,
мы решили, что мне лучше не возвращаться.

— И вы стали получать от нее содержание?

— Да.

— И ваш отец об этом не знал?

— Тетка клянется, что ничего ему не говорила. Это
она позвонила мне и рассказала про Егора.

— Когда позвонила?

— Вчера.

— Однако город, где проживали, вы покинули еще
накануне.

— Откуда вы знаете? Это вы за мной следили?

— Нет. Но найти вас оказалось нетрудно. Как обзавелись паспортом на другое имя?

— Помог один тип... Я боялась, что меня в конце
концов отыщут. Я не хотела сюда возвращаться, пока
жив отец.

— Значит, за вами следили?

— Да. Какие-то типы соседей расспрашивали. И я видела машину во дворе. Если честно, сначала я подумала,
это брат кого-то нанял.

— Брат?

— Ну да... Тетка сказала, он вдруг стал ее расспраши-
вать, видно, что-то заподозрил...

— А вы встречаться с братом не желали?

— Послушайте, у меня уже восемь лет своя жизнь.
Я живу, как хочу, и с этими людьми меня мало что связывает...

— Кроме денег вашей тети, — подсказал Бергман.

— При чем здесь деньги? — обиделась девушка. — В конце концов, тетке все равно некому их оставить...

— Вчера Тамара Львовна отказалась от наших услуг.

— Это из-за меня. Испугалась, вы все узнаете. Не хочет сор из избы выносить. Тетка больше всего боится, что ее подруги начнут шушукаться за ее спиной. Она без своих выходов «в свет» тут же загнется, понимаете? — Слова «в свет» она взяла в кавычки, показав их пальцами обеих рук.

— У вас есть подозрения, кто мог убить вашего брата?

— Нет, — резко ответила девушка. — И я боюсь за свою жизнь. Поэтому, надеюсь, что вы обеспечите мне охрану.

— Почему бы вам не обратиться к отцу?

— Он последний, к кому я обращусь. Не желаю видеть этого извращенца.

— Вы остановились у тети?

— Где ж еще? Но у нее не безопасно.

— И от кого вы просите вас защитить?

— От убийц брата, естественно. Разве не понятно?

— Если честно, не очень.

Евгения зло фыркнула и головой покачала:

— Моя сестра и брат погибли. Кому-то это выгодно. Кто знает, какому психу отец дорогу перешел. Хотят отжать бизнес. Такой ответ сгодится? Если из наследников только полоумная старуха — это легче легкого. Я хочу, чтобы вы нашли убийцу брата и заплачу любые деньги.

— Что ж, мы его найдем, — сказал Максимильян, поднимаясь. — Вы можете остаться здесь. Лена поможет вам освоиться. Если понадобятся какие-то вещи, скажите, что именно, она все купит и доставит.

Он вызвал Лионеллу и распорядился насчет комнаты. Пока домработница объясняла новой жиличке, что и где находится, я вернулась к Максимильяну.

В своем кабинете он разговаривал по телефону.

— Что скажешь? — спросил Бергман, повесив трубку, когда я вошла.

— Она заявила, что отец приставал к ней, — пожала я плечами. — Это совершенно определенное вранье. И у нее самой оно вызывало отвращение.

— И зачем, по-твоему, ей понадобилось оговаривать отца?

— Чтобы скрыть истинную причину своего бегства.

— Тогда она должна быть куда страшней. Ее рассказ существенно отличается от того, что рассказал нам Басов. Кто из них лжет, по-твоему?

Дверь за моей спиной распахнулась, и в кабинет вошли Воин и Дима.

— У нас снова есть клиент, — сообщил им новость Максимильян.

— Слава богу, — повалившись в кресло, пропел Вадим. — Ненавижу работать бесплатно. Кто из них одумался: старуха или сам Басов?

— Его дочь.

— Ба... нашлась «потеряшка»? Что так? Роль агента под прикрытием больше не прельщает?

— Она опасается за свою жизнь. Утверждает, что за ней следили. Пусть побудет здесь. А мы займемся расследованием убийства ее брата, именно за это она готова заплатить любые деньги.

— А они у нее есть? — хмыкнул Воин.

— Должно быть, она имеет в виду деньги тетки или отца...

— После того, как получит наследство?

— Похоже на то. Папашу она не жалует, — Максимильян пересказал разговор с Евгенией, и все ненадолго задумались.

— Девица темнит, — первым вынес вердикт Вадим и на меня покосился.

— Лена уверена, о сексуальных домогательствах отца она врет.

— А чего в бега подалась? Несчастная любовь?

— Если бы не третий труп в колодце, я бы предложил вполне подходящую версию, — подал голос Дима. — Басова бежит из дома, дождавшись своего восемнадцатилетия, то есть это не был отчаянный шаг, а вполне обдуманный. И связан он с исчезновением ее подруг.

— Она знала, кто такой маньяк? — развеселился Вадим.

— Предположим, что никакого маньяка не было, а была группа молодых людей, развлекавшихся на свой манер. Басова в какой-то момент поняла, что все зашло слишком далеко, и сорвалась в бега. А дорогие родственники ее покрывали.

— Теперь юные преступники подросли, — подхватил Вадим. — И очень хотят забыть прошлые проделки.

— А Егор, что-то заподозрив, берется за расследование. И становится новой жертвой. При этом случайно рядом оказывается Ксения Мельникова и ее убивают вместе с ним. Евгения опасается, что теперь они захотят избавиться от свидетеля их давних преступлений, то есть от нее.

— А как сюда присобачить Бережную и Туманова? — развел руками Вадим.

— Очень просто, — сказала я. — Бережная встретила человека, которого раньше не раз видела со своей дочерью. И это спровоцировало приступ, а Туманов, на свою беду, затеял собственное расследование.

— «Оскар» за лучший сценарий нам обеспечен, — хмыкнул Дима.

А Максимильян сказал серьезно:

— Вы правы, третий труп в колодце — явно лишний и в вашу версию не вписывается. Хотя можно предположить, что своих дрянных игр дружки Басовой не прекратили. И вторая девушка — их очередная жертва. Таким образом, мы вновь возвращаемся к версии о маньяке, только теперь маньяков уже несколько.

— Мне и одного за глаза, — проворчал Вадим.

— В связи с изменившимися обстоятельствами, — продолжил Максимильян, — мы переходим на осадное положение, то есть вы перебираетесь на жительство ко мне, по одному дом не покидаете и, вообще, проявляете осторожность.

Вечер получился странный. Мы ужинали в столовой, Евгения была с нами. Днем мы с Вадимом съездили в торговый центр и привезли ей все необходимое, но к столу она вышла в той же маечке и джинсах. Осматривала хоромы Максимильяна с недоумением, даже не подозревая, что сама выглядела куда нелепей всех собранных им со всего света диковин, вроде астролябий и старых карт. Разговор не клеился, что совсем не удивило. Вадим пробовал шутить и даже слегка заигрывать с Евгенией, но она упорно отмалчивалась, зато исподтишка наблюдала за Максимильяном. Если уж совсем честно: глаз с него не спускала. В тот вечер он опять вырядился во все черное, и я решила: они вполне подходят друг другу. Возле подобных типов вечно вьются экзальтированные девицы, готовые обвешаться железом, проткнув все, что можно, лишь бы быть не как все. Хотя процент чокнутых уже зашкаливает, и теперь, чтобы выделиться, надо быть просто нормальным человеком.

Комната Евгении оказалась рядом с моей, а Диму поместили в комнате в дальнем конце коридора, и это вызывало у меня приступ глухого раздражения. Я приняла душ и немного посмотрела телевизор, ожидая, что Дима появится. И уже подозревая, что он этого не сделает, мысленно подыскивала ему оправдания. Когда их запас истощился, я отправилась к нему и застала в его комнате Вадима. Они играли в нарды. Судя по всему, были абсолютно довольны жизнью.

— Не спится? — спросил Вадим, в его голосе мне почудилась издевка, но тут же выяснилось, что он далек от этого. — А я бы с удовольствием поспал. Но... спать на посту не положено.

— Ожидается нападение врагов? — спросила я хмуро.

— Надеюсь, что Максимильян перестраховывается, — серьезно ответил Дима. — Побудешь с нами? Ложись. Здесь довольно прохладно. — Он поднялся, достал из шкафа плед и заботливо укрыл меня, поцеловав в лоб, точно ребенка на ночь.

— Могу чай сварганить, — предложил Вадим. — Лионелла, поди, дрыхнет, но я знаю, где у нее что припрятано.

— Спасибо, не надо, — ответила я. — Лионелла давно здесь живет?

— Кто ж знает? — пожал Вадим плечами.

— Вас не удивляет, что вы так мало знаете о своем друге?

— Нисколько. Лично у меня есть много чего, о чем не хотелось бы распространяться, а у тебя нет?

— Наверное, есть.

— Вот видишь... Опять же, не ясно, как все обернется, будем мы завтра друзьями или окажется, что кто-то из нас злейший враг.

— Вы верите в эту чушь с картами, которые появились неизвестно откуда? Вы же взрослые люди...

— Тихо, — шепнул Дима. Я было решила, что таким образом он пресекает критику в адрес Максимильяна, но тут услышала попискивание таймера. Дима взял устройство, похожее на пульт, лежавшее у него под рукой, и молча показал Вадиму. На пульте мерцал красный огонек. Воин поднялся и направился к двери, в руках его появился пистолет, который он достал из наплечной кобуры, до того момента прикрытой пиджаком. Дима выдвинул ящик стола и тоже достал оружие. Эти приготовления мне совсем не понравились. Вадим бесшумно открыл дверь, и так же бесшумно мужчины выскользнули в коридор, а я осталась сидеть с разинутым ртом, понятия не имея, что делать. Однако очень быстро Дима вернулся, прижал пистолет к губам, призывая к молчанию, и шепнул, подойдя ко мне вплотную:

— Быстро под кровать и не высовывайся.

Сказано это было таким тоном, что от вопросов я воздержалась, юркнув под кровать, придвинулась ближе к стене, Дима вновь ушел, а мне оставалось только ждать. Тишина в доме такая, что уши закладывало. Оттого прозвучавший выстрел был подобен раскату грома, я вжалась в стену и стиснула уши ладонями, от второго выстрела вздрогнула всем телом. А потом где-то внизу затопали, закричали, захлопали дверями. В общем, начался переполох. Я выбралась из-под кровати и с некоторой опаской выглянула в коридор. Со второго этажа, там, где кабинет Максимильяна, доносились голоса, явственно различив голос Димы, я вздохнула с облегчением и начала спускаться по лестнице.

Вскоре очам моим предстала очень странная картина. Вадим держал за шиворот Женю Басову, она слабо отбивалась и кричала «отпусти, урод». Косметика размазана, из уголка рта капала кровь. Это мне особенно не понравилось. Рядом стояли Максимильян и Дима, последний взирал на происходящее в явном замешательстве. Максимильян хмурился, сцепив на груди руки. Лионелла тоже присутствовала, но через минуту удалилась с таким видом, точно стрельба в доме для нее дело обычное и тратить на разговоры об этом свое время она не намерена.

— Что происходит? — спросила я, все дружно повернулись в мою сторону.

— У нас были гости, — ответил Волошин, отпуская девушку. — С недружескими намерениями, раз стрелять задумали. А вот эта вместе с ними сбежать хотела.

— Я просто испугалась, — ответила девушка, выпрямилась и попятилась от Вадима, при этом смотрела на меня, должно быть, в надежде на сочувствие.

— Идемте в кабинет, — сказал Максимильян, и мы направились за ним, я так и не поняла, что произошло, и очень рассчитывала, сейчас мне это растолкуют. — Видеозапись, — кивнул Максимильян Диме, и вскоре тот вывел на компьютер видеозапись с камеры слежения.

В поле зрения показалась Басова, вышла из дома, закурила, но почти сразу сигарету бросила и скрылась за дверью.

— И что? — запальчиво спросила девушка. — Я вышла покурить.

— И забыла дверь запереть? — спокойно спросил Максимильян.

— Я думала, она просто захлопнется. Не собиралась я оставлять ее открытой.

— И этих типов ты не знаешь?

— Конечно, нет.

— Камера их не зафиксировала, — сказал Дима. — Они вывели ее из строя. И утверждать, что дверь была открыта, мы не можем.

— Ты сомневаешься, что она с ними заодно? — возмутился Воин.

— Я просто констатирую факты. Двое типов с оружием проникли в дом. К счастью, врасплох нас не застали. Одного мы точно ранили, но они смогли уйти. На улице их ждала машина, в объектив камеры она не попала. Наша гостья, воспользовавшись тем, что мы очень заняты, тоже попыталась сбежать, но ей повезло меньше.

— Я надеялась, что буду у вас в безопасности, — шмыгнув носом, сказала девушка. — А у вас тут стреляют. С таким же успехом я могла прятаться у тетки. Я пришла к вам потому, что знала: меня попытаются убить.

— Кто? — вкрадчиво спросил Максимильян.

— Вы же видели этих типов. Одного даже подстрелили.

— Момент, — перебила я. — Вы уже сообщили в полицию?

Трое мужчин посмотрели с недоумением.

— У вас посттравматический шок или просто с головой проблемы? — Я потянулась к телефону, стоявшему на столе Максимильяна, но он мягко отвел мою руку.

— В полицию никто звонить не будет.

— Можно узнать почему? — с трудом сдерживая раздражение, спросила я.

— У нас правило, — со смешком ответил Вадим. — Полиция сама по себе, а мы — сами. От них мороки больше, чем пользы. Все равно никого не найдут, а душу своими вопросами вынут.

— Такой ответ устроит? — серьезно спросил Бергман.

— Надеюсь, вам не надо объяснять, что это противозаконно?

— Не надо. Будем считать, это мы уже обсудили. Вернемся к вашей проблеме, дорогая, — повернулся он к Евгении. — Лично я очень сомневаюсь в вашей невиновности.

— Эти типы пришли за мной, неужели не ясно?

— Видите ли, дорогая, буквально на днях мои друзья уже оказались в подобной ситуации. Выясняли обстоятельства исчезновения вашего брата и их попытались убить. Елена видела троих мужчин. Логично предположить, это те же самые люди.

— Я-то здесь при чем? — фыркнула Евгения, коснувшись пальцами разбитой губы.

— Возможно, именно вам невыгодно, чтобы убийство вашего брата было раскрыто.

— И я к вам притащилась, чтобы убийцам дверь открыть? Ха-ха, придумайте историю получше.

— Непременно. А пока я хотел бы послушать вашу историю.

— Они пришли сюда, чтобы со мной разделаться.

— С какой стати? Что за опасность вы представляете и для кого?

— Для убийц моего брата, конечно.

— Отлично. Учитывая, что восемь лет вы не общались с братом... я правильно понял?

— Он меня искал. Мне тетка сказала. Разнюхал, что она деньги переводила.

— А вы очень не хотели, чтобы он вас нашел. Не хотели до такой степени...

— Что убила его? — закончила Евгения. — Да вы совсем спятили?

— Ваша собственная версия грешит абсолютной нелогичностью, — напомнил Максимильян.

— Это конкуренты отца. Они убили Егора, теперь охотятся за мной...

— С какой стати?

— Чтобы бизнес отобрать.

— Тогда убить следовало вашего отца. С Егором смогли бы договориться, по общему мнению, работа его не очень-то интересовала, а вы вообще исчезли восемь лет назад...

— Вот и разберитесь. Я знать не знаю...

— Хватит врать, — перебила я. От неожиданности девушка вздрогнула и теперь старательно отворачивалась, избегая моего взгляда. — Если хочешь, чтобы тебе помогли, говори правду.

— Я, пожалуй, схожу за утюгом, — заявил с серьезной миной Вадим, поднимаясь с дивана. — Через десять минут все выложит, как на духу.

— Он просто пугает? — сказала Евгения, скорее вопросительно, и адресовала вопрос мне, женщины инстинктивно надеются на помощь женщин.

— Нет, — покачала я головой. — У них сложные отношения с законом, что тебе, должно быть, уже ясно, и совсем плохо с моралью.

Теперь девушка смотрела на меня во все глаза, все еще не в силах поверить, что дела ее обстоят совсем скверно, но поверить пришлось.

— Я... — начала она нерешительно. — Восемь лет назад я сбежала из дома... — она вздохнула и выпалила: — Мой отец — сумасшедший, он убийца, понимаете?

— Пока не очень, — по-прежнему спокойно ответил Максимильян. — Но с нетерпением ждем объяснений.

— Я училась в музыкальной школе, — отбросив все сомнения, заговорила Евгения. — Однажды случилось несчастье: пропала девушка, с которой я дружила. Она часто бывала у нас дома. Ее труп обнаружили в канализации через несколько дней, убийцу так и не нашли. Через полгода все повторилось. Еще одна девушка пропала, правда, труп не нашли... С ней мы не были подругами, но... Это трудно объяснить... Я уже тогда что-то подозревала, не отдавая себе отчета. Я очень любила отца, очень. Но иногда, когда он был рядом, мне становилось не по себе. Потом погибла мама. Странная смерть... Теперь я уверена, она, как и я, догадывалась и утонула вовсе не случайно. В те месяцы я была просто сама не своя... Отец старался быть рядом, заботился о нас, а на меня накатывали приступы необъяснимого ужаса. Однажды мне даже приснился сон: отец входит в мою комнату, а вместо лица я вижу окровавленную пасть... Потом пришла очередь другой моей подруги, Любы Бережной. Мы выступали на концерте, отец сидел в первом ряду, он никогда не пропускал ни одного концерта с моим участием. Он был очень хорошим отцом, как бы издевательски сейчас это ни звучало... Я видела, как он смотрел на Любу, никогда не забуду этот взгляд... И в тот момент я все поняла. Все, понимаете? Она исчезла в свой день рождения. Мы вместе с отцом выбирали ей подарок. Я была в ужасе и не знала, что делать. Идти в полицию? Рассказать, как он смотрел на нее? У меня же не было никаких доказательств, а потом... Я боялась, боялась, что мне никто не поверит, а он непременно разделается со мной. В конце концов, я все-таки решилась все рассказать матери Любы, но к тому моменту она уже спятила от горя и вряд ли поняла, о чем я. И тогда я решила бежать. Дождалась своего совершеннолетия и сбежала. Все, что я вам рассказала вчера, — правда. Я бродяжничала, познакомилась с парнем, который помог мне с документами. Свой паспорт я спрятала. И очень боялась, что отец догадается. Я уверена, он убил Егора. Потому и вернулась. И решила нанять вас, когда тетка мне обо всем рассказала. Идти в полицию я по-прежнему боюсь. У меня нет доказательств, а если отец узнает, что я вернулась... хотя он уже узнал, вот и подослал этих типов.

— Ваш отец далеко не глуп, — выслушав ее, сказал Максимильян. — Как я уже говорил, найти вас оказалось совсем не трудно. Почему же он не разделался с вами раньше?

— Наверное, потому, что он все-таки мой отец. Я жила под чужим именем. Чем я могла ему помешать? Но теперь я здесь, и он почувствовал опасность.

— Хотя у вас по-прежнему никаких доказательств, — кивнул Максимильян и вопросительно посмотрел на меня.

— По крайней мере, она верит в то, что говорит, — ответила я на его немой вопрос, девушка нахмурилась, должно быть, теряясь в догадках.

— Если допустить мысль, что маньяк у нас Басов, — сказал Дима, — все выстраивается вполне логично.

— Жаль, что мы пленных не взяли, — заметил Вадим. — Поиграли бы в гестапо и быстро выяснили, кто их хозяин.

— Сомневаюсь, — возразил Дима. — Особенно если речь действительно идет о Басове. В век Интернета личное общение вовсе не обязательно, и исполнители могут даже не догадываться, на кого работают.

— Но я бы их все-таки поискал. Один из них ранен. Если ранение тяжелое, значит, его либо свои добьют, что плохо и для него, и для нас, либо будут искать врача, что, безусловно, хорошо, потому что тех, кто оказывает такого рода помощь, один-два и обчелся. И всех я знаю. Или почти всех, а если не знаю, сведу знакомство очень быстро, потому что слухами земля полнится.

— Хорошо, — кивнул Максимильян. — Этим и займешься. Но если Дима окажется прав и о заказчике они понятия не имеют, надо решать, что делать с Басовым, — тут он перевел взгляд на Евгению и продолжил: — Вам необходим отдых, отправляйтесь в свою комнату.

— Вы мне не доверяете? — с обидой спросила девушка.

— Теперь вы наш клиент, и я просто обязан вам верить. — Я почувствовала издевку, но Евгения ее вряд ли заметила, голос Максимильяна звучал ровно, без эмоций. — Считайте это производственным совещанием.

Девушка поднялась, а Дима предложил:

— Я провожу.

И они оба удалились. Пока Дима отсутствовал, Максимильян пребывал в размышлениях, по обыкновению сложив ладони домиком и глядя куда-то вдаль, как только Соколов вновь оказался в кабинете, Бергман обвел нас взглядом и сказал:

— У нас нет никаких доказательств, но мы можем его спровоцировать.

К Басову мы отправились вечером, он согласился встретиться с нами в своем доме. На следующий день хоронили Егора, и Геннадий Львович предупредил, что сможет уделить нам совсем немного времени. О чем Максимильян хочет поговорить, не спросил, и это удивило, ведь деньги он успел перевести и нашим клиентом больше не являлся.

Басов жил в пригороде, впрочем, назвать это место пригородом язык не поворачивался, всего восемь минут на машине — и ты в центре города. Дома вокруг радовали глаз богатством отделки. Хоромы Геннадия Львовича с дороги не увидишь. За кованым забором, обсаженным высоченными туями, был разбит настоящий парк, к дому вела дорожка, посыпанная гравием. Нам предложили оставить машину возле ворот, что мы и сделали. Калитка со щелчком открылась, мы направились по дорожке и вот тогда увидели дом. Впрочем, размерами он не поражал и на общем фоне выглядел вполне скромно. Двойная лестница вела к дубовым дверям. Возле круглой клумбы стоял «Майбах», собственность хозяина, и ни души вокруг. Дверь нам открыла домработница, худая, очень строгая дама лет пятидесяти.

— Проходите в кабинет, — сказала она без улыбки. — Я вас провожу.

По дороге я успела увидеть гостиную и часть кухни. Вполне достойно и без излишеств. Вкусы Басова мне нравились. Кабинет в доме мало чем отличался от его рабочего кабинета, а вот сам хозяин выглядел плохо. Лицо посерело и осунулось еще больше. Он сидел в кресле возле камина, в котором полыхал огонь, и кутался в белую кофту крупной вязки, и это несмотря на то, что дни стояли жаркие.

— Прошу вас, — кивнул он, поздоровавшись. — Хотите выпить?

— Нет, благодарю, — ответил Бергман.

— А девушка?

— Девушка активист движения «мир без спиртного», — заявил Максимильян совершенно серьезно.

— Есть и такое? — удивился Басов, с трудом поднимаясь. — А я выпью. Последняя радость, что осталась в жизни, — невесело усмехнулся он, подошел к бару, налил коньяка, поболтал его в бокале и сделал глоток с видимым отвращением, что шло вразрез со словами о последней радости. Все еще держа бокал в руке, он вернулся в кресло. — Деньги вы получили? — спросил заботливо.

— Да. Все в порядке.

— О чем хотели поговорить? — в голосе против воли появилась тревога.

— Об убийстве вашего сына.

— Намерены вновь предложить свои услуги? — подумав, спросил Басов.

— Намерен предложить вам свою версию событий. Предупреждаю сразу, она будет малоприятной для вас, но постарайтесь выслушать ее до конца. Ваша дочь сбежала восемь лет назад, заподозрив вас в убийстве ее подруг...

— Понятно. Женя вернулась? Извините, что перебил. Слушаю вас.

— Егор догадывался о том, что сестра жива, и пытался ее разыскать. И эти попытки привели к тому, что он тоже начал вас подозревать. Вы об этом знали, оттого и решили отправить его за границу. Он обещал уехать, и вы были уверены, что руки у вас развязаны. Но вместо

того, чтобы выполнить обещание, он взял у друга машину и устроил за вами слежку. Вы отправились в Решетов,
нацепив парик, бородку и очки, неплохая маскировка,
хоть и примитивная. Искали жертву, и вскоре заметили
ее на дороге. Мой сценарий весьма приблизительный, —
улыбнулся Бергман. — Потом вы сможете что-то отре-
дактировать, если захотите. Итак, жертва найдена. Ваш
сын, следуя за вами, видит, как вы сажаете девушку в
машину. Остановиться, не привлекая внимания, он не
может и следует к автозаправке, откуда и наблюдает за
происходящим. Ему пришлось заправить машину, и расплатился он карточкой, вечно забывая, как очень многие из состоятельных людей, есть в бумажнике наличные
или нет. Вы проследовали мимо, и он опять отправился
за вами. Но вскоре вы свернули на дорогу к бывшей ракетной точке. Спрятаться там негде, это Егор понимал,
вы бы непременно заметили машину. Он либо оставил
«Жигули» и пошел за вами, либо дожидался вас, укрыв
машину за деревьями. Когда через некоторое время вы
появились уже без девушки, он понял, что его подозрения совершенно справедливы. Вы намеревались зано-
чевать в мотеле, из-за недавнего возбуждения не рискуя
садиться за руль, или, напротив, из-за усталости, вам
лучше знать. В общем, после содеянного вы нуждались в
отдыхе и не собирались возвращаться домой. Думаю, решение поговорить с вами далось ему нелегко. Егор пришел к вам в номер, требовал объяснений. И вы, поняв,
что переубедить его невозможно, убили собственного
сына. А потом вывезли его тело и спрятали там же, где и
труп девушки. Точнее, двух девушек. Первую вы убили
еще весной. Под утро начался ливень, ветром уронило
дерево на дорогу, и на обратном пути вы едва выбрались.
Администратор отеля заметил, что машина утром стояла грязной. Он, кстати, остался жив, и, думаю, сможет
вас узнать, несмотря на вашу страсть гримироваться. Вы

вряд ли догадывались, что мать одной из убитых вами девушек работает в мотеле. И встреча с ней явилась неприятным сюрпризом. На нее она тоже произвела впечатление, должно быть, женщина вас узнала, вернулась в город и караулила возле вашего офиса. Мало кто обратил бы внимание на слова сумасшедшей, но после убийства сына вы чувствовали, что очень рискуете, и избавились от бедняжки. К несчастью для вас, начальник охраны Туманов получил сообщение от приятеля вашего сына, одолжившего ему машину. Подозрения на ваш счет у него возникли гораздо раньше, рискну предположить, после разговора с той же сумасшедшей. Человеку его опыта провести собственное расследование не сложно. Когда он понял, что алиби на момент исчезновения Егора у вас нет, подозрения укрепились. Не знаю, почему он о них промолчал. Не имел веских доказательств или намеревался вас шантажировать? В любом случае он был неосторожен. Вы позвонили ему, он приехал на встречу и был убит. Когда ваша сестра наняла нас для розыска Егора, вы отлично знали, чем это грозит, но просто запретить нам вмешиваться не могли, это выглядело бы подозрительно, и тут же дали нам другое задание, а когда поняли, что Егора мы по-прежнему ищем и оказались слишком близко к правде, решили вновь прибегнуть к помощи наемных убийц. Вы уже использовали их, когда надо было запугать частного сыщика Петракова, а также выследить и, скорее всего, убить Бережную. Но мотель они спалили напрасно. Этой ночью, узнав, что ваша дочь прячется в моем доме, наемники повторили попытку избавиться ото всех, кто для вас опасен. Безуспешную попытку. Ваша дочь по-прежнему у нас, а один из нападавших ранен. Мы его найдем. А также найдем машину, которую вы использовали, отправляясь убивать. Не сомневаюсь, что в ней что-нибудь обнаружат, один-единственный волосок к примеру. И этого хватит...

— Я понял, — кивнул Басов. — Нет смысла отрицать. Я действительно убил своего сына. — Он вздохнул и стал смотреть на огонь, потом вдруг улыбнулся. — Дети... слышали выражение: «По плодам их узнаешь о грехах их». Должно быть, я большой грешник. У меня было трое детей... Я их очень любил, наверное, это моя вина, что они выросли эгоистичными, жадными, взбалмошными... У моей старшей дочери были серьезные проблемы. Она казалась милой девушкой, училась музыке, но это была маска... Женя связалась с дурной компанией, они любили жестокие игры... Когда я понял это, все уже зашло слишком далеко, у меня был лишь один выход: отправить ее подальше отсюда, назначив приличное содержание. К несчастью, она успела оказать самое дурное влияние на брата, они всегда были очень близки. Впервые я заподозрил неладное несколько месяцев назад, случайно заметив засохшую кровь в его машине. Егор сказал, что порезался, очевидная ложь, но я сделал вид, что поверил. И стал следить за ним. Сам. Потому что не хотел никому доверять свою страшную тайну. Вы все рассказали правильно, только с точностью до наоборот. Я действительно был загримирован, но для того, чтобы сын, случайно увидев меня, не узнал. Это я ехал за ним, я видел, как он подобрал девушку. Я пытался предотвратить преступление, но проклятая машина застряла в грязи, и я опоздал. Когда все же оказался на месте, там были лишь следы его пребывания. А еще... еще труп. Не знаю, как я добрался до мотеля... я пытался прийти в себя, принять решение. И, в конце концов, позвонил сыну. Он приехал. Думаю, он уже тогда все понял и твердо решил меня убить. Потому и спрятал машину, надеясь остаться незамеченным. Я открыл дверь, он вошел, я еще не успел начать разговор, как он набросился на меня с удавкой. И я понял, что должен сделать. Не буду врать, что это была самозащита. Я действовал абсолютно сознательно, я убил его, потому что такому чудовищу, как мой сын, не место среди людей... — Басов прикрыл лицо ладонью, и на некоторое время воцарилась тишина. — Кто убил Туманова и преследовал вас — я не знаю, но могу предположить с большой долей вероятности, раз уж моя дочь вернулась. Среди ее дружков, вполне возможно, и убийцы найдутся. Думаю, Туманов тоже подозревал моего сына. Егор пытался разыскать сестру, Туманов неким образом узнал, что она жива. И мог нарушить ее планы. Так же, как и вы... Я ни о чем вас не прошу, Максимильян Эдмундович, понимая, что вы обязаны...

— Вовсе нет, — перебил Бергман. — Не забывайте, мы не состоим на службе в полиции. И можем позволить себе роскошь поступать по справедливости, а не по закону. — Я, едва сдерживаясь, посмотрела на него, но он и бровью не повел. — Ваша история глубоко потрясла меня. Вы заслуживаете сострадания...

Басов смотрел с некоторой растерянностью, потом спросил:

— Вы не станете сообщать в полицию?

— Нет. Признаться, еще до встречи с вами у меня были большие сомнения в вашей виновности, и мой рассказ не более чем уловка, чтобы заставить вас быть откровенным. Жаль, что ничем не могу помочь вам, Геннадий Львович, но о вашей тайне никто никогда не узнает, по крайней мере от нас.

— Спасибо, — пролепетал Басов. — Ради бога, простите, я не хотел бы вас обидеть, но... в знак уважения и благодарности я хочу перевести на ваш счет...

— Мы можем это обсудить... позднее. А сейчас мне надо знать, какие шаги следует предпринять в отношении вашей дочери. Удерживать силой мы ее не можем...

— Конечно. Постарайтесь задержать Женю на несколько дней. После похорон я свяжусь с ней, попробую убедить уехать отсюда. И ради бога, никаких расследований, неизвестно, к чему это приведет. А я хочу лишь одного: чтобы никто не узнал правды о моих детях.

— Желание клиента для нас всегда закон. — Максимильян поднялся, кивком простившись с Басовым, направился к двери, а я стиснув зубы пошла за ним.

— Ты возьмешь его деньги? — прошипела я, как только закрыла дверь.

— Тише, тише, — быстро оглядываясь, ответил он.

— Его рассказ вранье, от первого до последнего слова.

— Тише, тебе говорю. Разумеется, вранье. И чтобы это понять, не надо обладать твоими способностями.

— И ты из-за денег готов...

— Да заткнись ты, наконец, — шикнул он. Тут откуда-то сбоку бесшумно возникла домработница. Забежала вперед и распахнула входную дверь. — Всего доброго, — улыбнулся ей Бергман, вышел на крыльцо, вздохнул полной грудью и вновь обратился к женщине, когда она уже собиралась закрыть за нами дверь: — Прекрасный сад, наверное, приходится содержать целый штат садовников?

— Ничего подобного, — ответила домработница. — Это любимое детище Геннадия Львовича, он всегда сам ухаживает за ним.

— Удивительный человек, — с восхищением заявил Максимильян и сбежал вниз по ступенькам.

За то время, что мы были в доме, стемнело. Вдоль дорожек зажглись фонари, бросая на лужайку причудливые тени. Я сделала несколько шагов, сердце вдруг стремительно полетело вниз, и стало трудно дышать. А потом пришло чувство, что в спину смотрят десятки глаз. Тени задвигались, вышли из сумрака деревьев, приближаясь и снова удаляясь. Протягивали руки — тонкие белые косточки, в беззвучной мольбе открывая впалые рты, заглядывая в душу невидящими глазами.

— Господи, — в ужасе пробормотала я и бросилась к калитке. Возле машины меня вырвало. Бергман помог мне устроиться на сиденье и захлопнул дверь. — Они здесь, — сказала я. — Он хоронил их в саду... Их там много, очень много... может, десять или пятнадцать... Сколько же это продолжалось? Как он мог столько лет оставаться безнаказанным?

— Старшая дочь очень помогла ему, сбежав. Если он и был на подозрении, то после ее исчезновения... Все видели в нем убитого горем отца, а не убийцу. А тебе неплохо бы научиться держать себя в руках...

— Когда ты покрываешь этого упыря?

— Никто покрывать его не собирается. Но у нас по-прежнему нет доказательств. Рассказа его дочери недостаточно, чтобы получить ордер на обыск и перерыть весь сад. Не забывай о деньгах Басова и его возможностях.

— Тогда что делать?

— Работать. Найти улики, чтобы ни один адвокат не мог их оспорить.

Евгения осталась в доме Бергмана с условием, что она не будет пытаться покинуть его без разрешения, не станет никому звонить, а также приставать с вопросами. На последнем пункте Максимильян особенно настаивал. Девушка согласилась, тем самым подвергнув себя заключению в четырех стенах. Впрочем, мое положение было немногим лучше, потому что следить за соблюдением договора пришлось мне.

Артем, работавший в мотеле менеджером, пришел в себя. Угрозы его жизни не было, а главное, он с уверенностью узнал в Басове мужчину, который останавливался в номере в ночь с первого на второе июля. Диме пришлось немного поработать с фотографией, добавить бороду, очки и сделать волосы длиннее. Вадим проверял врачей, которые могли оказать помощь раненому, правда, пока безуспешно, а Бергман очень быстро выяснил, что алиби на тот вечер, когда был убит Туманов, у Басова нет, подозреваю, не обошлось без помощи секретарши.

В общем, мы худо-бедно продвигались вперед, и вдруг все мгновенно изменилось. Мы с Евгенией пили чай в кухне. Незадолго до этого к нам присоединился Максимильян, к великой радости нашей гостьи. Она была в него влюблена и даже не особенно это скрывала. Разумеется, он оставался любезно равнодушным, как и положено такому типу. В общем, я наблюдала ерзанье одной и тщательно скрываемую иронию другого, когда в комнату ворвался Дима, выпалив с порога:

— Он взял машину.

Пока Евгения хлопала глазами, гадая, что происходит, мы бросились к компьютеру. На дисплей была выведена карта города, по которой двигался маячок, указывая местоположение «Рено».

— Звони Воину, — сказал Максимильян. — Пусть скорее его подхватит.

— Я тоже поеду, один он может не справиться.

— Хорошо. Думаю, Басов намерен избавиться от машины — весьма серьезной улики.

— Что делать нам в этом случае?

— Еще не знаю. Сначала попытаемся понять, что он задумал.

Дима спешно покинул комнату. Минут через пятнадцать позвонил Вадим, Бергман включил громкую связь, чтобы я могла слышать их переговоры.

— Я у него на хвосте, — сообщил Воин. — Он выезжает из города.

— Будь постоянно на связи.

— Ок. Димка объявился. Я его вижу. Все в порядке, Джокер, мы его не упустим.

Нам оставалось лишь наблюдать за тем, как перемещается светящаяся точка на экране и слышать, как Волошин и Дима переговариваются.

— Меняемся местами, — скомандовал Вадим. — Держись ближе, движение большое, не стоит рисковать.

— Они на объездной, — сказала я, как будто Максимильян сам этого не видел. Вдруг маячок замер.

— В чем дело? — встревожился Бергман.

— Девчонка на дороге, добирается автостопом. Он проехал и вдруг встал. Джокер, девчонка блондинка, на вид совсем пацанка. Интересно, у нее родители есть? Они знают, где ее носит? Я зарулил на автозаправку, Димка тащится сзади.

— Он не мог вас засечь?

— Вряд ли. Черт... он сдает назад, ей-богу. Неужто он решил... вконец оборзел, придурок.

Маячок действительно сдвинулся назад.

— Девчонка бежит к нему.

— Отлично. Если повезет, возьмем его с поличным.

— Вот это мы с большим удовольствием, — засмеялся Вадим, а я сказала, обращаясь к Бергману:

— Мы не можем так рисковать, нет никакой гарантии, что...

— Лена, все будет хорошо, — перебил Димка, мы слышали их переговоры, а они наши.

— Девчонка в машине, Поэт у него на хвосте, я присоединяюсь...

Голос Димы через несколько минут:

— Он свернул на проселочную дорогу.

— Увеличивайте расстояние, он не должен вас видеть. Двигайтесь по навигатору, тут полно обходных путей.

— Если они окажутся слишком далеко... — прошептала я.

— Он свернул в лес, — перебил меня Бергман. — Координаты засекли? Басов может вместе с ней покинуть машину. Поторопитесь.

— Девушка должна понимать, что происходит. Либо она отправилась добровольно, либо...

— Вот это нам совсем ни к чему... — вклинился Вадим.

— Либо уже без сознания, — заключила я. — Вы психи, не лучше этого Басова...

Маячок замер.

— Где вы? — позвал Бергман, но никто не ответил.

— Если они опоздали... — начала я, и тут Дима, тяжело дыша, крикнул:

— Порядок! Вызывай полицию.

Девушку Басов усыпил, лишь только она села в машину. Она даже испугаться по-настоящему не успела. Точнее, испугалась, когда, очнувшись, увидела себя окруженной сотрудниками полиции. Само собой, Басов пытался представить все как недоразумение, но не преуспел. Однако признавать свою вину не спешил. До тех пор, пока в его саду не обнаружили первый труп. На том, чтобы тщательно обследовать сад, настоял Бергман, объяснив свою настойчивость крайне просто: бизнесмены уровня Басова если и копаются в саду, то тяжелую работу все равно поручают садовнику, а этот все делал сам, чему должна быть причина. Я думаю, он же и указал, где следует начать поиски. Когда стало известно количество погребенных, полицейские испытали шок. Кто-то из начальства тут же решил, что все обстоятельства дела лучше держать в тайне.

Судебное заседание было закрытым, Басов получил пожизненное, на что Вадим отреагировал весьма своеобразно.

— Теперь эту заразу еще и кормить придется.

Однако слухи, конечно, все равно просочились, но приняли совершенно неожиданную направленность. Многие вполне искренне считали, что Басова подставили, потому что кому-то приглянулся его бизнес. В Интернете по этому поводу разразилась целая дискуссия.

Евгения перебралась в дом своей тетки и продолжала вести жизнь затворницы, не желая объяснять многочисленным знакомым свое чудесное воскрешение. От наследства она не отказалась, но жить в этом городе не планировала. Кстати, Басов успел перевести весьма кругленькую сумму Максимильяну, в расчете на наше молчание. Это обстоятельство вызвало у Вадима детский восторг.

— Джокер, где твой лучший коньяк? — орал он на весь этаж. — Мы обязаны как следует обмыть наши премиальные.

— Ты возьмешь эти деньги? — с сомнением спросила я.

— Еще бы, конечно, возьму. И как следует напьюсь.

— Лучше не надо, — заметил Дима. — Завтра нам предстоит очередная встреча с Кудриным.

— Кто это? — нахмурилась я, услышав знакомую фамилию.

— Следователь. Мы вечно сталкиваемся, и он вечно этим недоволен.

— Это он из-за бабла злится. Завидует. Зарплата у него совсем не шоколадная, а я, пожалуй, себе новую тачку куплю. Может, «Ягуар», как у Джокера, хотя на фига он мне...

Дима пошел меня провожать, и я решила, что время для разговора самое подходящее.

— Я предупредила Бергмана, что уйду, как только мы закончим дело, — сказала я и посмотрела на него в ожидании реакции.

— Надеюсь, ты передумала.

— Нет, — твердо сказала я. — Я ухожу. Хочу верить, что ты тоже уйдешь. Возможно, я чего-то не знаю, но абсолютно убеждена: Максимильян...

— Дело вовсе не в нем, — поморщился Дима. — Я хотел сказать, не только в нем. Дело в нас. Мы должны быть вместе. Все четверо: я, ты, Воин и Джокер.

— Зачем? — с вызовом спросила я.

Он пожал плечами и улыбнулся:

— Это мы и пытаемся понять.

Литературно-художественное издание

АВАНТЮРНЫЙ ДЕТЕКТИВ Т. ПОЛЯКОВОЙ

Полякова Татьяна Викторовна

МИССИЯ СВЫШЕ

Ответственный редактор *О. Рубис*
Редактор *Т. Другова*
Художественный редактор *С. Груздев*
Технический редактор *О. Лёвкин*
Компьютерная верстка *Г. Ражикова*
Корректор *В. Назарова*

ООО «Издательство «Эксмо»
123308, Москва, ул. Зорге, д. 1. Тел. 8 (495) 411-68-86, 8 (495) 956-39-21.
Home page: **www.eksmo.ru**   E-mail: **info@eksmo.ru**

Өндіруші: «ЭКСМО» АҚБ Баспасы, 123308, Мәскеу, Ресей, Зорге көшесі, 1 үй.
Тел. 8 (495) 411-68-86, 8 (495) 956-39-21
Home page: www.eksmo.ru   E-mail: info@eksmo.ru.
Тауар белгісі: «Эксмо»
Қазақстан Республикасында дистрибьютор және өнім бойынша
арыз-талаптарды қабылдаушының
өкілі «РДЦ-Алматы» ЖШС, Алматы қ., Домбровский көш., 3«а», литер Б, офис 1.
Тел.: 8 (727) 2 51 59 89,90,91,92, факс: 8 (727) 251 58 12 вн. 107; E-mail: RDC-Almaty@eksmo.kz
Өнімнің жарамдылық мерзімі шектелмеген.
Сертификация туралы ақпарат сайтта: www.eksmo.ru/certification

Сведения о подтверждении соответствия издания согласно
законодательству РФ о техническом регулировании можно получить
по адресу: http://eksmo.ru/certification/

Өндірген мемлекет: Ресей
Сертификация қарастырылмаған

Подписано в печать 31.10.2014. Формат 84×108 $^1/_{32}$.
Гарнитура «Таймс». Печать офсетная. Усл. печ. л. 16,8.
Тираж 38 000 экз. Заказ 3171.

Отпечатано с электронных носителей издательства.
ОАО "Тверской полиграфический комбинат". 170024, г. Тверь, пр-т Ленина, 5.
Телефон: (4822) 44-52-03, 44-50-34, Телефон/факс: (4822)44-42-15
Home page - www.tverpk.ru Электронная почта (E-mail) - sales@tverpk.ru

ISBN 978-5-699-77083-0

16+

ВЫСОКОЕ
ИСКУССТВО ДЕТЕКТИВА

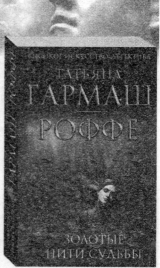

ТАТЬЯНА ГАРМАШ-РОФФЕ отлично знает, каким должен быть настоящий детектив, и следует в своих романах законам жанра. Театральный критик, она умеет выстраивать диалоги и драматургию чувств. Неординарная личность, она дарит часть своей харизмы персонажам. Непредсказуемость сюжетных поворотов, точность в логике и деталях, психологическая достоверность в описании чувств, — таково ВЫСОКОЕ ИСКУССТВО ДЕТЕКТИВА Татьяны Гармаш-Роффе.

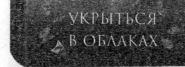

Вы можете обсудить роман и пообщаться с автором на его сайте.

Адрес сайта: www.garmash-roffe.ru